歴史の真贋

れきしのしんがん

西尾幹二

新潮社

無数の太陽系をなしてきらきらと振り撒かれている大宇宙の、
どこか遠くかけはなれた片隅に、かつて一つの天体が存在した。
その天体の上で、怜悧な動物たちが認識というものを発明したのである。

ニーチェ「道徳以外の意味における真理と虚偽について」

書紀一書に、天地初判、一物在於虚中、又一書に、
天地初判、有物若葦牙生於空中、などあるを以て准へ知べし、
いまだ天も地も無き以前は、いづくも〳〵みなむなしき大虚空(オホソラ)なりき、
○虚空(ソラ)を即(チ)天とするは、漢籍(カラブミ)のさだなり、天は虚空を謂(フ)に非ず、
なほ天と虚空とは別なること、傳十七の廿七の葉にいへり、

本居宣長『古事記傳』

【凡 例】

①年号の表記は西暦を基本とするが、日本での事象については適宜、元号を使用している。

②引用文は、読みやすさを考慮し新字・新かな遣いに統一し、漢字のルビは読み方の難しいものにとどめた。ただし筆者が底本としたものに従い、一部旧字・歴史的かな遣いのものもある。またドイツ語の作品でとくに断り書きがないものは、筆者の翻訳である。

③引用文中の省略についてのみ（中略）と表記し、前略および後略は省いた。また、引用文中の改行は適宜省き、／などで示した。

歴史の真贋　目次

第Ⅰ部

神の視座と歴史
――「神話」か「科学」かの問いかけでいいのか　11

神の歴史の行方
――文明のオリジンを持たない日本人　49

第Ⅱ部

ニーチェの言葉「神は死せり」は日本人にとって何を意味するか　71

ニーチェの言語観にこと寄せて　126

真贋ということ
――小林秀雄・福田恆存・三島由紀夫をめぐって　161

小林秀雄と福田恆存の「自己」の扱いについて　196

第Ⅲ部

「日本」という名のイデオロギー
——一九七〇年代の日本人論はどのようにしてイデオロギーになったか　245
昭和の連続性
——歴史に戦前と戦後の区別はない　290
「昭和のダイナミズム」考
——思想の地下水脈を外国にふさがれたままでいいのか　307
あとがき　354
講演記録・初出　360
参考文献　362

装幀　新潮社装幀室

歴史の真贋

第Ⅰ部

神の視座と歴史――「神話」か「科学」かの問いかけでいいのか

引用文をもって始めるのはたいへん異例ですがお許しいただきたい。私は二十二年前に『歴史を裁く愚かさ』という本を出しました。その「あとがき」の冒頭を引用します。

> 歴史は、過去の事実を知ることではない。事実について、過去の人がどう考えていたかを知ることである。過去の事実を直に知ることはできない。われわれは過去に関して間接的情報以外のいかなる知識も得られない。（中略）
>
> ところが、どういうわけか、現代の知識人は過去の事実を正確に把握できると信じている。事実が歴史だと思いこんでいる。そして、その事実について過去の人がどう考えていたかは捨象して、自分が事実ときめこんだ事実を以て、現在の自らに必要な欲求を満たす。
>
> それは事実の架空化による事実への侵害である。

人間の認識力には限界があって、われわれが事実を知ることは不可能であり、過去の人が事実をどう考え、どう信じ、そしてどう伝えていたかをわれわれは確かめ、手に入れようと努力し得るのみである、ということが言いたかったのです。それも現在の制限された条件の下で、最大の知力と想像力をもってもわずかに推察し得るのみであります。もう一度言います。「事実について、過去の人がどう考えていたかを知ること」が歴史であって、しかも「異なる過去の時代の人がそれぞれどう考え、どう信じ、どう伝えたかの総和」が歴史なのではないか。それは事実を確かめる手段であるだけではなく、時には目的そのものですらあります。なぜなら事実そのものは、把握できないからです。事実に関する数多くの言葉や思想が残っているだけなのです。ところが実際には、手続きや手段として情報を精査することなく、それをつい疎かにして、結果として知られたひとつの情報を「事実」として観念的に決めてしまうというようなことが、まま行われていないでしょうか。

歴史の事実とは何か？——スペイン史から

どういう事実があったかという前に、それについて人がどう考えていたか、基礎的なデータすらよく分かっていないのですね。

例えば、地球が「球体」であるということはいつ日本人に知らされたか。宣教師マテオ・リッチの世界地図、『坤輿萬國全圖』が一六〇二年に北京で刊行されて、日本にも伝えられました。しかし、日本で一般にはほとんど知られずに終わったのではないか。基本的知識は支配階級の手に届きましたけれど、民衆が知りかつ理解するのは簡単にはいかなかったはずです。としたらいったい当時の日本人は世界をどう考え、どう表象していたのでしょうか。日本列島が同一の海に囲まれていることすら知られていなかった。越後の海と、備前の海と、土佐の海と、そして常陸の海とが全体で一つであることも知らずして、どのようにして生活していたのでしょうか。謎です。

海一つとっても分からない、この一点だけでも当時の史料から検証し、推論するという丹念で地道な基礎作業を経ていないような歴史研究、例えば「鎖国」論などを議論してみてもどんな意味があるのか、というのが私の疑問です。学問の在り方、手続きについて、いま疑問にしているのです。

十六世紀から十七世紀ごろのヨーロッパを少し勉強して気がついたのは、ヨーロッパ人にとって二つのアメリカ大陸の出現がどんなに大きな出来事であり、ヨーロッパ人の生き方、道徳、法意識、文化感覚をいかに根底から揺さぶったかということです。そのことはいくらでも証拠があり、いくら言葉を連ねて今これを研究し論じ尽くそうとしても尽きないものがあります。

例えば「インディオは人間か」という大論争がスペインで繰り広げられたことがあります。一五五〇年のバリャドリッド大論戦を今どのくらいの人がご存知でしょうか。これは人種と人権に荒れ狂う今の世界史の動きにもひじょうに深く関係のある大問題です。

一方にセプールベダというアリストテレス学者、他方にスペインの近代思想を切り拓いたといわれる当時最も開明的なビトリアという法学者がいて、そこにドミニコ会派の司祭バルトロメー・デ・ラス・カサスが登場します。彼らの間で国王や宗教界を巻き込んだ一大論争が展開されたのです。

論争の発端となったのは、カリブ海域のエスパニョーラ島で起こったスペイン人による現地人インディオのむごたらしい殺戮の実態、大量虐殺を正当と見なすことができるか否かというテーマでした。いま三人を現代風に割り切っていえば、セプールベダは典型的な帝国主義者、ビトリアは近代的な市民主義者、ラス・カサスは聖書に忠実であろうとした現場の目撃者で、セプールベダとビトリアはインディアス（スペイン人が征服、植民した地域の総称でおおむね西インド諸島、南アメリカ、北アメリカの一部およびフィリピン諸島を指す）に一度も滞在した経験がありません。現場を見ていないのです。

ラス・カサスが国王の前でインディアス征服の中止を訴えてセプールベダを相手に果敢に論争を

展開しますが、それに先立って、今挙げたフランシスコ・デ・ビトリア（一四九三？〜一五四六）が「インディオについて」と「戦争の法について」の二講演をもってセプールベダと対決していて、インディオも人間であり、その所有権は正当であるとの法的根拠を開示していました。

この問題を取り上げる以上、全体の状況をもう少し俯瞰する必要があります。十六世紀当時のヨーロッパはキリスト教徒の社会のみが真の人間社会であり、その外部には化け物や妖怪が存在すると考えられていたほど無知でした。イスラムやユダヤ教徒などの異教徒をも含めた「人類」の観念は未発達でした。人文主義思想もまだ根づいていません。ビトリアのような先進的な考え方の思想家——だからこそ彼のいち早い近代性が賞賛されたわけですが——は別として、一般には国王も聖職者も民衆も、キリスト教中心の考え方にとどまっていて、異教徒に「万民法」（後の国際法）を適用する必要を認めていませんでした。まして理性を持たない野蛮人（バルバロイ）は奴隷化も自由、つまり生かすも殺すも勝手という判断が一般的でした。アリストテレスの先天的奴隷人説——今ではこの哲学者の説として文字通りに信じる人はいません——が便利なので当時恣意的にさかんに利用される背景がここにありました。

エスパニョーラ島はコロンブスがインドと誤認して到着した島で、この海域で最初のスペイン植民地となります。現在はドミニカ共和国とハイチ共和国に二分されていて、コロンブスの時代の原住民は絶滅し、住民は入れ替わっています。ほぼ同じことは近くのキューバ、プエルトリコ、ジャマイカにも起こっています。現地で行われたことはすさまじかったのです。

三人のうちで現地を体験していた司祭ラス・カサスは、キリスト教徒がおよそ聖書の教えに悖る非行を毎日のようにくり広げているのを目にし耳にしている最中に、インディオたちに神の教えを説くのはそもそも無理な話だと考え、教えを説く前にすることがあると言い出します。彼の全人生と全人格を賭けた宗教的実行主義の起点です。

征服者(コンキスタドール)たちが支配していた現地でしたから、命の危機にさらされた彼は修道院に匿われ、大著『インディアス史』を書き上げます。スペイン本国では国王が彼からの通報を聞いて、評議会を召集し、抜本的な見直しを諮ることを約します。この評議会のために書かれた報告書が世界的ベストセラーとなった小著『インディアスの破壊についての簡潔な報告』で、日本でも岩波文庫が版を重ねました。

キリスト教徒たちは、まずインディオたちから女や子供を奪って使役し、虐待し、また、インディオたちが汗水流して手に入れた食糧を強奪した。インディオたちは各自の貯えに応じて喜んでキリスト教徒たちに食糧を差し出したが、彼らはそれだけでは満足しなかったのである。

(中略)

さらに、キリスト教徒たちはインディオたちにそのほか様々な乱暴や虐待を行なった。その結果、とうとうインディオたちはキリスト教徒が天から来た人であるはずがないと悟るようになった。それゆえ、インディオたちの中には、食糧を隠したり、妻子を匿ったりする者や、残虐で恐しい仕打ちをするキリスト教徒たちから遠ざかろうと山中でひっそりと暮す者もでるようになった。

キリスト教徒たちはインディオたちに平手打ちや拳固をくらわし、時には棒で彼らを殴りつけ、ついには村々の領主(セニョール)たちにも暴力を揮うようになった。口に出すのも恐しくて恥かしいことであるが、キリスト教徒のある司令官(カピタン)は島で最大の権勢を誇る王の后を強姦した。この時から、インディオたちはキリスト教徒たちを自分たちの土地から追放しようといろいろ策を練りはじめた。彼らは武装したものの、武器と言えばまったく粗末なもので、攻撃や反撃を加えるのにほとんど役に立たず、といって防御に役立つかと言えば、なおさらそれも叶わないといった代物であった。（中略）キリスト教徒たちは馬に跨り、剣や槍を構え、前代未聞の殺戮や残虐な所業をはじめた。（中略）

彼らは、誰が一太刀で体を真二つに斬れるかとか、誰が一撃のもとに首を切り落せるかとか、内臓を破裂させることができるかとか言って賭をした。彼らは母親から乳飲み子を奪い、その子の足をつかんで岩に頭を叩きつけたりした。また、ある者たちは冷酷な笑みを浮べて、幼子を背後から川へ突き落し、水中に落ちる音を聞いて、「さあ、泳いでみな」と叫んだ。彼らはまたそのほかの幼子を母親もろとも突き殺したりした。（中略）

さらに、彼らは漸く足が地につくぐらいの大きな絞首台を作り、こともあろうに、われらが救世主と一二人の使徒を称え崇めるためだと言って、一三人ずつその絞首台に吊し、その下に薪をおいて火をつけた。こうして、彼らはインディオたちを生きたまま火あぶりにした。

（『インディアスの破壊についての簡潔な報告』染田秀藤訳、岩波文庫）

第二次世界大戦が終わってから世界各地でこの手の迫害や惨行のレポートが盛んに書かれ流布しましたので、私たちは今では果してこれらの記録は本当だろうか、とやや懐疑的になっています。旧日本軍の行動についてもひどい内容の報告文が提出され、戦後日本から緻密な反証が出されているのは周知の通りです。ラス・カサスの記述は今となっては事実検証のすべもありません。おそらく本人が目撃していない伝聞も含まれているでしょうし、誇張もあるでしょう。しかしそれにしても相当に異常な出来事が連続して起こったであろうことが想定されます。この小著には何ページにもわたって同種の残酷な報告があります。小著以外に詳細なレポートやデータを彼は後世に残し、二十一世紀の現代においてコロンブスの偉業を覆す最初にして最大の反対者と見なされています。

しかし歴史の事実とはいったい何でしょうか。より新しい時代が真理の認定者になるのでしょうか。バリャドリッド大論戦は果して意味がなかったのでしょうか。歴史に道徳感情を当て嵌めると歴史のリアリティを薄め、かえって事実を歪めることになりがちです。

セプールベダは征服者コルテスの知人です。現地に行かずに知人から送られたデータで事態を理解していたセプールベダは、道徳的にはもとより不誠実そのものですが、政治的にはリアリストでした。彼は、野蛮人に文字を使用する方法を教え文明の習慣や制度を与えたのだから、インディオを武力で制圧し金銀財宝を供出させることは正義の道に反してはいないと、何ら悪びれる風もなく論陣を張りました。考えてみればこれは現代史においても通用している論法ではないでしょうか。例えばGHQは日本人に民主主義を教え、アメリカ文明の習慣や制度を与えたのだから、以後日本をどのように沈黙させるも自由である、と信じ、かつそのように振舞ってきました。とはいえアメリカ人は、コルテスやピサロのような非道なことに直接手を下さなかったではないか、と今の人は言うかもしれません。そうでしょうか。原爆投下に対しトルーマン大統領は「獣と接するときは相手を獣として扱わねばならない」と明言しています。セプールベダと何ら変わらぬ堂々たる物言いではありませんか。古来征服者の論理に根本的な相違があろうはずはありません。

それなら、最も「近代的」として賞揚されてきたビトリアはどうでしょうか。彼はインディオが人間であって獣ではないことを宣言しました。異教徒もキリスト教徒も共通の本性によって普遍的な「人類」であると初めて高らかに謳った「国際法の父」ビトリアは、近代西洋の民主主義その他の法意識の伝統につながる存在であると今も信じられています。が、しかし、そこでいう近代社会とは、どこまでもヨーロッパ・キリスト教世界の内側の世界のことです。(この指摘が私の本の中心テーマの一つになるであろうことは、やがてお分かりになるでしょう)。

ラス・カサスの報告は仮に正確さを欠くものだったとしても、十六世紀に初めてキリスト教世界の外を見たキリスト教徒の認識としては、この宗教がそれなりにまだまともなものであったことを辛うじて示すむしろ名誉ある証言であったと言わざるを得ません。なぜなら彼がインディオとインディアスについて語ったことは、正常な感覚の持ち主なら正視しつづけることすら到底できないようなこと、キリスト教徒がしたことなら信仰を覆さずにはいられないようなこと、信徒たる心の奥底はかき乱され彼らは天を仰いで絶句せずにはいられないようなこと、「人類」などという納まりのいい甘い概念など糞くらえと投げ出したくなるようなことばかりだからでした。

ラス・カサスは叫びつづけたのです。その声はセプールベダも、ビトリアも、凡百のあらゆる観念的思想家の言葉をはるかに飛び超えて、今日に聞こえてきます。

しかしそれなら、私たちは彼の証言がスペインとその植民地で起こった出来事の本質を捉えた真実の歴史であるとただちに認定してよいのでしょうか。

その後、ラス・カサスの一連の報告は「黒い伝説」と呼ばれるようになり、スペイン国民を傷つけ、誇りあるその歴史を著しく侮辱したかどで彼は国家的裏切り者の烙印を押されます。十七－十八世紀にオランダやイギリスがこれを外交的に利用し、むごたらしい銅版画本を作り世界中に持ち歩いて、スペインを「悪の帝国」として喧伝しました。恐らく江戸幕府はこの銅版画本を見せられたのでしょう。証拠はありませんが、幕府がスペインを拒絶し、オランダ一国に窓をしぼりつづけた自閉的恐怖心は想像に余りあるものがあります。

ところが十九世紀に入ると中南米の各国が独立運動を開始し、様相はがらりと変わります。今度はインディアスは解放気分に覆われました。ラス・カサスは先駆的思想家として再評価されます。ところが、ところがです。またまた変わります。中南米各国が独立を果し終え、闘争の嵐も収まって、平静を取り戻すと、スペインの伝統文化が各地に再び甦るようになり、ラス・カサスは祖国の敵としてまたしても批判されるようになるのです。

これも歴史の実像の一つです。事実が歴史なのではなく、事実について異なる過去の時代の人がそれぞれどう考え、どう信じ、どう伝えたかの総和が歴史なのではないか、と私は前に申しました。すべては立場の相違、視点の異同に左右されていて、背後にある集団の政治的動機が時代の移り変わりによって揺れる度、座標軸は大きく動揺しました。歴史を見る眼の置き場所いかんです。歴史を見る観点がどこまでも〈神の視座〉ではなく、人間のそれであるからです。

にもかかわらず、〈神の視座〉に立っているかのごとき錯覚が、あらゆる政治的動機の前提となっています。相対的認識でしかないものを、絶対化して語りたがるのは人間の弱さの落し穴でしょうか。自己を相対化できないのにしたつもりの自己欺瞞があらゆる場面で見られるのは、そもそも歴史の事実は認識し得ない、すなわち存在しないかもしれない、という人間の能力への絶望が不徹底であることに原因があるように思えてなりません。

私は今まで述べた人々のすべてをいったん否定する位置に自分を置いてみています。セプールベダも、ビトリアも、中南米の独立運動家も、スペインの伝統文化愛国者たちも、どれも信じません。みな狭い人間の尺度でものを見ているからです。ひょっとするとラス・カサスその人もそうかもしれない。彼も〈神〉ではないからです。けれども、人が歴史を求める心は、何らかの形で所詮相対的であるほかない世界において絶対を求める心、自分は神でないと分かっていても一定の範囲内でぎりぎりのシーンにおいて〈神〉であろうとする心を前提とするのではないでしょうか。

少なくともヨーロッパの歴史的欲求についてはそう言う他ないものがあります。われわれが日本列島を地図の上に表象し、大略二千年の日本の歴史をまずは想定しようと思うときにも、何もない無の空間と時間の中で、自らが〈神の視座〉に立とうとする欲求と切り離して単なる科学的客観的認識だけを求めていると考えることは私にはできません。本書の次の段からいよいよこの中心的テーマに入りますが、その前にもうひとこと申し上げたい。

私がラス・カサスを全面肯定しているわけではないのはお分かりでしょう。しかし彼の文章には誇張や誤認を差し引いてもなお余りあるもの、戦う意志があり、疑い得ない生命力があり、しかも観念的ではなく徹底して具象的です。異教徒であり異邦人である私に五百年を越えて確かに伝わる何かがあります。それは書いている本人が自分を捨てているということとどこかで関係しているのではないかと思います。

一九九二年のコロンブスのアメリカ大陸発見五百年祭は、アメリカでもついに封印されました。コロンブスの地上最大の批判家ラス・カサスの言葉は、キリスト教的西洋世界の内側だけが世界では決してないことを初めて知らせた雷鳴のような言葉であったと今にして回顧されるのです。然るべき真実を世界中に告知した原初の言葉であったといってよいのではないか。

近代はキリスト教的西洋世界が決してすべてではない、というまさにこのことを、私たち日本人は百五十年間体験しつづけてきたのではありませんか。そして、インディオは自らこれを表現する言葉を持たなかったけれども、私たち日本人には言葉があるのです。

本書はこのテーマを〈神の視座〉をめぐる静かな省察、日本文化の根源に触れる深層分析を通じて考察していきたいと思います。

もうひとつ付言すれば、十七－十八世紀以後のイギリス、オランダ、フランスによるアジア・アフリカ全域における植民地帝国主義の進出において、十六世紀のスペインほどの激しい内部論争や苦悩に満ちた思想展開は、まったく認められなかったのが注目されます。ここにスペイン人の良さがあり、スペイン・カトリック教会の真面目さがあったと思います。イギリス、オランダ、フランスこそが、そしてつづくアメリカ、ロシアこそが、次の時代の地球侵略の張本人でした。「インディオは人間か」のあの真摯な問い掛けはすっかり忘れ去られてしまいました。近代史における日本の登場はさながら遅れて来た迷い児のような趣きの出来事であったのかもしれません。

世界の四百年史から見る日本の歴史

一四九四年のトルデシリャス条約、すなわちスペインとポルトガルがローマ教皇の勅許を得て地球を二つに分割する条約を結ぶ二年前の九二年に、コロンブスのアメリカ大陸発見があり、世紀を越えて一四九七年から五年ほどの間にポルトガルのヴァスコ・ダ・ガマがアフリカ西海岸を南に下ってゆき、ぐるっと一回りします。当時ポルトガルの海軍力は勢威を誇り、アフリカの東海岸からインド洋を越えてはるかマラッカ海峡にまで至っています。この流れの中に四十年の時を経て、一五四三年、わが国の種子島への鉄砲伝来があります。秀吉の時代に至るこの世紀の世界史的変革のドラマは、いかに早く向こう側には火が点いていたかを示しております。

一五〇〇年代といま申しあげて、私に遺憾なのは、この年代が織田信長と豊臣秀吉の時代だったということです。二つのアメリカ大陸の存在について、信長と秀吉という日本人の中では最も行動力と変革の情熱をもつ人物が予感すらしていなかったという歴史上の事実ほど、日本人の限界を痛感させるものはありません。もうこの時点で日本は敗れていたのです。今日の目前の国際政治上の諸問題にもじつは関係があることなのです。この当時からアメリカは日本の隣国なのですから。

さて、フランス革命の頃、一七八九年に北米の西海岸に起きた「ヌートカ湾事件」をご存知でしょうか。トルデシリャス条約の有効性を十八世紀になってもなお、頑強に言い張ったのがスペインでした。

ヌートカ湾はオレゴンの海岸の北西、現在のカナダ・バンクーバー島西部にあるスペインの植民地で、そこにイギリス、フランス、ロシア、アメリカが寄ってくる。アメリカにとってはすでに自国の領土であるはずでした。それに対しスペインはあくまで頑強に勢力を誇示して、一四九四年の古証文を持ち出します。北アメリカ大陸も南アメリカ大陸も全部スペインのものだ、ローマ教皇が言った通りだ、と。アメリカ独立戦争の後の、フランス革命の年にそう言って抵抗した。それでイギリスを中心にスペインと衝突するのです。

私の子供時代の記憶では、先の大戦でアメリカ一国が日本の主たる交戦相手国となったのは最初の段階からではなく、イギリスもオランダもずっと有力な敵国でした。日本軍によるシンガポール陥落とジャワ島の占領がそれを裏付けます。ところがスペインの国名を敵国という位置づけで聞いたことはありません。それもそのはず、スペインは日独伊の準同盟国だったからです。

一五八〇年から一六四〇年の間スペインはポルトガルを併合していました。マゼランの世界一周（一五一九年〜一五二二年）以来の名誉ある特権というものもあったらしく、太平洋は永い間「スペインの海」でした。マゼランが死んだのは一五二一年、フィリピンででしたが、この国名はスペイン国王フェリペ二世の名から採られています。近海はもとよりのこと、サイパン、グアム、テニアン等で知られるマリアナ諸島もスペインの所領でした。次のような忘れられた事実もあります。

日本が明治二十八年（一八九五年）に尖閣を沖縄県の所轄にした歴史的事実が近年の中国からの

攻勢でニュースとなりましたが、その四年前に、硫黄島を勅令によって日本領土に編入するというもうひとつの歴史があります。このとき日本領有に抗議したのがスペインでした。十六世紀にスペイン船が発見したという硫黄島の記録がたしかに残っています。

私たちは江戸時代でいちど歴史が途切れてしまい、十六世紀以来ずっと、日本が世界との対決を忘れている間にも世界各国のパワーポリティクスは休むことなく継続していた事実に対し、つい意識が及ばないのです。初期近代史は日本人のいわば盲点です。十七‐十八世紀に太平洋はポルトガル（すなわちスペイン）、オランダ、イギリスという三国の争いの舞台でした。イギリスが最終的に他の二国を退ける歴史が日本列島のすぐ目の前で展開されたのですが、幕府が事態の推移を正確に把握していたとは思えません。幕閣が頼りにした「オランダ風説書」は、列国の中で最も早く力を失った弱小国からの報告書だったのです。

それに比べスペインはさすが大国でした。一五八八年の「無敵艦隊（アルマダ）」の敗北がスペインにとっても確かに致命的であり、イギリスから帝国の座を奪い取られる大きな変化の潮目でした。スペインはあれ以来大西洋で力を失うとともに、南アメリカでもラテン・アメリカでも衰退していく一方でした。しかし大航海時代以来保持してきた一大勢力はカトリックの組織力もあってそう急に消滅するものではありません。オランダとはわけが違います。イギリスは手こずりました。そして最終的にスペイン帝国を打破するのにイギリスは新興国アメリカの力を借りなければなりませんでした。一八九八年の米西戦争におけるアメリカの勝利によって、ついにスペインは北半球の政治の表舞台から追い払われたのです。

一方イギリスはオランダに対しては巧妙かつ周到な戦略で臨みました。マラッカ海峡の西側の諸島（今のインドネシア）の利権を与えるとした上で、オランダをこの地に縛り付け、密林の現地人との戦争に追い込みます。十八－十九世紀を通じオランダがイギリスの干渉や妨害に耐えながら自国の統治を守ろうとしたのは、インドネシアのコーヒーや砂糖キビの栽培、現地人搾取によって得られる利益が巨大だったからです。しかし暴力と巧妙な法令でインド統治に成功したイギリスと違ってオランダは現地人の扱いに手足を奪われます。イギリスにそそのかされて始めた密林の内戦は四十年近くもつづく泥沼戦争でした（アチェ戦争、一八七三年～一九一二年）。一方その間イギリスは日本とロシアを戦わせ、ここでも漁夫の利を得て、アジアの全状況を黙って見ていました。オランダは次第に消耗し、西欧の植民地拡大競争から脱落します。日本はその間に近代化をスタートさせ、富国強兵へ走り抜けます。イギリスはインドネシアをオランダに、インドシナ（ラオス、ベトナム、カンボジア）をフランスに押し付け、着々と中国大陸への進出、その分割と侵略に向かいます。しかし手を広げ過ぎたイギリスは徐々に新興国アメリカとの役割分担を考えるようになり、二十世紀初頭にイギリス海軍は西太平洋をアメリカに引き渡し、艦隊を撤収しました。この頃イギリスもアメリカもともに新しい一等国としての日本の出現に不安と警戒心を抱くようになったと想像されます。

　ハワイをめぐる日本とアメリカの心理的駆け引きは興味深いドラマです。アメリカは国内に領土拡張反対主義者がいて、経済的に押さえていたハワイを正式に併合するには議会の合意を得ねばなりません。大隈重信を中心に日本外務省は併合反対の声を挙げていました。米西戦争が始まると同時に、アメリカはスペインの領土であったフィリピンを襲撃し、マニラ湾をあっという間に攻略します。議会へのそのときの説明は、フィリピンの西により強力な敵が出現しているとの主張でした。日本領になっていた台湾のことです。日清戦争の結果、台湾は日本に割譲されていました。アメリカは米西戦争を終結させた同じ年にハワイを併合します。

イギリスとスペインの四百年来の葛藤に終止符を打ったのはアメリカであって、新興国アメリカはこれにより一等国となり太平洋はこの時以来「アメリカの海」となったのでした。以上は日清戦争と日露戦争のほぼ中間に起こった出来事であって、日露戦争の勝利が加わることによって日本もまた一等国と目されるようになりました。そうなれば次に日米戦争が起きることは、余りにも自明な歴史の必然ではなかったでしょうか。

オランダとスペインがどのようにして歴史の表舞台から退き、日本の近代史と関係がなくなっていくかという、歴史を裏側から見る見方の一つをご紹介したつもりです。江戸期においても近代においても、日本がどの国と組めば良かったかはつねづね悔悟と反省の材となっていました。江戸幕府がオランダと組んだために何かを見落としたことは間違いありません。オランダとスペインはいつの間にか影が薄くなり、現代の「G８」の会議にもその名を留めていません。両国は先の大戦の始まるはるか前に自滅していました。しかし両国が長年、大東亜戦争で日本の正面の敵であったイギリスとアメリカの歴史上の対立国であったことを考えると、歴史を、敗退した国々の側すなわち裏側から見ることの大切さを、私はあえて申し述べておきたいと思います。

私たちはとかく大東亜戦争は西欧の植民地を解放したことに誉れがあると考えがちですが、もしもスペイン、ポルトガル、オランダ、それにフランス、ドイツなど英米以外の西欧諸国がアジアにしっかり根を生やし、西欧諸国全部でなくてもその一部でも英米に対する対抗勢力の地盤を保っていたならば、大東亜戦争は決して起こらなかったでしょう。第一次世界大戦後これら西欧諸国は見る影もなく疲弊し、太平洋ではすでにアメリカに抗するすべもなく、言いなりになっていました。アメリカはその隙を見て、かねて狙っていた「大国日本」の排除に乗り出したのです。

十六世紀以来の大帝国スペインが力を失ったことはその意味でかえすがえすも残念なことで、歴史の歯車を狂わせた一つでした。あの戦争がイギリスとアメリカによる対日征伐戦争であり、加えてコミンテルンに衣装替えした北辺ロシアの南下戦争であることは今にして明らかだからです。

江戸時代に日本は内向きになったために近視眼となり、最近でもなお今次戦後の背景を知るといってもせいぜいペリー来航より以後しか射程に入れて見ない自閉性は続いていて、太平洋から去ったスペイン帝国の影の役割を深く取り入れた歴史的考察はいまだ書かれていないようです。

古地理学的な視点で歴史を見わたす

歴史の盲点ということについてもうひとつ申し添えますと、ここで地図上の日本列島を見て頂きたいのです。ヨーロッパ発の重要な近代的な情報はことごとく南蛮、すなわち西南アジア経由、もしくは北京経由であって、日本列島の北東方面、「北太平洋」は完全なブラックホールでした。この地政学的条件は日本の歴史や文化に大きな影響を与えずにはおきません。ある意味で決定的なその影響は今日にも及んでいます。太平洋は余りに広く、なかでも「北太平洋」は現代でも船舶の航行が困難といわれるほど危険な海域で、その困難に打ち克ち北太平洋横断を最初に成し遂げたのが英国人探検家のジェームス・クックです。クックがハワイを発見したのは一七七八年でした。

江戸時代を通じ北東から日本列島に接近する船はまったくありませんでした。幕末になってロシア船が北から沿岸沿いに近づくことは可能でしたけれど、北太平洋を横切る船は絶無でした。他方、ジャワ、フィリピン、台湾に周航する船は多く、交易に不便はなかったのでしょうが、日本列島の北東方面には軍船も近づくことができなかった。言い換えれば、日本列島は半身を北太平洋という断崖絶壁の上に載せていたに等しいのです。したがって努力しないで安全が保証されていました。

このことの持つ独立保全の前提条件は日本に大きな利点と弱点の両面をもたらしたことが考えられます。この種の地理的条件を考えに入れない歴史研究、国内のことにだけ徒に詳しい日本の学者の単眼に私はほとほと愛想が尽きています。

江戸中期にいくつもの文献がありますけれど、日本から見て北東方向の海は手に負えなくて暗闇、冥界であるという認識は一般的でした。長崎に住んでいて、海外図書の閲覧だけでなくオランダ人から直に情報を得て勉強していた西川如見という人の『日本水土考』(一七二〇年)における太平洋に関する観念は、太平洋は何か恐ろしく巨大で、アメリカの事はもうサッパリ分からない。お手上げだ……、日本人にとって文明は常に西方浄土からやってくる。それならば分り易い。西の方にどんどん行こうではないか。訳の分からないアメリカの事は後回しにしよう。地球が丸いというのが本当なら西にどんどん行けば、どうせ一回りしてアメリカのこともやがて分かるようになるだろう、そういうのがクックと同時代の日本の知識世界の認識でした。

新井白石(一六五七〜一七二五)は当時、日本の最高にして唯一無二の世界通でした。なによりもまず最高位の役人で、シドッチのような人物を取り調べて情報を得ることができる立場にいた人でした。それでいて得ていた情報はおおむね南蛮廻り、つまりヨーロッパから西南アジアを経た情報であって、アメリカのこともそこから得た知識です。白石が生きた時代はアメリカの歴史はまだ十分に展開していない初期の段階ですからそれはそれで仕方がなかった。問題はそれ以降、そのまんま明治維新まで来てしまっているということです。

日本の歴史を世界史から眺め、世界史の動きと比較することで、「盲点」を整理していく作業の必要性を私は今唱えているのですが、それは近現代史だけの課題ではありません。時代状況に動かされて怪しくなっている現代の古代学などにも適応され、応用されていく必要があるように思います。

さて、ここでもう一度最初に掲げたこと——歴史は過去の事実を知ることではない、事実について過去の人がどのように考えていたかを知ること——というあの文言に立ち還りたいと思います。

すべての歴史はそれが語られた当時、われわれが今知る歴史とは違う歴史として描かれ、読まれていたはずです。各時代においてそれに注がれていた情熱、知力、判断力、未来や過去を推察するパワーは、しかし等量です。われわれと何も変わらない。この地球の片隅にある日本列島から情報を広げて眺め、いろいろ集めて考えることからすべてが始まっているわけで、そのエネルギーは現代とほぼ同一なのです。その時それぞれの時代において、日本人がどう想像力を駆使して今知っている以上の過去を知ろうとしていたかという歴史が歴史なのだと申し上げています。

私たちは今、広く知られたある特徴的な歴史像を持っています。それは一万二千年ほど前に氷河期が終わり、大陸と地続きであったこの列島が、海上に離れた島として浮かび上がったあの状況です。大略一万二千年前といわれていますが、もっと昔かもしれません。もちろん当時日本という国家はまだ無く、日本人は存在しません。多種多様な人間が流れ込んで、何らかの共同生活は営まれていたでしょうが、民族文化を口にするのはまだ早い、そういう時代があったと今考えられています。縄文弥生と呼ばれています。え？ なぜそんなことが分かるの、おかしいじゃないかと人は思うでしょう。この列島の中で「歴史の事実」など無いと今言ったばかり、過去の人がどう考えていたかという以上のことは何も知り得ないのですから、過去の人が「縄文弥生」なんて知っていたはずがない。一体これは何なのか。われわれが知っているこの一万二千年前に氷河期が終わり……、などと書いてあるあの歴史の教科書等の冒頭の想像図は何なのか、と私は問いかけているのです。

例えば私たちは、果てしない空間と無限定の時間というものを想定し、その中に身を置いて、地表に現れた列島の動きを二千年間観察し続け、そこでひと区切りをつけるとしたら、たしかにそれは日本の歴史と言われるものですが、これは依然として一つのフィクションに留まっている。実証と推論を組み合わせた知的な構築物として今われわれは歴史を知っているわけですが、無限定に開かれた時間と空間のなかに二千年の全体を見渡す特権、無前提の前提のような例外的能力を許された〈神の視座〉があたかも可能であるかのような認識を、人々に喚び起こしてきました。それは誰が与えてくれたか。答えははっきりしています。十七世紀にヨーロッパで生まれた自然科学によるものです。それ以外の何物でもありません。

しかし私たちは、過去の事実を知ることはできず、過去に人がどう考えていたかということを知ることができるだけです。『古事記』『日本書紀』の昔から日本人が過去を考えたエネルギーと、今のわれわれが科学の力を借りて見ているエネルギーは等量だと私は言っているのです。これはじつは「科学は神話だ」と言っていることと同じでもあります。

歴史家、とくに戦後の歴史家は神話と歴史を峻別したがります。しかし中世や近世の日本史は現代から見るとそれなりに十分に神話的に見えます。それならばわれわれの誇るこの現代の歴史像が非神話的合理性に貫かれていると言えるのかどうか、これも後で考えますが大問題です。

神話の中に歴史を見る

『古事記』は古代の文学でもあり、宗教でもあり、哲学でもありますが、じつは何といっても歴史なのです。編者の太安万侶は上、中、下の三巻に分けました。そして日本の歴史を「神代（しんだい）」と「人代（じんだい）」の二期に大きく時代配分し、神代を上巻に収め、人代を中、下巻に割りつけました。これは端的に『古事記』が歴史の叙述であることの証明であり、日本最初の歴史意識の表現であると言ってもよいように思えます。

人代を収めた中巻と下巻も区別されていました。中巻には神武天皇の東征（神武天皇から人の世ですので）から応神天皇までの時代を収め、察するに人代になっても神々が人の世に働きかけ、人もまた神意を受けて政治をした時代がここまでだ、と示唆していたように見受けられます。次いで下巻には仁徳天皇から推古天皇にいたる時代を収録し、人が自らの力で政治をした時代がここに始まった。このように人代を二つに区分して考えていたように思えてなりません。

『古事記』は時代区分を意識していることからして、明らかに歴史の書です。神話の記述も含めて歴史叙述の書だと言っていいでしょう。

そして『日本書紀』はその意味合いを一段と高めています。ある学者の言葉によれば、『日本書紀』とそれに続く「六国史」は律令国家という「日本の古代の近代国家」を樹立しようという目標がはっきり定まっていて、当時考えられた文明が神代から人代への連続性の上に発達してきたとする、いわばある種の発展史観に貫かれていました。『古事記』が国家の根源を説明し、理想の状態をあくまで過去に置いていたのに対し、『日本書紀』には進歩の観念がみなぎっています。それはちょうど明治の文明と近代国家日本の関係にも似たものがあるといってもよいかもしれません。

『古事記』や『日本書紀』について簡単な概論（スケッチ）を以上述べましたが、それがここでの目的ではありません。何かというと神話と歴史を区別したがる現代の平板な知性にひとこと物申したかったまでです。神話と歴史は区別できるのでしょうか。

中世に入って日本の歴史を語った文献で代表的なものとして『大鏡』、『愚管抄』（慈円）、『神皇正統記』（北畠親房）の三冊を挙げることにおそらくさして異論はないでしょう。『愚管抄』は慈円という僧侶による日本最初の歴史哲学といわれている書物です。『神皇正統記』は南朝を支持した北畠親房が書いた重大な文献ですね。比較しますと前二者、すなわち『大鏡』と『愚管抄』はまず神代を立ててはいますが、神のことは多くを語っていません。それに対して『神皇正統記』は神代（かみよ）が時間の隔たりを越えて人代に働きかけているという史観を強調して語っていて、すべては天照大神の神慮に従うとき、日本国の政（まつりごと）のあるべき姿が現れるとされますが、不思議なことに摂関政治がその代表だと礼賛したのが慈円と北畠親房の二人なのです。

『愚管抄』と『神皇正統記』は書かれた時代がすでに武士の時代に入っていたのに、ひたすら摂関政治の時代を憧憬していて、王朝貴族政治の回復を願っていたことが注目されます。『愚管抄』は天照大神は神話の中で摂関政治の中心である藤原家の祖神・天児屋根命（あめのこやねのみこと）につねに歴代の天皇をお守りせよとくりかえし語っています。当時の貴族社会はみな神話の中にそれぞれ先祖の神を持っていて、神々の子孫であること、つまり神は人間世界を超越した絶対者ではなくて、王朝貴族のそれぞれが神の一員であると定められているということが語られていて、他の国の宗教とはかなり違うことがここで分かります。仏教色の濃い説教の中で日本神話を尊重し、神話が後世に根強い働きかけをしていることを忘れないように、と示していたのも注目されます。

日本では数少ない歴史哲学の書とされるこの『愚管抄』は、釈迦入滅後千年間は「正法」の時代、次の千年は「像法」の時代、次の一万年は「末法」の時代であるとする、――私はあえて「没落史観」といいますが――仏教的没落史観を語っていたことが特筆されます。世はやがて衰弱して滅びるであろうという認識を披瀝していました。今の日本を思わせるような没落史観です。

初めて日本史の中に歴史意識らしきものが描出されたといわれる『愚管抄』『大鏡』『神皇正統記』などにおいて、「神代」から「人代」へは連続していて、区別されていませんでした。江戸時代になって初めてこの対立が意識されます。幕府御用達の歴史書ともいうべき林羅山・鵞峰の『本朝通鑑』も、これに反発した水戸光圀卿下の『大日本史』も、ともに神の世界と人の世界とを区別し、神話と人間との連続性をいったん断ち切っています。これは中国儒教の影響なのです。儒教は日本に西洋が入ってくる前の時代に合理主義の一定の役割を果たしていました。もちろん本居宣長のような人、儒教が何であろうが一切影響を受けない強い個性の出現も、江戸時代の特徴ではありますが。儒教というものが大きく時代を動かしたときに、神話と歴史との区別もまた強く意識されるようになったのです。『大日本史』はひじょうに長い時間がかかって完成して、最終巻の成立は明治に入ってからです。後期水戸学の影響が強くなり神話的歴史観が復活して、儒教の影響力が強かった問題点に修正が加えられます。

以上、近代以前に書かれた日本史の一部に目を注ぎ、「過去の人がどのように考えていたかを知ることが歴史を知ることだ」という冒頭の言に光を当ててみました。そして、歴史の根源は神話の力であって動かないものが奥底に流れていることが予感され、しかし仏教や儒教など外から来た文化に左右される面があり、外の文化の力も揺さぶりをかけているという輻輳した姿を申し上げました。

面白いことに、外の文化の力は内から発する神話の力に対立するものではなく、どれも同じような神話の力に見える。つまり仏教も儒教もそれに注がれた情熱は神話と変わらない。『古事記』に発した神話はその当時、文字を持たない日本人が唯一の表現方法である口承口伝という方法で残しました。その表象は今日見ると荒唐無稽に思えるかもしれませんが、じつは当時の人が必死に合理的に生きようとした現れで、無茶苦茶なわけではないが、かといって理が通っていると考えすぎるのも間違いです。われわれの今の意識で見て理が通っていなくても、その当時の暗闇を見る目の中では理が通っていた。いや、逆に言えばわれわれの生きているこの時代だって理が通らないことが無数にあって、大東亜戦争の最中に特別攻撃隊で出撃した人々の真の心を理解せよといわれても、われわれにとっては人智を越えています。また、ついこの間起こったオウム真理教の事件だって、なぜあんなことが起きたのかわかりません。あるいはまた、私たちが昨日今日見ている大小の出来事も本当は分からない。理屈を付けて分ったようなふりをしながら生きているにすぎません。現代の私たちも半ば神話的に世界を表象しているのです。

『愚管抄』の仏教的没落史観は『日本書紀』の建国的発展史観の正反対に位置するように見えますが、古代と中世の違い、歴史の大きなうねりの変化の相を考えれば、異質のものの出現ではありません。神話は歴史であり、歴史はまたときに神話の姿を彷彿させることが多々あるのです。

自然科学とは〈神の視座〉ではないか

それなら現代のわれわれ、戦後日本または二十一世紀のと言うべきかもしれませんが、縄文弥生を先頭に置く、その前に一万二千年前の氷河期が終わった時の日本列島が海上に現れた瞬間をもってわが国が自分の国の歴史を最初に表象する、このわれわれを取り巻いている今の一般的常識的な歴史観は、近代以前に儒教や仏教をも神話のようにしか見えないものにした文化の力、すなわちわれわれが信じている自然科学というものもまた、そうした外来の文化の一つにほかならない、「同じもの」だと考えることはできないでしょうか。

自然科学は普遍で、世界がみんな使っているのだからこれは動かない、百であって、それ以前のものは全部ゼロであると、そんな考え方を単純に信じてよいのでしょうか。自然科学の考え方を今ことごとく取り替えることは恐らくできないでしょう。しかし私に言わせれば、自然科学の力もまた神話ではないか。〈神の視座〉に立ってわれわれが自分の過去を遠く見晴らしたり、自分の未来を遠く表象したりする特権を与えられていると思っているかもしれませんが、それは錯覚にすぎない。過去の神話時代の日本人も、仏教没落史観の慈円の時代の日本人も、同じ認識力の限界の中にあるのです。

一万年以上前に氷河期が終って、人が列島に住み始めたという状況を推定することができる現代の科学の力、自然科学という人間の知、これもやはり文化の働きの結果です。私たちは自分の遠い過去の状況を頭の中に想定し、それから証拠をかき集めて推論を組み立てていくわけですが、それも無前提の認識の結果ではありません。なんらかの既成の文化の関与があって初めて可能になります。つまりこの場合は近代科学という文化の力です。

そもそも地球全体を見渡すのは日本人の得意とすることではありませんでした。伝統的な日本人のうちにそういう観点は無かった。地球を見ながら自らの歴史を見直すということは、日本列島の位置からして例外的な試みでした。地球全体を見渡す視野を具え、地上の一部分に焦点を据えて時間を区切り精査するような客観性を、自己の歴史であると認定する知性の働きは、同地域の二千年の過去の中にはなかったと私は考えています。

曲がりなりにもそれが与えられたのは、西洋の科学が到来してからです。地球全体を見渡すのは〈神の視座〉であるから、無の中に人間の歴史を措定するというだけでむやみにキリスト教めいて見えます。古(いにしえ)の日本人はもとより、インド人にも古代ギリシャ人にもこの観点はありませんでした。なぜならば彼らは人間世界をキリスト教徒のように自然とはっきり対立した世界とは考えなかったからです。彼らにとって自然は永遠に同じことが周期する世界であり、昼と夜、春夏秋冬、干潮満潮、月の満ち欠け、どこにも人間のこれ一回限りという決断のドラマの生じる余地はありません。自然は常に人間を超えた圧倒的世界で、そこに古代や中世や近代といったような時代区分の入り込む余地は無いのです。人間もまた自然の一部であり、自然に属しているのです。

しかるにキリスト教徒は、というよりひとりキリスト教徒のみがそうは考えませんでした。彼らは永遠に同一のものが回帰する自然を超えて、人間の進歩を信じ、主張し、人間もまた自然だと考える前に、人間の世界へ自然を取り込むことに意を注ぎました。かくて巨大な自然科学の体系を作り上げることに成功したのです。近頃ではようやくその限界が知らされ、極大世界（宇宙開発など）や極小世界（ナノテクノロジーや核物理学など）に果てしなく広がる知の冒険もまた単なる人間世界の反映像にすぎないことにも直面しています。

それはともかく、「自然の歴史」というようなものは存在しません。歴史はどこまでも人間に関わる事柄から成り立っています。例えば絶滅に瀕しているアフリカ象の歴史があるではないかというかもしれませんが、人間の関心から離れた処に歴史はありません。あるのは象の運命に託した人間の物語です。そう考えれば、地球上の海洋の一角に忽然として現われた列島をとらえてそこに歴史を想定するのは、最も人間臭い情念の帰結であって、十七世紀から十九世紀にかけて展開された西洋の主我的知性が伝播しかつ演じた役割の一つであったと考えるほかないでしょう。

われわれが、この列島に住んでいた多種多様な人種の過去の歩みの中に自然科学的な認識法を発見するのが難しいことは、すでに『古事記』から仏教、儒学にいたるまでの歴史の見方の中に確認してきました。なぜなら同じことが繰り返される自然の営為の中で、自然と自我を対立させて、人間の行為の一回性に唯一の価値を見出して、人間世界に取り込めない自然はこれを排除する徹底した自我の燃焼の仕方、この人間中心主義が、同時に全能の神への帰服においてのみ成り立つ神中心主義であることの不思議さこそ、インド人にも古代ギリシャ人にも昔の日本人にも当初まったく理解を絶する事柄だったからです。

面白い一例を挙げましょう。われわれは〈自然〉の対立概念として〈人工〉という言葉を思い浮かべることができます。自然という概念は日本人流に考えれば次のような様々な概念を呼び起こします。ありのまま、素地、生地むきだし、無加工、素朴、生まれつき、もともと、本来性……。今私の頭に次々と思い浮かんだ言葉です。

それに対して〈人工〉はこれらの逆の概念、つくり物、こしらえ物、人間の手による加工、不自然、厚化粧、機械的メカニズム、技術過剰などの言葉を誘発するでしょう。

ところが十七－十八世紀の西洋の哲学者はこんな価値対立をもって物事を考えることを決してしていなかったというところが面白いのです。自然の物事はじつはどこまでも〈機械〉であると考えられていました。われわれとは逆ですね。例えばライプニッツは自然を精巧にこしらえた機械と見ていました。自然をそれ自体においてあらかじめ存在するものではなくて、技術の所産とすることで初めて成り立つものであるとの考え方です。どうしてこんな考えが出てくるのか。

当時の思想家は好んで神を〈完璧な技術者〉になぞらえていました。神の手によって作られていた美事な自然と同じものを作ろうとする処に近代科学の方法が築かれたといいます。そこから望遠鏡とか顕微鏡とか寒暖計とか振り子時計などはみなそのような方法に基く実験精神の所産として考えられてゆくようになるのです。ガリレイもまた自然は〈完全な機械〉と考えていました。彼以前には自然法則はおおむね道徳法則に近いものでした。例えば古代の哲学者ヘラクレイトスは、太陽が軌道を守らないことがたまにあり得るとしても、平生逸脱が抑えられているのは、復讐の女神の霊の力に由るのであるなどと言っていました。つまり擬人的な考え方です。これはガリレイ以来捨てられました。言うまでもなくわれわれはそこから近代科学の道に入るのですが、自然法則というものは自然の必然性によるものであって、完璧に数学的に想定されるようになります。科学の精密性の理念によって道徳法則めいた考え方は追放されるに至るのです。

ガリレイによって、自然の諸現象は「なぜに」という問いにではなく「いかに」という問いにのみ限定されるようになります。「何が」とか「なぜに」はもう問題にされません。すべての運動の起点となる究極の原因というものが昔は考えられていましたが、それはもはや問われることがなく、もっぱら過程のみ、運動のみが問われることになります。しかもすべては数学的に処理され得る函数的関係に還元されると考えられるようになります。古代や中世においては、神の役割というものが、究極の原因として措定されていましたが、それは消えてなくなり、神は「最高善」たることを止め、巨大な機械の発明者であり、創造者ということになった。デカルトも同じ方向で略述できますが、ここまでにしておきます。以上〈自然〉と〈人工〉という言葉の対比だけを取り上げてもわれわれ日本人の感覚とはこんなにも違うのです。

神を果てしなく崇めるがゆえに神の能力に限りなく近づこうとした十六－十七世紀ヨーロッパのこの倨傲が、彼らをして、地の涯まで進出せしめ、地球を手玉に取るようにあやつることを可能ならしめました。インド人にも古代ギリシャ人にも昔の日本人にもこんな心根はありませんでした。

この科学の力が巨大であり、今日の世界を動かしていることを私は一つも疑っておりません。けれども「すべて」を支配しているかは疑問です。この力がわれわれの地球上の共通の指標となり単に自然科学だけではなく、法律や経済、あるいは文芸や美術にいたるまでの人文科学の観念にまで決定的な影響を与えたことを否定することはできないでしょう。けれど、それが「すべて」であるか、と言われると、そうではないかもしれない。つまり科学の力は普遍でそれ以外の力は特殊であるという観念に対しては疑問を呈せざるを得ないのです。

すべてが普遍なのか？　日本列島の古地理的状況をもう一度思い起こしていただきたい。約一万二千年前の海上に突如現れた列島の存在は、自然科学の力が無ければ、かくあるということを今われわれが認識することすらできなかったでしょう。これをかくあらしめたのは、この列島の中から浮かび上がったものでは決してありません。外から借りてきた力が新しい認識の働きを切り拓いた結果だということをわれわれは否定できない。そしてそれが『古事記』から『大日本史』にまで至る千年間の過去を見る見方を一新したことは否定することができません。けれども何度も言うように、「すべて」を覆したのではなく、また歴史認識の歴史に自然科学の力がなにか決定的なことを補ったのでもなければ、それに取り代わったのでもなく、それぞれが等量のものとして、等価値のものとして導入され、従ってそこまでの過去の歴史の見方は並行して存続しているのです。

これまで述べてきたことから明らかなように、縄文弥生の土器文明と、天上の神々と地上の支配者とが直接結ばれる天孫降臨神話とは、必ずしも正反対に対立する関係にあるのではありません。無限に開かれた時間と空間の中で、人間が一つの区切りを想定して、そこに〈神の視座〉を持とうとした点ではどちらも同じです。天の高所から眺めたあの認識のフィクションを作ろうとした動機を考えてみると、両者は対立しているどころか相似てさえいます。

日本の歴史はどこから始まる？

歴史家ブルクハルトは、ギリシャの歴史家ツキュディデスは百年後に今知られている事実とは異なる「事実」を教えてくれるであろう、という意味のことを言っています。古代の歴史家の言葉は豊穣で、現代史の展開につれてつねに新たに発見された新しい古代の見方を提供するというほどの意味でありましょう。歴史は動くということです。

そこで私は問いを発してみたい。もし日本史を書くとしたら、あなたはどこから書き始めますか？　この同じ問いは私の全集第19巻の「後記」にも提出しましたので、以下の文にはそこと多少とも重複する内容があることをお断わりしておきます。

日本の歴史の起点をどこに置きますか。そう問われて即答できる人は多くないのではないでしょうか。神武東征、それとも縄文弥生か。原始共産社会を想定する人もいるだろうし、キリスト教の神による「無からの創造」を言い立てる人もいるかもしれない。さきほど申したことの両立が必要になるのですが、頭の整理をしないと簡単にはできない話です。

神武東征か、天孫降臨か、天照大神はどうなのか。伊邪那岐命（イザナギノミコト）と伊邪那美命（イザナミノミコト）は……。このように遡っていきますと、神武東征はともあれ一般的な歴史物語として理解できる。人間の王権獲得の戦争の話ですから、神武東征から描きはじめる歴史の本は中世、近世にも多いのです。「神代」と「人代」とを区別する意識の働きの現われでもあるので、神武以前を神話として、人間界とは違う特別篇として扱うのは戦後の話ではありません。昔の歴史叙述でも神武以前以降で区別する例が多い。そんな区別が本当に必要なのかどうかもわかりません。どうでしょう。皆さんはどこから歴史を書き出しますか？

もう一つ問いを加えると「縄文時代」はわが国の歴史といっていいのでしょうか。縄文はだんだん遡って時代が古くなり、確かに独自の土器が出土していますが、諸外国の観念では先史時代の歴史は民族史としてはストレートには通用しません。食料採取時代が終わり、農業が始まり、都市が誕生して王権が生まれ、そこで初めて文明が誕生したというのが、ヨーロッパの考える典型的な文明史観ですから、縄文時代が日本の文明だということを言うには手続きが要ります。その手続きがどのようになされるかということも、さきほど言った過去の事実をどう考えたかが大事という問題と繋がるわけです。一般に縄文時代が日本の歴史だなどと簡単に言うことは、通用しない話です。

現代の革命国家は別として、大抵の民族国家は王権の開始とともに始まり、その終焉とともに終わります。わが国の皇室は周知のとおり神話に遡り、「天つ日嗣（ひつぎ）」のものの系譜、天照大神に直結します。第二次世界大戦が終わってからどういうわけか日本の歴史家たちは神話は歴史に関係ないと言いだしました。神話を忌避し、皇室の歴史と神話との接点を書かなくなりました。と同時に、考古学上の発見が相次ぐ縄文弥生の名を冠せられた先史時代の重要性をことさら強調するようになったので、今度はそれを保守派が言い過ぎると、新手の皇国史観だなどという左派の嘲（あざけ）りの声が聞こえてくるようです。縄文を考え無しに無媒介にただ尊重すると、「何だ」ということになるわけです。

私が「新しい歴史教科書をつくる会」に協力していたころ、縄文時代は一万三千年まで遡ると見なされていました。最近は、まだあれから二十年しか経っていないのに、いつの間にか一万六千年となっているのですね。目まぐるしい差し換えです。考古学上の年代算定の杜撰（ずさん）さはこの学問のほぼ前提みたいなもので、科学というのはいかに「神話的」かと思わざるを得ません。そもそもアフリカに人類が誕生し、地球を東に移動したというあの説だって本当かどうか分からない。そういうことは歴史を考えるうえである意味どうでもいいことかもしれません。

ひょっとすると私たちは、皇室の歴史の根源が怪しくなってきたと言われてから、にわかに左派も含めて縄文時代を尊重しているのではありませんか。そんなことは「どうでもいい」と考えたらどうでしょう。

縄文時代の人間の生き方は分かりませんが、多くの証拠があって、いろいろ推定することはできます。そのうちの一部が神話時代と重なっていることも間違いありません。しかし歴史の一つである日本神話を推定して縄文時代を調べていくことが、私たちの歴史理解を深めるのはいいのですが、ストレートにつないでよいかには疑問があります。

二柱の神の国産み神話や天孫降臨は「神代」と「人代」とを直結させ、神話と歴史の区別を完全に無視しています。戦後、人は見かけの上のそのばかばかしい不合理に耐えられないと言って、これを科学の名において葬り去りました。それが動因となって人心が縄文弥生へと大挙して動かされたことは間違いありません。国産み神話や天孫降臨はばかばかしい、こんなことはあり得ない。朝鮮から来たのだとか、日向の山に降りたなんて嘘に決まっている……。そんなことを言いだしたら世界中の神話はすべておかしなものばかりなのだから、どこから来たって構わないとなぜ考えないのでしょうか。逆に今度は神武東征は征服神話だから軍国主義につながるとも言われます。そしてそれを本気で止めてしまって、縄文弥生を無媒介に礼賛して、かくて日本の歴史と言えばまず考古学時代から始まり、土器や埴輪や土偶や、稲作の開始が説明され、それから隣の巨大な帝国に屈服して臣従する小人（こびと）（倭）の国の卑屈な物語が続き、やがて魏志倭人伝における邪馬台国の女王卑弥呼になって、大切な古代史の前半が終わります。

変ではありませんか？　すべての民族の歴史は、王権の開始とともに幕を開くと私は言いました。わが国の皇室の消息がいっさい消されてよいのでしょうか。神話の追放とともに皇室の歴史の原点をいっさい抹殺してしまってよいのでしょうか。慌てて追いかけるようにとつぜん聖徳太子像が語られたり、天武持統朝が強調されたりしても、そもそもの始めが欠けているので、なにか全体がもやに包まれたようで、曖昧模糊としてはっきりしない。それがわが国の今の「古代史」の姿です。

これでよいのでしょうか。

もし日本史を書くとしたらどの事柄を起点にして書き出すか、というあの問いを、私は自分自身に立ててみることにしました。一九九八年に『国民の歴史』を書き始めたとき、真先にこの問いの前に立ちつくし悩んだ記憶があります。

『国民の歴史』は普通の通史叙述ではなく、ご承知のようにポイント式とでもいうのか、問題指摘型の自由な叙述形式であることを特徴としています。この本も一万二千年前に氷河期が終わって日本列島の形姿が海上に浮かんできた原イメージを重要視しました（1「一文明圏としての日本列島」）。そうなれば当然縄文弥生を先行させることになりました（3「世界最古の縄文土器文明」、4「稲作文化を担ったのは弥生人ではない」）。その後にわが皇室の始源の歴史を強調しました（6「神話と歴史」、8「王権の根拠―日本の天皇と中国の皇帝」）。――決して上首尾とはいえない書き方であり、まずは苦肉の策であったかもしれませんが、縄文弥生の土器文明と天孫降臨神話という今は相反しているかに見える二つの古代像を結びつける解き方をモデルとして提出したつもりです。皇室の起源である日本神話と科学の成果とを両立させる位置づけをとりあえず実験的に試みたのです。

残念なのは物語としての神話の内容に踏み込めなかった私の力不足です。私は（6）で宗教心理と言語哲学とを重ねたような議論から成る、アフォリズムめいた短章を散りばめるにとどまり、（8）で初めて問題の核心である王権の根拠に論理的に踏み込みましたが、物語の新解釈には及び得ませんでした。その代わり、7「魏志倭人伝は歴史資料に値しない」で、西洋のテキストクリティークのレベルにとうてい耐えられそうにない無防備な古代中国の史料無批判性、そして自国の王権の成立史のテーマをそこに逃げ込ませている日本古代史学界の不毛な論争に、あえて釘を刺しました。

私の試みが成功したかどうかは別として、このような両論併記により、縄文弥生と天孫降臨神話、土器や埴輪や土偶の出土と天照大神の物語という今は相反しているかに見える二つの古代像を、分り易く結びつける説き方を実験モデルとして提出しました。今後開発され、改良を加え、教科書等に広く採用される必要があると思いました。さもないと日本の皇室の未来は危ういことになりかねません。

そのためには神話と歴史、歴史と科学の関係について哲学的思索を深めることが必要でしょう。その意味で、私が6「神話と歴史」、8「王権の根拠―日本の天皇と中国の皇帝」で展開している問題への切り込みを、本気で取り上げ、考えていただければ願ってもないことと思っております。

西洋社会もとてつもなく矛盾した神話の中で誕生しています。アダムとイヴの失楽園、処女受胎、イエスの復活などのキリスト教の神話（聖書物語）は明らかに不合理ですが、しかしこれが西洋社会を悩ませたという話は聞いたことがありません。神話は神話、歴史は歴史、その両立は自明の前提なのです。西洋の王家には神格がないからです。西洋の王家は神様として崇められることが無いのです。国王はどこまでも政治を司る権力の側にあり、信仰を司るのは教会です。政教分離がはっきりしています。

しかるに、日本はそこのところがどうもはっきりせず、昔からなんとなく曖昧です。そのため、皇室の神話性のみが日本に残された唯一の信仰の国民的形態でさえあります。これは最近の話ではなく、昔からそうなのです。神社仏閣は皇室を十分に支える力がなく、むしろ皇室に支えられているとさえいえます。皇室があからさまな政治権力ではないことが唯一の救いとさえなっています。そのため今も国民の皇室に寄せる素朴な崇敬の感情にすべての政策が委ねられていて、これは紛れもなく歴史に由来する信仰のパワーであって、貴重このうえもないものではあるのですが、信仰であるだけに大きな不可測性を孕んでいます。信仰ですからね。弱くなったり強くなったり、どうなるか分からない。神道には儀式はありますが、聖典はありません。言葉、思想、理論が無いのです。もちろんいくつかの古典はありますが、弱いのです。

これに反し西洋のキリスト教を護ろうとする背景は大きく強い。ほとんどすべての哲学はキリスト教を支えています。ドストエフスキーやニーチェのような反キリストの立場をちらつかせている思想家でも、社会心理的には必ずしもそうではない。ある意味カントは懐疑の中心ですが、信仰の力と理性の力は別だということをはっきり宣言して、かえって信仰の力を守っている。神話を疑うようなことは必要ない。つまりこれは信仰なのだから……というわけですね。そして理性の働きを二つに分けて、『純粋理性批判』は科学の道を自由に行かしめ、『実践理性批判』では道徳心から神への通路を開示するという、科学と信仰を分けて両立させることを教えて、そして西洋社会はその後その通りになっているのです。

カントと同じ時代に生きたのが本居宣長でした。西洋ではすべての思想家がキリスト教に奉仕しているのに対して、日本の文芸や思想の世界では、信仰を強く支えた思想家はほんとうに数が少ない。徹底的にやったのは宣長くらいしかいない。宣長は強い人でした。

ですから国民の信仰を支えるのは言葉の論理性でもないし、何らかの組織力でもありません。歴史の遠くから聞こえてくる声に国民はひたすら耳を傾けているだけなのです。はなはだ心細いといわざるを得ません。

王冠の継承はひとえに血統にのみあるといえますし、またそうあるべきなのですが、実際には必ずしもそうはいきません。信仰を支えるのはもっぱら皇族の立居振舞いということになってしまう。

困りますね。皇族は道徳と関係ないはずなのに、特に現代においては、皇族の道徳的立居振舞いは決定的な影響力を持っています。秋篠宮家の内親王の婚約問題ひとつ見ても、皇室は本当にあぶないと思わせるものがありますね。国民の異常なまでの皇位継承への関心の高さは、ご尊貴の血の流れのか細い継続を何とかして守りたいという願いが日増しに高まっていることに関係しているので、皇族の側もそれを承知でお振舞いいただかなければならないことになります。

そうはいっても、縄文文化は象徴的な一語でした。この言葉の現代における強調的な指摘は私たちを救ってくれた森の文化のひとつの譬(たと)えでもあり、比喩でもありました。しかしながら私たちに「神話の創造性」と「森の文化」とを結びつけてくれたのはじつはこれまた科学の力でした。私の場合には、拙書『歴史と科学』の第一章3「森の生態系の中で熟成した自然観」で取り上げた、環境考古学者安田喜憲(よしのり)氏の一連の活動とその業績とに負うところが大きく、またひじょうに感謝もしております。

地下深くにボーリングして地層の中の花粉の分布や変化を通じて何万年にわたる森林の環境を観察、分析して、長期的な環境変動を確かめるという安田氏の画期的な方法に、私はまずスケールの大きさと実験のリアルな結果に目を見張りました。大規模なこの方法により、日本列島が氷河時代にも動植物の繁殖がつづいたたぐいまれな恵まれた地域であること、加えて、民族の移動や侵入の影響が少ないという世界でも珍らしい特殊な地域であることから、安田氏は縄文文明はエジプト文明と並んで長期にわたって変動しなかった有力文明の一つであると主張しました。さきほど私は縄文文化を日本の民族国家の歴史として無媒介に、あるいは無反省につないではいけないのではないかと申しましたが、その不安を取り除いてくれたのが科学の力でした。

日本列島は長期無変動文明であることが科学的に証明されることによって初めて、一万年以上の縄文時代が日本の歴史にとり無視しがたい要素であると見なすことが可能になりました。これによって、神話と歴史が相重なる部分、すなわち縄文時代のどの辺までに神話が語られたのか分からないのですが、すなわち一万二千年のうちの何千年か何百年かがそうなのか、いわゆる神話が伝承された時代の時間的経緯は分りませんが、それでも重なっていることは事実として確認されました。法隆寺の木組みと同じようなものが、四千五百年前の縄文文明の証拠として出土しているのです。縄文時代を調べていくことによって、その時代に日本の歴史と繋がるものが何かあっただろうと予想がつきます。またレヴィ゠ストロースは日本には神話が完璧な形で残っていることと、火焔土器などの素晴らしい形象は日本の歴史文化の形成と無関係ではないということを頻りに言っていますが、あれは理解ある外国からの有力な応援の言葉なのです。

皇統の祖先が直結している日本神話は神話ですから、一見して荒唐無稽な話に満ちていて、解釈に定説は有りません。一万数千年に及ぶといわれる縄文時代は言葉のない沈黙の世界です。土器や土偶といった形象だけが私たちに語りかけてくるすべてです。後者は前者を包摂しています。神話が口頭で伝承された前者はどれほどの時間の長さで、いつどこでどれくらいの期間後者、すなわち土器や土偶の時代に位置づけて考えられるべきかなども何ひとつ分かっていません。しかし両者の間に何らかの関係があったということだけは間違いないでしょう。そして、日本神話の中の神話の精神は「日本とは何か」という問いを含めて、縄文時代の考古学的探究によって、少しずつ類推を深めるようになって今日に至っているのです。

日本の歴史は再三述べた通り、始まりがはっきり見えません。王権の根拠に蔽いを掛けた敗戦後はさらに見えません。しかし有史以来を仔細に見ると、古代貴族の存在といい、古墳の形態の謎といい、文字の誕生のいきさつといい、仏教彫刻に現われた美意識といい、見えない歴史の実体を先史時代に想定しないと説明できない面が多い。歴史を歴史だけから見ても見えません。文字に頼りすぎる文献史学は、ある意味で宝物を見落としている可能性が高いと言えると思います。

ある考古学者が中国の村落で日本の握り寿司によく似た食べ物を供されました。彼は早速、江戸前の握り寿司は中国大陸にルーツがあるとの説を唱えました。すべて良きものは西から渡来する、そういう固定観念が考古学にまであるのです。日本にルーツがあると言ってはいけない。タブーを恐れる強い自制心が働いている。考古学も人類学も遺伝子工学もヨーロッパ産の学問だからと、ヨーロッパ人が編みだした文明の基準で世界史に序列をつけて、これが日本列島の現実にフィットしなくても覆らない。科学によって支配された、科学を普遍とする価値観に影響されている。

そのため、食料採取時代が終わり、農耕が始まり、都市が誕生しない限り「文明」の名では呼ばれないという通説が流布しています。例えば、私が教科書を作成したとき、「縄文文明」と書いたところ検定で削られて、「生活文化」に直した記憶があります。「文化」は許されるけれど「文明」と言ってはいけないのです、最近はどうなっているのでしょうか。これも西アジアに起源をもつ考え方で、しかも牧畜を重要条件とするそうですが、日本列島に牧畜の歴史を求めても意味などありません。牧畜は砂漠の文明の価値尺度です。ヨーロッパの学者による西アジアの調査結果に基づいた古代史観、これが古代文明のモデルとして日本の学会を縛り、日本人はこれに右へならえしている。

加えて私が冒頭でいくつかの例を出したときに、北太平洋が闇に閉ざされていて、新井白石ですら片肺飛行だと申しました。日本の場合には近代以前には文明は大陸から来るとの思い込みがありました。自然科学もまた最初は「窮理の学」として儒学を経由していました。北太平洋はほぼ近代の入り口まで航行不能で、南蛮（スペイン、ポルトガル）や紅毛（オランダ、イギリス）の情報はすべて中国大陸や西南アジア経由でしたから、日本人は西から渡来するものを優先する先入見に、この今でもまだ支配されています。科学の精神といいながら主体性の喪失は神話的です。

安田喜憲氏が偉いと思うのは、敢然とこの心のとらわれを排して、日本列島の唯一性と独自性を主張したことです。このことは壮挙といわなければなりません。私はつねづね、日本人はすべからく自分を中心に世界像を再編成すべしと言っていますが、なかなかこれが難しい。どこかにある世界の「司令塔」から「普遍」と決定づけられた価値尺度を持ち出されると、日本人自身が萎縮（シュリンク）してしまい、内籠り状態になって、正当な自己主張さえできないのです。私は日本中心の世界像を回復するためにも、安田氏のように、日本の主体性を取り戻す実験や行動なりが各方面でさらに一層持たれることが真に大切であると考えております。

神の歴史の行方──文明のオリジンを持たない日本人

外国に学ぶことから自分の位置測定をして世界像を確かめていくのは仏教伝来の時代から明治時代まで、一貫して変わらない日本人古来の習性のようなものかもしれません。

私は以前、『ニーチェの言葉「神は死せり」は日本人にとって何を意味するか』と題した講演を行いました。それを改稿して本書に収めていますが、この「日本人にとって」というのが大事だとつねに信じております。

主体性を回復する、たしかにそういうことです。誰でもそこまでは言えますが、しかしそこから先がひじょうに難しい。外国文化の研究家はみな日本人のことなどどうでもよいのです。これは本当におかしい。西洋哲学を研究する日本人は向こうのことを紹介しますが、それでは何のためにやっているのかと問えば、分かりませんと答える。哲学者なのに考えていないのです。私は若いときから自分はドイツ文化研究者だけれど、ドイツ文化極東出張所員では決してないのだなどと、さかんに書きました。

「日本人にとって何を意味するか」が大事なのです。私もやり、安田喜憲氏もやり、いろいろな分野の人が同時にやるのは大事なのですが、いざ実践となると、トータルとしてそれを成り立たせる条件は、ほとんど絶望的と言っていいくらい難しく、日本人の知的活動とは一体何だろうと思ってうんざりしているのが実態です。

ヨーロッパ、インド、中国（古代中国に限って言っているのですが）、これらの地域は文明がそこから独自に動き出した地域です。

日本はそうではないでしょう。日本は、古地理的条件という宿命の中にあり、この列島にはありとあらゆる情報が西から吹き寄せてくる。そして一旦入って蓄積される、多層をなす。しかし外には出て行かない。それでいて、二千年という間、豊かな歴史が展開しました。それこそ宗教改革もあれば、富への溺れもあり、傲慢もあれば、悲惨もあり、改革もあれば、怠け者の思想もじゅうぶんにあり、江戸時代はまさにそうです。「平和に溺れる」というけれど、現代は江戸時代と似ています。瘋癲（フウテン）みたいな太平楽もあれば内戦もあり、祈りもあるし、内面への沈潜もある。日本における歴史的な展開は、西洋史にも匹敵するような巨大なものがあります。不思議と言えば不思議です。ぜんぶ伝来のものであって、この列島に情報が集まってきただけです。外には出て行かないで内部攪拌があっただけですのに。

いったんは外の目で自分を規定し、貪婪に説明しておきながら、それをたちまち否定し、日本の伝統の中により確かな自分を摑み出して反転して戦うのは良いことなのですが、それが日本の場合には必ずしも論理的ではなく、イデオロギーに単純化できればむしろいいくらいで、なにか曖昧模糊としたもやのようなものの中に深く入り込んでしまって、もう一度自分中心に世界像を再編成するという「主張する自我」がどうしても成り立たない。これが決定的に欠けているのです。しかも欠けていることが心地良いし、社会的に生きるのに便利であり、有利でさえある。それどころか一番深い処にある神秘性をたたえているシーンはかえってこのあたりに見られます。

もし先史時代の日本列島が幾度も他民族に征服されたり、民族大移動の大波に再三襲われるような事例が明らかであったら、縄文時代に民族史のなにがしかの兆しを読み取るような試みは決してなされなかったでしょう。私もまた一つのフィクションを措定し、あの〈神の視座〉に立脚したいとあえていま決断しているのです。

「自我」の成り立たない文化

拙書『歴史と科学』の第一章1「日本文化の背後にある縄文文化」に、私は次のように記述しています。

いずれにせよ、人の集団が日本列島に入ればここはひとつの袋小路（ふくろこうじ）である。長い歳月、人の集団の往来が完全に途絶えたときがあったとは思えないが、しかし大陸のように、自由自在に、人種や民族の大移動が繰り返されたとも思えない。
どこまでも他と比較しての話だが、日本列島は孤立した海上の陸地となってから以後ずっと細々と歴史の連続性を保ってきたといってよいのではなかろうか。
さまざまな人間の集団は南から、北から、そして西から渡ってきて、複雑に混成し、混血し、このうえない多様性に富んだ人種構成をつくりなした可能性ももとより高いが、同一の自然風土、周期する不変の四季の風物、森林と石清水（いわしみず）の恵みは今に変わらず、一万年をも越える平和な長期間を経て、ある種の共通の文化をかたちづくってきたと思われる。そのことがなによりも肝要である。

縄文文化だの縄文精神だのとしきりに言い立てるのはそれもまたイデオロギーであり、この種の日本主義は保守派が唱えだした新手の皇国史観だと反論揶揄する左派の声は私の耳にも届いていると前にも言いました。そう言われても困らないほど、じつは日本人の自我のとらえどころの無さ、深層性に悩んできた私は、なにかの民族的イデオロギーではないかと言われるとかえってほっとするくらいの気持なのです。

あらゆる思想と、すべての立場を空しくしてしまう、なにかある説明しがたい混沌がわれわれの歴史の奥に宿っているように思えます。自覚が向かうどんな言葉をも拒絶して無に還元してしまう内なる魂の奥深いもやが、底辺にいつも偏在しているように思えてなりません。イデオロギーが成り立たない文明なのです。私はかつて「原理主義を欠く原理を持つ日本人」（『歴史と科学』第一章の2）で早くもこのテーマにぶつかっています。あえて示唆しておきますが、私の全集第19巻『日本の根本問題』の中に収められた「『自己本位』の世界像を描けない日本人」「危機に立つ神話」「森首相『神の国』発言から根本問題を考える」の三編に特に注目していただきたい。

ここで今までの立論とはまったく逆になるかもしれないもう一つの論点を提示したいと思います。「『自己本位』の世界像を描けない日本人」の末尾において、「私はその一方で、あらためて古代中国主義者であり、近代ヨーロッパ主義者でもありたいと思います」と言い添えました。これは矛盾そのものです。日本人の主体性の必要を一方で認め、他方でそんなものは認められないと考える理由に触れておきます。

先に挙げた古地理的条件、日本列島の太平洋の北側に位置して、北太平洋はまったく闇に閉ざされていて外へ出てゆく足場は無く、しかしすべての情報、知識、学問、技術は一方的にどんどん入ってきた。これは入れようとしたからであって閉ざしたら入ってこなかった。入れようとした意志があったことが大事なのですね。自己を主張すること、他方で自己を捨てること、この両立が日本人の強さだったと思っております。日本人の主体性というものを一方では認めなければいけない、しかし主体性を捨てなければ主体性が得られない。この逆説を自認することが日本の強さになるという特性を、ついでに申し上げたい。

私たち日本人は外のある文明に出会うとき相手の全体とぶつかり、決して部分に終わらせませんでした。例えば中国が今、外の技術を模倣するのを見ますと、他国の文明に全体としてぶつかるのではなくて、小手先でやろうとしています。アメリカならアメリカの文明を学ぶのではなく盗む。これは相手を部分で扱おうとしている。自分をぜんぜん変えないのです。日本人はそうではなかった。『解体新書』の一件、結集した人びとはさしあたり人体解剖図が目当てでしたが、入り口はオランダ語でした。医学者である前に蘭学者でした。語学から始まったということが決定的に重要なのです。日本人は常に外国語を学ぶところから相手の文化に迫ろうとした。謙虚というか地道というか、自分を捨てて相手を理解するということは、空海しかり、最澄しかり、遣唐使から始まって、変わらずそうしてきたのです。

これは単なる一技芸を外から取り入れるということと同じではありません。言葉が入口だということです。言葉を介して一つの文明の全体に直面するということです。中国の学問、漢学を受け容れた時も同様です。日本は中国の技術や学問を個別にばらばらに取り入れたのではありません。まず儒者になることから始まりました。これにより古代中国文明の中核に迫りました。

荻生徂徠は漢字のかたちで文字が導入されて千年、後漢より前の時代に精神的に立ち戻ろうとする復古運動を日本の伝統の中で行いました。彼は後漢より後のものは読まないと徹底していた。つまり現代中国（当時は清）の儒学を贋物だと否定して相手にしませんでした。凄いことです。実際、清朝考証学はほとんど日本に入ってきませんでした。徂徠は中国の伝統を利用して自国の復古運動を行ったのです。日本人が行う古代文化の再生運動に中国の伝統を直結させて、実はそこから自らの主体性を甦らせる国学が生まれました。つまり徂徠の果敢な儒学の復興運動、言語ルネッサンスですが、外国文化のルネッサンスをこの国でやったのですから凄い話です。それが直截的に本居宣長の国学につながったのです。この精神のドラマを論じたのが私の『江戸のダイナミズム』です。

思うにこれほどのドラマを自国史に刻んでいる国はそう多くはないでしょう。西洋に対する明治以来の日本の学びも同様に語学に始まりました。明治の科学者は英語やドイツ語に習熟することをまず求められたのです。だからわれわれとは段違いにヨーロッパの語学に通じていました。そして秀でた人たちが生まれました。宗教や哲学の背景を知らねば科学も法律も経済も知り得ないという局面をくぐり抜けたのが明治、大正、昭和の学問なのです。部分ではなく全体を知らなければ部分も分からないからです。残念ながら平成はこのうちに入りません。令和も入らないでしょう。すでに没落文明の年代に入りました。

外国語の学習に自国史の基軸を合わせる国の主体性とはいったい何なのでしょう。ひどく矛盾した話でしょう、主体性は外国の文化を学ぶことから始めるのですから。しかも自国史はシルクロードを渡って来たあらゆる文明の終着駅です。世界的規模の比類ない出来事にこと欠きません。しかしそれは決して世界のメジャーになりません。日本発の基準は世界の人が仰ぎみる標準にはならないのですよ。ならないからといって絶望する必要はない。ならないからこそ、と言った方がよいのかもしれませんが、あらゆる必要な場面において、安田喜憲氏のように日本を主張することは大切で、これをイデオロギーの名でひと括りにするような話では決してない。背中に何もない人間が徒手空拳で闘いながら、見えない背中に背負っている文明の力によって守られているような話です。日本列島をエジプトと並べて長期無変動文明の地と称する氏の立論を擁護するためにも、これくらい面倒な議論をひとわたりしなければならないというのがこの国の文明であって、恐らく地球上の古地理的条件が引き起こして来たわが国の運命であるというほかないでありましょう。

ですから私は外に何も学ぶものがなくなったという今の若い人に対して憤りを覚えております。外国語を学習しようとしなくなったわが国はもう何も学ぶものがありません。新しく学ぶもののあまりなくなった現代において、あらためて私は言いたい。古代中国を学べ。中世、近世あるいは近代初期のヨーロッパを学べ。いまこそ、そこに新しい目で挑戦することがわれわれの文明を蘇生させる新しい課題になるだろうと。もう終わったと思っているもの、卒業したと思っているものをあらためて一から学び直せ、と。

日本の文明は語学を学ぶことから始まる。それは文明の全体を背負うことから始めるということと同じです。日本は世界最大の翻訳大国でした。今でもその残滓はあるでしょう。これは守られなければなりません。維持され育成されなければなりません。文字文化が滅びるとよく言いますが、昔から文字を読む人など限られていたのです。今の読者の二割の人が残存して、それが強力な文字文化の継承者であれば将来日本の文化が壊れることはないでしょう。文字文化がだめになったといっても、どちらにせよマンガか何かにいく人、スマートフォンばかりやっていて、それで済む人はそれでいいのです。文章をちゃんと読む人は少数でも必ずいるのです。正しい母国語を読み書き、求める人は必ずいるのです。それでいいのです。

日本の「神」の系譜

「危機に立つ神話」と題した一篇――奈良の橿原神宮で行った講演記録――を私は残しています。

神話は戦争とか戦後とかのテーマに振り回されて危機にあるのでは必ずしもなく、古来この国の建国神話は最初から一貫して今までずっと危機にあるのだと言っていい。そういう国の神話であり、そういう国の文化の姿を私は訴えていました。過去の私の言説を以下に掲示します。「神の国」としての歴史の流れを全体としてつかんでいただきたいので、あえて要約しません。この一文を知らなかったという方も多いと思われますので、たいへん長い引用になりますがお許しください。

日本では長い間、アイデンティティの危機にさらされることがありませんでした。イギリスのドーバー海峡を渡るのは簡単ですが、日本列島のまわりの海流は非常に速く、大型船が作られる時期が来なければ、人がどんどんわたってくることはなかった。争いをしなくても自我を保つことが出来、戦う自我、主張する自我というものを必要としなかった。何でも包容するという主体性――これが日本人の素晴らしさではないか、と私は思っています。個人の主体性などという前に、民族文化としてのとてつもない主体性がこの国にはあるのです。（中略）

仏教の導入に象徴される、何でも包容する日本のアイデンティティは、貯水池のように、何をいくら容れても壊れることがないほど懐の深い、きわめてフレキシブルな自己同一性を保っているような気がします。これは、大和朝廷の成立から現代までよりも五倍も六倍もの長さをもっていた縄文文明、すなわち森林と石清水に恵まれているこの日本列島の文明のなせる帰結だという気がします。（中略）

長い時代の中で多様性を積み重ねていき、しかもその多様性は個体の明確性を必要としない、のどかな多様性であって、新しいものが古いものを壊さずに積み重なっていく多層性と言ってもいいかもしれません。このような排他性の少ない、自然形成によるアイデンティティの高さのようなものが、日本文明の特徴ではないでしょうか。だからこそ日本人は、自分のオリジンというものがどこにあるかが常に不明確で、その結果日本人は今に至るまで、日本文明のルーツはどこか外にあると思いこんでいる。自分たちの根幹をなす宗教も道徳も、文字文化もみな外から来たもので、自分たちの内には何もなかったのだと、何となく思いこんでいる。

しかし、西ヨーロッパ文明にしても、何一つ自己固有のものはありません。アルファベットもキリスト教も西アジアの産物です。にもかかわらず、彼らは自分たちの文明を形成する要素はすべて自分たちが作り出したものであって、自分たちはあくまでヨーロッパ的なるものの原点の上に立っていると主張している。それが、ヨーロッパ人というものです。中国人や朝鮮人についても同じことが言えます。アメリカにいたっては、たかが三百年たらずの歴史しかないのに、自分たちの正義は普遍的正義であると思いこんで、（中略）勝手に自分たちが作り出した近代神話を世界中に押しつけている。これをみても分かるように、どこの国も自分たちの原理というものに忠実なのです。

それにひきかえ、一万二千年と言われる長い歴史を持つ民族が、どうして自分の原理を主張することが出来ないでいるのでしょうか。外から借りてきて自分のものにしたという点では、どの国も借り物文明です。それなのに日本だけがいつまでもその借り物文明を意識している。しかし他というものを常に意識しているということは、これはよく考えてみますと、逆に自分があるということを意味しているのではないでしょうか。自分というものがあるからこそ、外からきたものは他であるという自覚が成り立つのです。ただ、その自分というものをヨーロッパ人のようにイデオロギッシュに主張しない。それでいて底知れぬ自尊心はどこかにあるのです。このように他というものを不思議なくらい絶えず意識しながらも、決して己の原点を主張しない国民性がずっと今日まで続いてきたのです。

それでは、この国は、歴史的に自分というものをまったく主張しないできたのでしょうか。そんなことはありません。何時の頃からか、自分の国を「神の国」と自覚するようになります。神の国という自己主張が何時頃生まれたかは、私も正確に研究しているわけではありませんが、一番はっきりしてくるのは、元寇のとき、嵐が吹いてモンゴル軍を沈めたときに「神風が吹いた」という意識が生まれた。しかし、これは話が逆で、「神風が吹いた」ということは、既に神国という意識があって、それまでに受け継がれてきた神の意識というものがこのとき確認されたということです。北畠親房の『神皇正統記』は、この国のかたちとして、「神国」という面を非常に明確に打ち出した最初の作品です。そして、東海に粟の実をまいたように小さい島が数多くある国という、日本の空間的地域のイメージも記していますが、これは唐、天竺に比べれば、とるに足らない東辺の国という末法的世界観とつながっています。

豊臣秀吉はスペイン国王フェリペ二世あての手紙に、「日本は神の国だからキリスト教の布教は好ましくない」と書いております。秀吉はまさに近代的世界観をもっていました。スペインをはじめとするヨーロッパの世界地図が彼の頭の中に明確に意識され、フェリペ二世を敵対する勢力として自覚していた。他のアジア諸国とはまったく違った自己意識をすでにもっていました。そのとき、「神の国」という意識が秀吉にあったということをよく認識していただきたい。

朝鮮出兵の折、内藤如安が明との講和条約を結ぶため北京まで行っておりますが、明側が「お前の国は足利義満以来、朝貢していないではないか」と持ち出しますと、彼は日本のアイデンティティとして神国論を説きました。つまり、神の国であるから、中国とは別だというわけです。聖徳太子の時には「菩薩」という言葉で自己表現しましたが、ここで初めて「神の国」という概念が自覚的に出て来るようになります。

ちなみに、秀吉は初めて神社に祭られた人物です。本人が望んで、朝廷から「豊国大明神」という諡を贈られ、神になった。その頃、誰もこのことを不思議に思わなかったというところに、日本人の神の観念がよく表れていると思います。家康も日光東照宮に祭られて神となりました。戦国から江戸にかけて、神の国が確立したかのごとくであります。

神と仏が一つになるという思想が日本の根っこだという考えが、平安末期から北畠親房を経て出来あがった日本の国家概念です。また、日本の国の全体の形を意識させたのは、「東海に粟の実をまいたような島国」だという空間感覚だと先ほど申しました。しかし国家意識というものを政治的にはっきり自覚させたのは儒学が第一ではなかったかと私は思います。

江戸時代において日本人が最初に自国をはっきりと意識するのに役だったのは、儒学だったと言ってよいと思います。林羅山や、山崎闇斎の垂加神道です。日本では十六世紀に初めて、秀吉がキリシタンの拒絶と中華秩序からの離脱ということをやりました。それまでは中華というものから抜けきれなかった。そして朝鮮出兵以降、明との国交復興がなかなか成立しなかったわけですが、外交官林羅山は、あえて中国政府に明の年号を使わない書簡を送り、改めて日本は明の華夷秩序に屈服する国ではないことを伝えたために、先方とは断絶関係になります。北京政府との外交関係の断絶を可能にしたのは、当時の経済力です。すでに日本は金・銀・銅の大生産国になっており、日本の経済が大陸中国から独立しただけではなく、日本から流出した銅銭が中国大陸を（貨幣を左右するという形で）支配するという形にまでなってくる。十七世紀前半には、満州族が明を滅ぼして清朝が成立し、野蛮人に中原（ちゅうげん）を奪われる中華王朝への軽蔑感情が日本の朝野をあげて強くなります。中華はもはや中国ではない。わが日の本の国である。それで、日本なりの中華秩序を作ろうという考えが生まれます。朝鮮通信使を江戸に招き、琉球やシャムとも交流を持つ。朝鮮を一番尊重し、少し位を落として琉球王朝を迎えます。それに対して、オランダ人は歌舞音曲の芸人と同じ扱いで、さらに中国人には江戸の市中に立ち入ることをさえ許可しなかった。

　そういう差別によって何を試みたかというと、大君外交、将軍を中心とした日本型華夷秩序を作ろうとしたわけです。チャイニーズ・オーダー・オブ・ザ・ワールドではなく、ジャパニーズ・オーダー・オブ・ザ・ワールドというものを演出した。将軍が代わるたびに朝鮮から長い行列の通信使を招き、朝鮮の側は日本に屈服したつもりはないのですが、幕府としては日本に朝貢してきているという体裁をとる。アンチ・チャイニーズで、小型大東亜共栄圏みたいなものを考えていたわけです。これを演出したのは仏教でもなければ神道でもない。日本の儒教なのです。

　中国の儒教は、日本の儒教とは違って国家の観念がありません。「溥天（ふてん）の下（もと）、王土に非ざるはなし」という考え方が詩経でも述べられていますが、どこまでも自分が膨張していって天下と一体となるというのが中国の考え方です。中国人は他者というものを知らない。自分を自分としてはっきりと限定して認識することがない。すなわち近代的な意味での国境観念がないのです。ロシアもこの点似ていますが、絶えず民族移動して、自分たちが膨張していって終わったところが中国なのです。日本の場合は、記紀にイザナギとイザナミが八つの島を生んだと書いてある。この島は粟をまいたような小さな島の集まりだとの空間感覚が、秀吉、家康のずっと以前からはっきりと確立していた。ところが中国人にはこういう国境感覚がないので、日本は中国の儒教を直輸入したのではなく、自己解釈しなおして輸入しているというふうに言ったらよい。

　中国の儒学には国境の観念はありませんが、中国は無言のうちに自国中心、自己文明中心なのです。日本は中国に文化的に依存しながらも、アンチ中国で距離を置いてきました。それが江戸時代になると、経済力もつき、神と仏の文化的・形而上学的な土台も出来あがり、そこへ朱子学が重なってきて、儒教というものが中華中心の思想にすぎないことを知ったわけです。たとえば、熊沢蕃山は「時」「処」によって自在に自己解釈し直さなければならないと言っていますが、中国中心のエゴイスティックな思想を日本中心のエゴイスティックな思想に切りかえるということを可能にしたのは、山崎闇斎、林羅山、熊沢蕃山、中江藤樹といったこの時代の日本の儒者、日本の初期儒学であったと私は思っております。

　翻(ひるがえ)って、現代の教科書問題に象徴されるように、日本の知識人は、欧米が描いてくれた世界地図の中で位置づけられるとおりに自国の文化や政治を解釈し、向こうの意思で自分の主張を組み立てるということをやっていますが、それはおかしいのではないか。欧米が日本の歴史や世界の歴史について述べている言葉を、そのまま理解することが欧米の思想を理解することでは決してなく、欧米が世界を描こうとしているときの姿勢や精神をしっかりと自分なりに解釈し直さなければならないのではないか。われわれは西欧を学んで百数十年経ちながら、西洋人が世界についてどう語ったかという知識を学ぶことはできたが、西洋人がいかにして世界を自分のもののごとくに語るかというその自己中心的な語り方を学ぶことはついにしてできていない。西洋人が自分を主張するためにどのような形式で語っているかという自己主張の形式を学ぶことができていない。ところが江戸時代の初期の儒者たちはそれができたのです。

一方、日本の仏教は、私の理解するところでは、社会的には幕府に利用される一方で、思想的にはアニミズム的な要素が非常に強いのでインドの哲学のようにはならなかった。インド哲学にはアリストテレスのような自然学に近い体系があるのですが、そのような体系的思索は日本の仏教には向いていないのではないでしょうか。西行法師に見られるように花鳥風月に結びつく。

国学には、基本的に政治や道徳からは距離を保つという姿勢があり、国学そのものの中からは国のかたちを政治的に解釈し提出するという考え方は出てこなかった。国学はナショナルな感情を切り開く上で大きな役割を果たしはしましたが、そこに留っていた。ナショナルな感情が国のかたちの観念にどこでつながったかというと、水戸学です。水戸学は国防の思想ですが、これが幕末のエネルギーとなって爆発する。そこには儒教の力というものが関わっていました。幕末以後の神仏分離、そして近代に入って国家神道がイデオロギーとして大きな役割を果たすようになる背景には、江戸時代の儒教の考え方が非常に強く作用しているのではないかと思います。国学そのものは日本人が外の世界を見て、国のかたちを自覚するという国際性を必ずしも育てていない。本居宣長によれば、天照大神は世界を統御する普遍の神という主張でしたから、国学にはむしろ国境の観念がない。その点で中国の儒学にむしろ似ています。日本の儒学がこの欠点を埋めたのだと思いますが、非常に難しい、複雑な問題点です。

さて、「神話の危機」という主題に入っていきたいと思います。（中略）日本民族は多様な人種構成から成り立っており、長い縄文時代において様々な地域から日本列島に人間が流れ込んできたことは紛れもありません。ＤＮＡ鑑定によれば、朝鮮人と比べて日本人は純血度が低いそうです。すなわち人種的混交度が高いということになります。大陸に暮らす少数民族は、戦って自分たちの種族の純血を守らないと滅ぼされてしまう。それに対してこの島国は、おそらく非常に早い時期から多種多様な人種が流れ込んできて、争わず融和していたに違いない。約一万二千年前に氷河期が終わって現在の列島の姿になりましたが、それ以降も、困難な海洋交通によって人が少しずつわたってきた可能性は十分に考えられる。

ニューギニアやインドネシアには、因幡（いなば）の白兎の神話に似た神話があります。ワニの上を兎が飛ぶという話ですが、日本列島にはワニはおりません。オオゲツヒメが、スサノヲの命（みこと）に殺されて体から麦や米がはえたり、口から蚕が出たりという話がありますが、ああいう物語は芋の栽培地帯に多く、メラネシア地方からニューギニア、あるいはインドネシア地方に似た神話がたくさん残っています。芋は種を植えて増殖させるのではなく、切って増殖させるわけですが、若い処女の肉体を寸断して、その血しぶきを苗や木に塗りつけて豊穣を祈るという南の島々に残る物語はそれを思わせます。次第に女性の土偶を割って埋めるような話になり、日本でも割れた土偶が各地から出土しています。ということは、そういう神話が南からわたってきたことが想定されます。

しかし、そのような神話の読み方は近代に入るまでの日本人にはありません。ニューギニアの奥地の出来事も他の国の神話も、近代社会になる以前の日本人はまったく知らなかったのですから、完結した神話と伝統の中でずっと生きてきたのです。『大鏡』『愚管抄』『神皇正統記』

――これらの書物はすべて神代と人代とを区別せず、天皇がまっすぐに神代につながっている。天皇譜と神話の神々の世界が一直線につながっているのです。日本の天皇は神話によって根拠づけられ、神話と王権が直結している。中国は、大昔の殷(いん)の時代には確かに神話的な祖先崇拝というものがありました。しかし、周の時代になると、天命によって徳の高い天子が支配者としての権限を得られるという易姓革命の思想が出てきます。天の概念というものが入ったために、神話と王権の間が切れてしまう。そのため中国の皇帝は、神話の世界とはまったくつながっていません。自然万物ともつながっていません。

神話につながるということは、自然万物とつながるということなのです。日本の天皇の場合は神話の世界とも、自然とも全部つながっている。これは世界に類例がありません。神話につながっているのは天皇家だけではありません。豪族たちの祖先もすべて神話に出てきますから、われわれは祖先崇拝を通じて神話の世界につながっている。日本人は自然に開かれ、自然の中にわれわれとつながる生きた命を見、それが同時に神が宿る世界だと思う。ここで言う日本の「神」をキリスト教の「神」と一緒にしないで下さい。

(「危機に立つ神話」西尾幹二全集19『日本の根本問題』所収)

以上、日本の〈神〉の系譜をめぐるポイントを拾ってみましたが、「神という名の外交史」のような形になってしまい、いくら長く引用しても私の本意には必ずしも添いません。

ただ私は本稿で何度も〈神の視座〉という言葉を用い、〈神々の視座〉とは言いませんでした。必ずしも日本神話にのみとらわれていたわけではなかったからです。一万二千年前に氷河期が終わって、日本列島が海上に浮かび上った原イメージを「古地理的条件」の名で、列島文化のいわば宿命として強調することも、何度か行っております。そういうものの見方を可能にしたのは自然科学という外来文化の力であるとも言いました。想定される無限の時間と無限の空間の中に、二千年という時間幅を置いて、推論と実証を重ねれば、そこに自ずと日本の歴史という一つのフィクションが描かれることになるとも言いました。これらの行為の立脚点に私は〈神の視座〉というきわめて文学的な表現を与えました。曖昧であり、かつ、いくらでも矛盾を指摘されそうな概念です。

大きな宇宙空間から地上を見下ろす鳥瞰図のようなものを〈神の視座〉と漠然と呼んでいるのではないか、と疑われても仕方ありません。古代人の神話も、現代人の科学も私から見て〈神の視座〉のうちにあると言っているのですから。

しかし、何か高い処から、あるいは天上の一角から、地上を見下ろす観点に立脚するのが〈神〉であると私が前提としているように疑われるのは本意ではありません。私は一貫して日本と日本人の宿命を問題として来ました。日本文化のアイデンティティの喪失はつねに心に深刻に響いています。天上の〈神〉が不動の位置に存在するなら、そしてそれが自分の「神」であるなら、あの自我の喪失、自己本位の世界像を描けない日本人伝来の悩みは消えてなくなるでしょう。

〈神の視座〉を私は自分でうまく定義し、表現することが出来ないでいます。あるとき、キリスト教徒に向かって、日本の禅宗の立場を説いている一仏僧の名著といわれる作品を拝読したことがあります。仏僧は人格者で、日本の内外で評価の高い人です。ただふと私は、キリスト教徒がこの叡智に胸を搏たれるだろうかと思いました。知的には納得し、キリスト教の因襲からの解放感を覚え、敬意を抱くかもしれませんが、心を揺さぶられるようなことは起こらないのではないかと疑問が浮かんだのです。〈神の視座〉のテーマはここに究まります。私は自分の拙い表現力では誤解の起こらないように自分のこの初歩的疑問を説明することは出来そうにないと思いました。仏僧は一神教に対する禅宗の優位を説いていたからです。

私の理解では、禅宗は他宗教に対する優劣を問題にしていないはずです。そういうことへの無関心の境地に到達していたはずです。この間の微妙な心理的いきさつを、私でなくても日本人で過不足なく語り得る人がそういるとは思えません。やはりキリスト教徒に語ってもらわなければ問題の扉を開かれそうにないようです。

そう思っていたら、同じ題材ではないのですが、こんなことが起こりました。

森林の文明と縄文時代を討論するシンポジウム「神話の森が語る日本文明の未来」（二〇〇〇年六月十八日、明治神宮会館）が開かれ、フランス文学専攻で比較文学者の芳賀徹氏、地理学・環境考古学者の安田喜憲氏とご一緒しました。そこで芳賀先生はポール・クローデルのことをお話しになりました。クローデルはご存知のように一九二一年から一九二七年の約五年間、駐日大使を務めたフランスの有名な詩人であり、劇作家です。日本をこよなく愛し、古き良き日本をよく知っていて、特に日光が好きだった方と聞いています。芳賀さんがそのとき朗読されたクローデルの文章を少し覗いてみましょう。

……幾百年の翳（かげ）りのこめるところで、木の柄杓から冷い水を手にそそぐ。おお、その身にしむ冷たさ。私のいのちはあらたまる。そして閉ざされた扉のむこうに、鐘の音（ね）がゆるやかに熟（う）れてゆき、蠟燭が一本燃えるのをじっとうかがう。あちらの木々の葉の深いしげみのなかから、間をおいて山鳩の声がきこえる。その声はとこしえに教えを説いてながれる滝の鳴動にこたえている。

ここにいたってはじめて私にはわかりました。――人生に対するとくに日本的な態度、それは、フランス語にはこのような感情を表現する語彙があまり沢山なく、他によい言葉がないので、私は恭敬とか、尊崇とか呼ぼうと思いますが、理知には到達しえぬ優越者をすなおに受けいれる態度であり、私たちをとりまく神秘の前で私たち一個人の存在を小さくおしちぢめてしまうことであり、私たちのまわりになにかが臨在していて、それが儀礼と慎重な心づかいとを要求していると感ずることなのだと――。このことが私にはわかったのです。日本がカミ（神）の国と呼ばれてきたのもゆえなきことではありません。いやこの伝統的な定義こそ、今日なお、みなさんのお国について下されたいちばん正しい、いちばん完全な定義であると私には思われます。

（「日本人の心を訪れる目」L'oiseau noir dans le Soleil levant 芳賀徹・訳）

クローデルはこういう言い方で、美しい日本の風物や神秘的な姿、たとえば様々な山の風景、海の風景などいろいろと書いていますが、また別に次のようなことを言っています。これもまた印象的です。

日本人のたましいの伝統的な性格とは、崇敬であり、うやまいの対象の前で個我を小さくすることであり、自分たちをとりまく生命（いのち）あるもの、ないものに対して謙虚な心づかいを捧げることである、ということがわかったように思われます。みなさんの宗教はこれまでのところ、ひとつの超越的存在に対する崇拝ではありませんでした。それが信奉されている自然や社会の環境と密接に結びついたものでした。（同右）

つまり一つの超越的存在、キリスト教的な意味での神に対する崇敬ではありませんでした。そうではなくて、自然や社会の環境と密接に結びついた謙虚な心遣い、個我を小さくすること、礼儀と慎重なこまやかさ、慎ましさ、それが日本人のあり方で、日本が神の国と呼ばれてきたこともゆえなきことではないと言っているのです。このような言葉の意味において、神の国ということがずっと生活の中に続いているのが日本人の本来の歴史への思いなのだろうということを申し上げたくて、クローデルをあえて引き合いに出しました。

私が〈神の視座〉と呼んだ方向は気持ちの上でほぼこれに相当しているのですが、そういえば我田引水と思われるかもしれません。先にアイデンティティの確保に迷っている日本文化には〈主張する自我〉が決定的に欠けていることを述べた件（くだり）で、しかし「一番深い処にある神秘性をたたえているシーンはかえってこのあたりに見られます」と逆説のつもりで述べた一行は、逆説でも何でもなかったことがこれでお分りになったでしょう。禅宗の優位をほのめかす日本の高僧の名著がポール・クローデルの眼に触れたかどうかは分りませんが、彼が神の前に身を伏す日本の名もなき人々の姿に心を搏たれていたことは間違いのない事実です。それが私の考える最も平明で分り易い〈神の視座〉の内容です。ただし、もしこれを「日本的」の名において一つの集団的表象に置き換えることを急ぐなら、たちまち一片のイデオロギーと堕してしまうであろうこともまた、もう一つの間違いのない事実のように思われます。

第Ⅱ部

ニーチェの言葉「神は死せり」は日本人にとって何を意味するか

学問や研究には必ず何か「対象」とするものがあります。何かを実在と見なしてそれに向かってゆく。自然科学は山川草木・森羅万象、自然界にあるものは何であれ対象になりえます。社会科学なら法や国家、経済組織などを対象とするでしょう。それらの理法を究めようとするわけですが、どちらも自分の外にある何かを対象とします。しかしそれらを顧みる自分、「認識する主体である自己」は、あまり意識されないことが多いのです。

私はドイツ文学研究を職業として、文芸評論家でもありました。ですから若い頃から外国文学を学んだり研究したりすることを当然としていましたが、私が対象とする世界は外国、つまりドイツで、これはまったく矛盾した話なのです。

外国研究というものは、自然を対象とするように永遠に自分の外に認識の対象を置いたまま済ましていたら、ほとんど前には進めません。日本人であることを捨ててしまうようなところまで行かないと本当はいけない。その国の人間になりきるくらいのところまで学ぶ。主観を捨てて客観の世界に没入する。そこで初めて「何か」が見えてくる、と言われてはいますが、私自身はそこまでやっておりません。そういう自覚があっても万般中途半端で終わっていたのが実態です。過去にはそういうレベルを突破した優れた外国文学研究家は日本に沢山いたに違いありません。私の小さい経験の中でも先生方から「ドイツ語で考えるのだぞ」「日本語で考えたら駄目だ」と何度も言われたものでした。でも、それも私はあまり実行出来なかったことを憶えております。

外国そのものを学ぶとはどういうことか。以下に述べるのはよく引き合いに出される例で、またかと言われそうですが、夏目漱石の〝倫敦の憂鬱〟の体験はたいへん示唆的です。漱石は「文学とは何か」を考えるには文学以外の英書を読むことによって謎を解く以外にないと考えて図書館にある万巻の英書を読破しようと一念発起しました。それでノイローゼになります。万巻の書を読むなどはあり得ない話で、漱石は一種の自己錯乱に陥ったのだろうと思います。

漱石の文学論を見ますと、答えの無い禅問答めいたことが書いてあって、外国とは何か、英文学とは何か、ということで悩んだ挙句ある種の異常な心の状態に入っていったと思います。英文学を知るのにイギリスにこだわっても駄目で、文学にこだわっても駄目で、……とここまでは正論ですけれど、さらに無我夢中で突き詰めてやっていました。しかし自分は英語の書物よりも漢籍・漢文のほうがよく解る。そして、もしかしたらイギリス人研究家の手引きなどで何かを知るのは間違いではないか、ということにハッと気が付いて、英語の研究書を読むことをやめてしまうのです。それを彼は「自己本位」という言葉で表したのです。

つまり学問の対象として漱石は、外国あるいは英語を選び、そしてイギリス人になりきろうと努力をする。〝自分を捨てる〟ということですが、そうやっても駄目だと解って反転したのですね。そうする自己が邪魔だということに気が付いた。そこでハッと悟りを開くわけですが、これは漢籍の方が解る東洋人である自分の感覚で、英文学を割り切ればよい、という話ではありません。あくまで対象物になりきろうとする、そして自分を捨てるところまでゆく気持ちになるのだけれど、そういう意識さえも捨てないと駄目だということに気が付く。

最初の自意識の段階の自己を捨てて、どこまでも対象に埋没しようとする悪戦苦闘の挙句の果てに、錯乱に近い状態の中でふと悟るものがあった。「自分を捨てる」という意識さえも捨てる。では、そういう「自己」とはいったい何なのだろう、ということです。

これはすでに「何かを対象化する」という自己ではありません。客観として、自己を観察して分析する、という話でもありません。それでは駄目だ、ということに気がついた挙句に、ということです。この場合の「自己」とは、いわゆる個人主義の「個人」では絶対にありません。個人主義の「個人」とは周知のとおり、憲法にも書いてある概念、万人等しく皆がそうあるべきだ、という一般概念に過ぎません。しかしここで漱石がぶつかった「自己本位」というのは対象化出来ない自己です。「自分を見る自分」と、さらにもう一つ、その奥にあるそういう「自分を見る主体」ということですから、ここで自分は二つに分かれていると考えればよいのかもしれません。

自分とはいつでも二つに分かれるものなのです。「自分を見る自分」と「見られる自分」、「自分を知る自分」と「知られる自分」。それが自分の中に同居している、と考えるのは普通のことです。

歴史とは何かを問い直す

外国文学の例を挙げましたが、歴史を研究すればおそらく同じ問題にぶつかるのではないでしょうか。歴史家にとって、先ほどから言っている自分の外にある認識の対象というのは「過去」です。だから歴史学者は、最初は外国文学者が外国を自分の外に置いて眺めていたことと同様に、過去を自分の外に置いて眺めますが、そこに留まっている限りは何も始まらない。あらゆる過去は既に確定しているもので、もはや動きませんが、じつは「歴史は動く」ものなのです。

歴史と過去はまったく別です。過去は確定しているものですが、その過去をどのように読み解くかというのが歴史で、それを言葉にして記述して初めて歴史は成立するのですから、歴史はどこまでも言葉の世界であります。とすればそれは書く人間の主体の変化によっていくらでも変わる。過去の中から特定の事実の選択（セレクション）が行われる。選択自体に書く人間の、記述者の評価が入らざるを得ない。例えばマルクス主義の歴史家だったら自分のマルクス主義的主観から「ある過去」を選ぶわけで、それで恣意的な歴史を作る。特定の主義者でなくても、何らかの評価の尺度がなければ事実を選択することは出来ません。つまり先入見というのは認識の前提なのです。これはガーダマーという哲学者もさかんに言っていることです。つまり「歴史」という純粋な客観世界は存在しないのです。

　それならば歴史というのは歴史家の自分の勝手な反映か、といえばそうとも言えない。ここでやはり自己というものが出てくる。先ほど、漱石のときにも言ったように、この場合の自己は「自分の勝手な自己」ではないので、「自分が外を見る」ことと「外を見る自分を見る」という、そういう格闘の挙句の果ての自己です。だから自己は決して「勝手気ままな自己」ではないのです。しかも歴史は自己よりも大きなもので、少なくとも何らかの、その世界に近づこうという努力を必死になってしない限りやはり及ばない相手なのです。漱石と同じように歴史の世界に没入していって自分を無くしてしまう、捨てるところまで行かない限り歴史は扉を開いてくれない。しかしそれは客観世界ではありません。歴史はそうやって、こちらが動くことによって新たに動いて見えるそのつど変化した世界なのです。

　私の生きてきた時代を例に考えてみましょう、私はおおよそ昭和の真ん中の時代を生きましたが、当時は明治・大正・昭和という時代区分が明確でした。「明治文学全集」とか「大正デモクラシー」とか「昭和の戦争」といった、明確な時代区分の中に生きていた気がしました。

しかしどうでしょう。いまや、戦争と戦後の切れ目は妄想だと、さらに最近は明治・大正・昭和はみんな一つではないか、とも言われだしているのではないでしょうか。さらに次のような扱いもなされると思います。明治と江戸の違いは無いと。もっと時間が経ち、あと千年も後になったら、奈良・平安・鎌倉・室町の区別はもう無くなるのではないか。おそらく平安から江戸の辺りまでは全部一つにまとめられる。多分そうなるでしょう。つまり「歴史は動く」のです。

ヤーコプ・ブルクハルトは、古代の歴史家ツキュディデスの書から、百年後には今の自分の知らない事実が発見されるだろうと言っています。過去の史料は、現在の私たち自身が変化して時代認識が変わると、それにつれて新しい発見があり違った姿を見せる、という意味です。それが歴史というものでしょう。「歴史は動く」というのはそういうことです。ちょうど歴史は歩くにつれて遠ざかる山の姿に似ています。全体の山は私たちが動くことによって少しずつ違って見えるけれど、山そのものがなくなる訳ではないことと同じで、過去という客観世界は間違いなく存在する。例えば奈良の都、明治維新、世界大戦、これらの出来事がなくなることはありませんが、立場によって出来事の見え方は変わるということです。

つまり「歴史」は「自己」であるという意味は、その過去との果てしない対話をする歴史家の問題ということになります。偉大な歴史家はその都度決断して叙述を深める。私が現代日本の大半の職業歴史家に不満を覚えるのは、歴史は動かないものと思い定めているからです。戦争時代の日本政府に対する批判にしても、GHQに決められてしまった歴史観で考察して歴史は動かないと思っている歴史家が圧倒的に多い。彼らは歴史は動かないものと思い定めて、戦勝国のしばりのかかった固定観念で過去を描いているから、「歴史は事実の探求と確定」だと思ってるのでしょうが、ある時期を過ぎたら間違いやウソが目立つようになり、大幅に書き換えなければならなくなるのに、それもしないでいるのです。そんなものは歴史ではありません。

スイス生まれのブルクハルトは、ドイツ語で書いたのでドイツの歴史家に属しますが、それまでのドイツの歴史家とは歴然と違っていました。ヘーゲルの時代にランケが居るわけですが、十九世紀のドイツの歴史家というのは、古代ギリシャのような歴史観ではなく、基本的にキリスト教の歴史観の中にずっと生き続けていました。天地創造があって最後の審判があるように、初めがあって終わりがある。歴史は目的をもって動いてゆく。したがって歴史は一つひとつが事実の一回性を重んじる。それがある方向を目ざして積み重なっていく。ランケのように細かい記述をするのは、その一回の事実に価値があると信じられているからです。

しかし古代ギリシャ人は歴史をそうは考えていなかった。江戸時代以前の日本人も歴史をそうは考えていなかった。歴史は自然の移り変わりのように廻りくる循環である。もちろん古代ギリシャと過去の日本は違いますが、少なくともキリスト教の歴史観とは別であることでは共通し、春夏秋冬、四季が廻るように自然が回帰するのと同じように歴史も回帰する。人間世界も繰り返す。同一のものが繰り返す可能性が高いということ。したがってギリシャ人にとっては人間一般が問題なのであって、人間の真実というのはいつの時代にも同じように真実でした。

ところが過去は古くなって次の時代は改まって新しくなる、というのがキリスト教の歴史観です。一回性を重んじるのですから、革命があって新しくなればそこでまた新しいものが生まれると考えなければ理に合いません。

ギリシャの歴史観というのは永遠に同一のものが繰り返され、これをイデアといいます。人間一般が問題であって、偉大な人間というのは常に偉大である。遠い時代も偉大であったし、今の時代も偉大である。こういう歴史観で、私たちの歴史観も案外そうかもしれない。

例えば、司馬遼太郎が坂本龍馬を描く。今「日本維新の会」なんていうのが出来て、日本が行き詰まったとき何を思い出すかというと、明治維新を思い出す。でもこれは嘘です。なぜ嘘かというと、明治維新を思い出すのならば天皇家、皇室を思い出さなかったらありえないはずですよね。明治維新を思い出しての「維新の会」だったら、皇室の諸問題はどうするのか真っ先に訊きたいです。そんなことは頭にも無い連中が「維新」だなんてちゃんちゃら可笑しいのです。けれども明治維新を思い出すのは日本人の一つの習性なのでしょう。あるいはまた、山岡荘八の『徳川家康』は事業の経営者たちが経営に役立てるとかで繰り返し読まれています。それらは日本人の歴史の中には何か同じ物、雛型があってその雛型が次の時代にも役に立つという観念があるせいでしょう。

ところがこういう観念、例えばドイツで、「ビスマルクに還れ」なんて一度も聞いたことがありません。ビスマルクはドイツを統一した偉大な宰相ですが、「ビスマルクに還れ」なんて嗤われるくらいな話です。でも日本人は言わないだけでほんとうは、「明治大帝に還れ」という気持ちがあるのでしょう。だから「維新」を言いつづける。

ブルクハルトが十九世紀ドイツの歴史家の中でも特異なのは、「普遍的なもの・恒常的なもの・類型的なもの」を重点的に描き出したところです。ブルクハルトは、コンスタンチヌス大帝やイタリア・ルネッサンスなどの時代を一つの類型として捉え、それに対する讃歌を書きつづけたひじょうに文学的な歴史家でした。

ところがドイツの十九世紀の歴史主義は全くそうではなかった。キリスト教の枠の中にあって、ランケからマイネッケ、トレルチに至るまで結局はキリスト教です。そしてヨーロッパ絶対主義です。その原型を提供したのはやはりヘーゲルですね。ヨーロッパの内部に閉ざされていたこれら歴史家たちに対してブルクハルトは少し違う。「普遍的なもの・恒常的なもの・類型的なもの」は哲学者が言えば「イデア」でしょうけれど、歴史家ブルクハルトはそう言いませんでした。つまり変わりゆくものの中の特定の人間類型みたいなもの、これは繰り返されます。だからコンスタンチヌス大帝の時代は繰り返す、イタリア・ルネッサンスの時代も繰り返す。そういう観念で描かれていた。これは過去の一回性というものを絶対化したキリスト教の歴史観にはありません。

漱石の例外的な体験にしても、ブルクハルトの例外的な体験にしても、「自己とは何か」ということが起点になっていて、この「自己」は決して「個人主義の自己」ではないことは以上でお分りかと思います。

外国文学者と歴史家を例に出しましたが、これはいずれも言葉の世界であり、文字表記の世界であり、現実の具体的世界に関わる人間世界の記述です。しかし果てしなく時間を遡ってゆくと、やがて言葉も文字もない世界が現れるというのは自明のことであると思います。或いは果てしなく空間を拡大しても同様に言葉も文字もない世界にぶつかります。このような世界を対象にするのは何かということを考えてみてください。そこでもまだ「歴史」はあると言えるのでしょうか。

ニーチェの問い

外国を対象とする外国文学者、過去を対象とする歴史学者、それらはまだ言葉の世界を相手にしているので自己を問い質すのに手掛かりがありますが、そういう手掛かりがない、具体的に有限なものがない、なにもない世界。死と虚無しかない世界。その死と虚無を実在として捉え、立ち向かい、対象とする心の働きは何か。これを宗教とお考えになる人もいるでしょう。それはそれで良いのですが……。

私は、ニーチェはこの問題に彼独自の仕方でぶつかって、「自己とは何か」ということから始まり、世界とは何かを問うた人であろうと思っています。若い頃は古代ギリシャの限界領域、言葉の表現もなくなる遠い古代ギリシャのそのまた遠い最果てを考えた。同じように晩年は古代イスラエルの歴史をとことん考えた。ニーチェはそういう人であったと思います。つまり、ギリシャとイスラエルの二つの歴史における、始まりもなく、言葉も消えてしまうような瞬間に何があったか、ということがニーチェにとって最大の問題だっただろうと思いますが、またそれが彼にとって「自分を考える」といういちばん大事な問題と直結していたと思います。

さて、自分について考えるということ、自分を意識するということ、これが人間が人間である所以（ゆえん）を表わしていて、漱石やブルクハルトのような偉大な人でなくとも、私たちもみな自分を問題にして生きています。「自分を発見する」、これが出来るのは人間だけです。それは人間だけが死ぬことを知っているからです。私は犬を飼っていて、とても可愛がっていますが、犬もまた生命を脅かされる不安を持って生きていることに気がつく瞬間がよくあります。犬はメンタルな動物です。しかし自殺する自由は知りません。

ショーペンハウアーは、こう言いました。

> 人間が存在するとは、現在が死んだ過去の中へ絶え間なく転落してゆくことを指すのであり、即ちたえず死んでゆくことに他ならない。
>
> （『意志と表象としての世界』翻訳は筆者）

近年、知友がどんどん鬼籍に入ってゆく年代を生きていて、このことは切実です。

われわれの歩行とは体が倒れることが、たえず阻止されていることに過ぎない。同様にわれわれの体が生きているということは、じつは死ぬことの絶え間ない阻止、死ぬことがその度毎に先へ先へと延期されていることに他ならない。一呼吸一呼吸がたえず押し寄せてくる死を防いでいる。われわれはこういう仕方で刻一刻死と戦っている。（同）

まぁ、素直でない表現で少し皮肉なもの言いをしたい人なのでしょう。これはいかにも受け身な言い方をしていますが、こういうことを深く考え自覚的に言えるのは人間だけであって、人間はいつでも呼吸を止められることは知っているけれども止めてはいないない存在で、その認識を持っていることが人間だと言いたいようです。

私は先に「自分を知る自分」と「知られる自分」とは二つに分かれる、と申しました。自己というのは二つあります。たとえば罪を犯した人間は世の中にたくさんいます。しかし「自分は罪を犯した」という場合、そのことを「知る自分」と「知らないでいる自分」あるいは他人にのみ「知られる自分」とは別です。つまり、罪を犯したことを語った自分が、自分はどんな罪を犯したかを説明しても、罪を犯した人間はたくさん世の中にいるわけですから、けっきょくそれは他人の罪にも共通する。共通性を探っているに過ぎません。しかしその罪を犯したことを自己認識するときの自己、その自己はかけがえのない私たち一人ひとりの自覚の問題なのです。「そのことを知る自分」は、知った後、あるいは他人に知られてしまった後の、「こんな罪だ、あんな罪だ」と説明したり分類したり吟味したりする自分とは明らかに別なのです。

つまり、気が付かない、知らないかもしれないけれど、それでも「気が付く、知る」というこの知る主体は何なのだろう。「知る自分と知られる自分は別」とはそういうことです。

もう少し分かりやすい言い方をします。「戦争中に自分は反戦はしなかったけれど、あの戦争が間違いであったことは知っていた」と言った人がひじょうに多かった。いやらしいと思った。ラジオも急に嘘を言い始めたことに気がついた。私はまだ中学生だったのですが、そういう人が世の中にいっぱいいたから、それに気が付いて、嘘だと思っていました。「あんなこと言ってらぁ」と。それは知識人に多かった。私は身辺にわりに知識人が多く、「自分は反戦はしなかった。強権政府に対して盾突くような、そんな勇気はなかったけれど、あの戦争が間違っていたとは知っていたよ」としたり顔に言った大人たちが少なくなかったのです。自分の勇気のなさを認める代わりに、すべてを見抜いていたという知識人としての知的虚栄心だけは守ろうとする欺瞞なのです。知識人のいやらしいところです。そして高校・大学と進むにつれて周りはそんな人間ばかりになってくる。何を読んでも、そんなことしか書かれていない。そういう世界を生きてきたのですが、そのとき、そこまで気がつく人、そういうことを言う人は知的欺瞞で恥ずかしいということを知る自分と、ついに知らないで知的虚栄心に溺れている人とは別でしょう。そうすると、その知る、そのことに気が付く、そこまで気が付く人、この「気が付く」という自分は何なのか。これこそが、その主体こそが、逸することの出来ないあなた自身の問題ではないか。

それを知ったからといって誰も褒めてくれる人はいない。気が付いたからといって職業的に得をするわけでもない。むしろ損をするかもしれない。けれど、それについて気が付く、そして知るという「知る自分」というのは、ものすごく大事な自分ではないか、と私は言っているのです。そう言えば、「知る自分」と「知られる自分」は別で、二つあることがお分かりになるでしょう。自分は何も知らないということを知っていると。自分が無知であると気が付けば、少なくともそれに気付いた自分は無知ではありませんね。ソクラテスはそのことを言っているのです。

これはニーチェの問題にも深く関係するのですが、まず一般化出来ない自己についてお話しします。例えば、「〜である」と定義する場合、これはいくらでも可能になります。「あなた自身の自己」「私の自己」、それに対して、「どこにでもいる自己」は別です。さきほど言った自己は個人ではないといったその問題、漱石がぶつかった自己、ブルクハルトがぶつかった自己は、やはりわれわれもみんな持っていなければならない「われわれの自己」です。しかしわれわれも持っていなければならない、といったらこれは「個人」という概念になってしまいます。それではダメなのです。「〜である」という定義をすることは誰にでもできます。

例えば「私は日本人である」「私は男である」「私は五十代である」……。ここにいるみなさんはかなり当たっているかと思います。では「私は保守的傾向のある日本人である」。これもたくさんいらっしゃいますね。しかしこれはまだ一般名詞の段階です。では「私は原発推進派だが、TPPには反対で、女系天皇にも反対である」。これはどれくらいいるか。ガクンと減るのではないか。「私は原発反対派だが、TPPには賛成で、女系天皇にも賛成である」。えー、こうなってくると、この三つの概念は最近混沌としていますから……。この組み合わせ、じつは八通りあります。（笑）だから保守とか保守派なんて言葉はいやらしい。止めた方がいい。「私は原発反対派だが、TPPにも反対で、女系天皇にも反対である」、こういう人は「特定の人」なのです。そういうことに気が付く人はぐっと数が少なくなってくる。「原発反対派」だというだけで保守系の仲間に入らなくなる。保守派なんて何ですか。あんなものの言い方は可笑しい。保守系とか保守派なんて言葉は止めた方がいい。ですから八通りある概念で混乱して保守派なんて言葉が使えなくなったのは良いことだと私は思っているのです。

「私は原発反対派だが、ＴＰＰにも反対で、女系天皇にも反対である」。じつは所謂保守系知識人の中でいきなりそれを言ったのは、私と竹田恒泰さんの二人しかいなかった。皆さんの中には沢山います。でも少なくとも物を書いている人の中にはいなかったのです。それで私と竹田恒泰さんはお互いに関係のない場所で活動していていて年齢も違っていたのだけれど、オヤッと思ったわけです。気がついて面白いと思った編集者がいて、われわれ二人も自己認識を改めて、本を一緒に出したのはご承知のとおりです（『女系天皇問題と脱原発』飛鳥新社）。そのとき、この場合は二人だけれど、「自覚」したということ、つまりそういう自分がいることを分かって、認識して、自覚した。これは私の自己なのです。衆に一致しない自己、でも個人を主張しているということとは違うのです。それも後からゆっくり言うのではだめなのです。いち早く言わなければ有効ではない。

つまり「〜である」という形では本当の自分を言い表すことは出来ない。本当の私は、そういうことを言う側にいるのであって、言われる側にはいない。ちょっと変な言い方ですが、自己は二つあって、本当の自己は知っている側にいるのであって、知られている自己は多数の自己です。主体であって、客体ではないと言い換えてもいい。どこまで行っても主体は残ると言い換えてもいい。一般化出来ない自己と言い換えてもいい……。

いったい、自分の目を見ることはできますか？　私たちは自分の目を見ることはどうしてもできないのです。鏡で見るのは自分の目ではないですからね。他人の目を見ることはできますが、自分の目を見ることは誰にも出来ない。それと同じように、私たちは自分で自分を意識することは出来るけれど、絶対に他人は私を意識することは出来ないのです。つまり、かけがえのない自分、客体になることのない、絶対の主体である自分、これが先ほどから言っている対象化出来ない自己、漱石がぶつかった自己、漱石は劇的にそれにぶつかったわけですが、じつは私たちもまた日々の中でそういうものにぶつかっているのだ、ということが言いたいのです。「私は～である」という定義では表現出来ない、動かせない私があるかどうかという問題にほかなりません。

多くの哲学者が言っていることですが、日本語は便利な言葉で、一つの言葉「ある」について、「である」と「がある」の二つがあります。「～である」と「～がある」という二つの概念は別です。ところがこれは英語で言ったらみんな be ですから同じになってしまいます。be と exist と分ければよいのかもしれませんが、日本語では二つに区別されています。この「私」が何であろうかというのもそういう言葉の問題に関わっています。

例えばもう一つの例を出すと、「知る自分」と「知られる自分」と言いましたが、「評価する自分」と「評価される自分」とに言葉を代えてみると、もっと分かり易くなるかもしれません。社会の評価には不公平や不平等がつきものです。人間の業績に審判者はいません。神様だけが審判者の位置に就けるのかもしれませんが、「神はいない」のです。一人ひとりが自分の評価尺度を持って生きている。だから生きていられるのです。「俺のやっていることは本物だ」とじつはみんな心の中で訴えているはずですよ。これはある意味では、闇夜に向かって自分が神様であると訴えているようなものなのです。すごく孤独なことなのです。しかしここを突き破ってきて、初めて自分というものにぶつかる。

つまり自分が自分を評価するのであって、他人や社会が自分を評価するのではないのです。それは誰も評価してくれないのと同じことです。でも他人の評価はどうでもよいけれどわれわれはややもするとそれに動かされますね。他人の評価や社会の評価が気になってそれに左右されている、弱い存在ですね。しかし、弱い存在だけれども、それに納得しない自分もあります。そして闇夜に向かって納得しない自分を叫んでいませんか？　そういう孤独な瞬間をどなたも知っているでしょう。それが自分というものの発見の第一歩であります。

そこで、ニーチェの『ツァラトゥストラかく語りき』の一節をお読みいただきたいと思います。序説で、ツァラトゥストラが市場にやってくると、綱を張って一人の綱渡りの芸人が渡っているのがそこに見える、という有名な場面です。それを見ながら民衆に向かって彼は言います。

人間は動物と超人の間に張り渡された一本の綱である。深淵の上に架かる綱である。渡って向こう側へ行くのも危険、途中で立ち止まっているのも危険、後ろを振り返ってみるのも危険、おののいて立ちすくむのも危険。

人間において偉大な点は、彼が一つの橋であって目的ではないことだ。人間において愛されても良い点は、彼が過渡であり、没落であることだ。

私は愛する。没落する者として生きる以外に生きるすべを知らぬ者たちを。それは綱を渡って向こう側へ行こうとする者たちだからである。

私は愛する。大いなる軽蔑者を。彼は大いなる尊敬者であり、向こう岸への憧れの矢であるからだ。

私は愛する。没落し犠牲となる理由を、わざわざ星空のかなたに求めることをせず将来大地が超人のものとなるように大地に身を捧げる者を。

（『ツァラトゥストラかく語りき　序四』以下、翻訳は筆者）

誰もが知っている有名な文章です。でもちょっと分かりにくい所があるかもしれません。「人間において偉大な点は、彼が一つの橋であって目的ではない」というところに気を付けてください。キリスト教はつねに目的を掲げているのです。キリスト教の歴史観は必ず終わりがあります。最後の審判というものが……。神様は目的を定め、全てが目的論的世界観なのです。しかしここでは、人間は永遠に橋の上にいるのであって、何らかの目的、終着点を掲げているのではない、とはっきり言っています。ゆえに「愛されても良い」と。「過渡」というのは途中にありつづけることですが、「没落」という言葉は解りにくいかもしれません。このあたりは解釈がたくさんあって、どれを読んでも納得できるのですが、「没落」はむずかしい。じつは日本語にはものすごくいい言葉があります。「捨て石」という言葉です。「人間は捨て石である」、そう言えば分かるでしょうが、分かりやすくなりすぎて逆に危ういかもしれません。生きてゆくとは途中を生きることであり、人は捨て石であると。それから「彼は大いなる軽蔑者であり、尊敬者である……」、これも少し分かりにくいかも知れませんが、こういう逆説がニーチェの面白いところで、「大いなる軽蔑者」というのは世の中の大衆・愚衆、この場合の大衆には知識人も含みますが、そういう愚衆を軽蔑する軽蔑者であり、だから尊敬されるべき人だ、とすれば分かりやすいのではないでしょうか。そのように考え直しても良いと思います。これは人間が危険に生きていることを言っているツァラトゥストラらしい概念ですが、私が今まで述べてきたことはここに繋がると思います。

つまり「私は〜である」という一般概念の中に包み込まれていないこの私。この選択。これが自由ということです。私の知っているテレビ会社の社員だったある人が突然思い立って牧師になりました。聖職者、伝道者ですね。彼は「サラリーマンである」の「である」を否定して、「がある」

という次の段階へステップした。これが人間の自由です。また、この国を護るためにわれわれは志願兵になることを選ばなければいけない時代が来るかもしれません。いま急に来るとは思いませんが、十年足らずでありうることだと思っています。その時あなた方の子供達が選ぶ。これは自由なのです。これが人間の自由ということなのです。

私は湾岸戦争の時にアメリカ人に負けたなと思いました。日本人はすっかり忘れていたあの感覚。すすんで志願していった人たち。家々には黄色いリボンが結ばれました。そして地雷を踏んで死んだ人たちも多数です。私の知人で、あの時アメリカ大使館に勤めていた人がいて、大使館にいた若い男性は皆続々と志願して前線へ出ていった。最低限の外交事務に携わる何人かを残して大使館は空っぽになったといいます。これを聞いて私は負けたと思いました。もう日本人はこれがどうしてもできない。われわれはもうどうにもならないところに来ているな、と思いました。何かのために自由を捨てる、これが人間は自由であるということの本来の意味なのです。

講演会にお集まりの方とおつき合いをしながら「会社でそんな話をするの？」と訊くと、「絶対にしません」と。愛国・憂国の人たちは日本の今の社会の中では沈黙しています。口が裂けてもそんなことは話題にしない。言ったら相手にされない。会社の中では孤独です。楽じゃない。みんなに調子を合わせてリベラル左翼っぽいことを言っていれば楽です。しかしそれは自由ではありません。人間が自由であるということはきついことなのです。自由は責任と表裏なのです。日本は侵略国家ですと罪を認めて頭を垂れている方が楽です。でもこれは乞食の自由、ホームレスの自由です。しかしこれは自由じゃない。私はご承知のように、抵抗して生きてきました。

いま『ＧＨＱ焚書図書開封』の本を出しつづけています。ネットのユーチューブで二百回に及ぶ講話を公開しています。海外にも視聴者がいます。しかしあんなことをやっても文学的行動にもならないし、もう止めたいと思っているのにやっているのですが、あれを私の代表作だなどと思わないでください。読者も視聴者もいることは知っておりますし、支持していただくわけですから文句は言えません。でも若いオピニオンリーダーの方にあの仕事そのものを譲ってしまいたいのですが、許してもらえないのです。焚書図書の作品から引用した部分以外に、私が書き込んだ文章が面白いから、つづけてやってくれなきゃダメだということで、仕方がない。やって何も得をしていないのですけれど、そして大して売れもしないのですけど。がんばっています。でも第七巻『戦前の日本人が見抜いた中国の本質』は珍しく増刷になったのです。あの中国論は評判がよかった。寝っ転がって何もしないのが楽に決まっているのに、けっきょく私がやり続けているのは、ホームレスの自由に浸っていたくないからに過ぎません。（徳間書店のこのシリーズは全12巻で完結しました）

自分が主体となること。決して客体とはならないこと。世間一般の通念にさらされないこと。「自分の意見を持っている」と言うけれど、けっきょく新聞の意見を口走っている。朝日は嫌いだけれど、産経の意見を口走っていれば良い……、というレベルになっている人が多い。私はその産経にも今はときどき反対です。私があまり書かないのを知っているでしょう。あの新聞は特定の何かの太鼓持ちをし過ぎる。一貫して原発支持、経済の市場開放支持、それからアメリカべったりで、アメリカに対しての距離感が無いですね。自民党政権を持ち上げつづける。保守派といわれる人びとも自分の意見を持っているつもりでも、これらマスメディアが与えた世界観に結局は支配されていることが多いのです。

ハイデッガーはそれを das Man（ダス・マン）と言いました。「ひと」「一般の世人」という意味ですが、もう一回『ツァラトゥストラかく語りき』を思い出してください。向こう側へ渡る途中にわれわれは生きているのであって、渡って向こう側へ行くのも危険、途中で立ち止まっているのも危険、後ろを振り返ってみるのも危険、おののいて立ちすくむのも危険。その中での過渡ということ、これが人間が生きるということに他ならない。

誰かが決めてくれた善悪の尺度にしたがって善を選ぶのなら、それは不自由なのです。それは自由ではない。悪をも選ぶ可能性。ひょっとすると綱から転落するかもしれない可能性。その中で自分の意思で選択して決断する。これが自由ということなのです。自由は重荷であり、苦しい負担であり、先ほども言ったように責務と同じ概念なのです。

神の存在への疑念

神による天地創造・処女受胎・イエスの誕生・イエスの復活。こういう聖書の物語は、常識的な知能をもっている人々には簡単には信じられないはずです。馬鹿馬鹿しい嘘ですよね。野蛮な古代社会だから信じられたのでしょうか。そんなことはない。古代社会でもこんなことを簡単に信じることは普通には考えられませんでした。古代ギリシャ人は絶対に信じなかった。時間の向こう側のさらに先があるとは考えずに歴史の初めにこういうドラマを設定し、無からの創造・虚無からの創造を信じた。これがキリスト教です。

神様が虚無から天地を創造した。こういう神話は他の文明にはありません。キリスト教徒にとって自然は存在しませんでした。すべて万物は人間のために神様が創造したものです。「世界」はわれわれの知る空間的広がりのことではなく、天地創造から最後の審判までの間の有限な時間の人の世のことです。世界には始めと終わりがあり目的があります。終末の目的があり、その中の時間と人間がかかわる出来事に意味を与えるのは神様なのです。

そういうキリスト教の観念に対して、おかしい、とニーチェは考えた。こうなるにはなるで理由がある、人々に広くこれを信じさせるには何か仕掛けがあったに違いないというのが、ニーチェが最初から抱いていた疑問であったように思います。彼はキリスト教の歴史観の全てを疑いました。しかし、無からの創造の中でキリスト教徒は神様を信じて決断した。さっき言った自由を選んだ。自分の意思で決断して選択することが自由だ、というのがキリスト教的な自己認識です。変な話ですが、これだけをニーチェは受け継いでいる。もはや神を信じないけれども、神を求める心だけは失うわけにはいかない。この逆説、逆理がニーチェにはあった。ここが問題の核心だと理解して頂きたい。

一八八二年に刊行された『愉しき学び』の中で「狂人」と題した一節があり、「神の死」という言葉が出てきます。

狂人。君たちはあの狂人のことを耳にしなかったか。白昼にランプに火を灯して市場に駆けつけ、「私は神を探している。私は神を探している」としきりに叫んでいるあの男のことを。そのとき市場には神を信じない男がたくさん屯（たむろ）していたので、この狂人はたちまち物笑いの種になった。「神様が行方不明になったんだって？」という者もあれば、「神様が子供みたいに迷子になったんだって？」という者もいて、口々に彼らは「神様は隠れたっていうのか。俺たちが怖いのかな。神様は船でどっかに行ってしまわれたのかなぁ」「神様は移住したのかなぁ」などと叫んでは笑い声を上げた。

狂人は彼らの真っ只中へ飛び込んでいった。彼らをまじろぎもせずに見すえてこう叫んだ。「神がどこへ行ってしまったか？　私がそれをお前たちに教えてやろう。われわれが神を殺したのだ。お前たちと私とがだ。われわれはみな神の殺害者なのだ」

こういう一節があって、叙述はまだまだ続くのですが、ここで言っている、彼をからかった市場の人達というのは現代人ですね。神を信じていない現代人です。「お前たちが神を殺したんだ」と、こう言っているわけです。神は自然死を遂げたのではなくて、近現代人が神を殺したのです。しかし神を信じないでも平気でいる一般の人間たちにその自覚はありません。その自覚を持っているこの男は発狂して、死んだはずの神を今なお探し続けている、ということが語られています。

神を信じないでも平気でいる、あるいは信じたふりをして中途半端に生きている近現代の人間が神を殺したのだと、そう言っているのです。

するとする狂人は市場の民衆が不思議そうに自分を見ている前で、ランプを地面に投げつけて粉々に毀してこう言いました。「早く来すぎた……。私は早く来すぎた。まだ私の来るときではなかったのだ。この恐るべき出来事はまだ進行中なのだ。まだ人間どもの耳には達していない」。（同）

さながらニーチェは自分の運命を譬え話に託していたかのようでもあります。

このエピソードは哲学的にいろいろと解釈されてきました。近世以降、科学による人間の認識の確実性が強まるにつれて神への信仰と、科学の真理をどう調和させるかが思想史の中での問題であり続けました。カントは科学と道徳とを分け、人間の道徳心を神への道とし、ショーペンハウアーはそれでは満足できず、インド哲学に傾いてインドの叡智がキリストの教えと矛盾しない、としきりに説き、それからまた、そのような形で危うくなりかけた神の立場を一所懸命弁護する。そういう流れが西洋哲学史の中にずうっとあります。

人間は神を救おうとして人間の立場を強めた。近世デカルト以降の西洋の形而上学の歴史はそういうものといえます。神を弁護するために、人間の認識の確実性をもってこれを論証しようとしたのはデカルトでありガリレイです。デカルトやガリレイは数学で結果的にこれを果たしました。この二人だけでなく、カントもショーペンハウアーも一様に、人間が神を創造していることに気がつかなかった。人間が神を創りだしたときに「神は死んだ」のです。ニーチェはそう言いたかったのでしょう。

ここでよく知られたニーチェの有名な断章のひとつをご紹介しましょう。形而上学の歴史をニーチェがスケッチした『偶像の黄昏』の中の次のような断章が知られています。

「われわれが神を殺したのだ。お前たちと私とがだ。われわれはみな神の殺害者なのだ」と狂人の口から言わせていることは、まさに神を弁護しようとした近世以降の形而上学者の全部が神の殺害者なのだと、言っていると理解してよいでしょう。

この断章の理解にはひとつの前提が必要です。最初にギリシャが出てきて、次にキリスト教世界が表現されますが、キリスト教もギリシャもどちらも人間は霊魂と肉体から成り立っていて、霊魂は不滅で肉体は消滅するという観念が前提とされています。身体(からだ)、肉体は存在しないものだと。これはしかし古代の考え方に一般的です。プラトンももちろんそうですが、インドのヴェーダーンタ哲学もそうなのです。それをキリスト教は受け継ぎます。

古代にあったのは洋の東西を問わず、人間の生きていく世界、移り行く世界に対する憎悪です。感覚の世界に対する敵意です。あるのは精神だけ。霊魂だけ。歴史というものは全くありません。

この断章では「真の世界」という言葉で呼ばれていますが、分かりやすく言えば「あの世」ということです。今の日本人には「あの世」と言わないとピンとこないかもしれません。彼岸の世界、神様の世界。「あの世」です。それを哲学的には超感性的世界といいます。感性を超えている世界、真実の世界。そういうのが話の前提で、いま概念の説明を先にしています。

人は死ぬ。しかし死は終わりではない。死を超えて「あの世」が存在するということがすべての前提です。プラトンもインドのシャンカラの哲学も同じです。変化というのは虚偽であり、変わらないこと、不変、動かないもの、静止するもの、実体が必ず存在する。それが「真の世界」である。それが西洋哲学史というよりも、ほぼ世界の哲学史における一般的な考え方で、永遠に変化しない究極の実在が真理である。そういうものが「あの世」にあるということ。これがすべての思想の根源にありました。仏教にもキリスト教にもありましたし、ギリシャにも日本にもありました。霊魂の世界という動かない世界、実体、それに対してこの生きている世界は影のような儚いものであるということ。この二分法が次の話の前提ですから、そこを承知しておいてください。

いかにして「真の世界」がついに作り話となったか
ある錯誤の歴史〔西洋形而上学の歴史〕

一、真の世界は知恵のある者、心の清らかな者、徳を具えている者にとっては到達可能な世界である。――彼は真の世界の中に生きている、彼が真の世界である。

（これは真の世界という理念の最古の形式です。比較的に怜悧で、単純で、また説得力がありました。「われプラトンは真理なり」という命題を書き変えたものです。）

人は「真の存在」を、生まれる以前の「あの世」において既に見ているのだと、プラトンの哲学は、そういうものだと言っているのです。そして「あの世」はたしかにあったのだと。それをプラトンは「イデア」と言ったのだというのです。「イデア」はひじょうに重要な概念で、「現象」と「イデア」というふうに分ければ、説明できるかもしれません。たとえば二等辺三角形を描いてくださいと言われて正確に描けますか？　絶対に描けませんよね。描けば線には幅があるし、白墨で描けばチョークの幅もあって、どんなに厳密に描いても、人間に正確な二等辺三角形は描けないのです。

完全な二等辺三角形を描くことは誰にも出来ない。しかし、われわれは二等辺三角形を、概念として理解することは出来ます。幾何学はその概念の上に成り立っていて、その上に数学やすべての科学が成り立っているのです。ということを考えると、「イデア」は一人歩きしていると言えます。

それに対してこの現象の世界は、絶え間なく変化し、動き、消えてゆきます。これを「生成」といい、普通は「存在」と「生成」とに分けます。ドイツ語で言えば存在はSein、生成はWerden。移り変わるということ。英語でBeとBecomeです。「存在と生成」に分けるのですが、ニーチェによれば「存在」は存在しない。世界のすべては「生成」である。そして「イデア」はフィクションに過ぎないということになりましょう。

「あの世」という名のイデアの世界をプラトンは発明しました。プラトンの信仰はキリスト教に極めて近い。というより、プラトンがキリスト教に流れこんだともいえる。「わたくしプラトンは真理である」という命題は真の世界の最古の形式で、またこれは「比較的に怜悧で、単純な」ことだというのです。

二、真の世界は現在のところは到達不可能であるが、しかし知恵のある者、心の清らかな者、徳を具えている者（悔改める罪人）には約束されている世界である。

（これは真の世界という理念の進歩を示しています〔キリスト教のことを指しています〕理念はより手の込んだ、より油断のならない、より摑まえ処のないものとなって参ります。

——理念は女になったのです、それはキリスト教的になったのです……）

こういう言い方で……、言うまでもなくキリスト教の話になってきています。「真の世界」、つまり「あの世」は現在のところは到達不可能だが、知恵のある者、心の清らかな者や、徳を具えている者、とくに罪を悔い改める者には約束されている世界である、というのです。プラトンは真理は生きていると「現在形」で書いたのに、「未来への約束」に変わっている。未来に初めて約束される、という考えはきわめてキリスト教的です。「真の世界」は天国のことでもあります。「この世」は罪の世界として否定されなければならない。いま見てきたプラトンとキリスト教世界、一と二はニーチェにとっては敵対すべき、否定されるべき世界でした。

三、真の世界は到達不可能であり、証明不可能であり、約束不可能である。けれども、真の世界は考えられただけですでに一つの慰めであり、一つの義務であり、また一つの定言命法（イムペラティーフ）である。

（これは結局のところは古い太陽なのですが、ひとまず霧と懐疑を潜り抜けております。い

いかえれば、真の世界という理念は崇高になり、蒼白くなり、北方的になり、ケーニヒスベルク的〔ケーニヒスベルクはカントの生地〕になったのです。）

定言命法というのは「命令」ということでカント用語です。ケーニヒスベルクは現ロシア領で、カリーニングラードといいます。昔はプロイセンの首都でした。「ケーニヒスベルク的」とはカントとつながる言葉で、これはカントその人を指しています。カントは「物自体」という概念を言い出しました。「真の世界は物自体である」。Ding an sich 、ここでも「真の世界」は存在する。しかしこれは、理論理性によっても、人間がどんな努力をしても、到達は不可能であるとしています。証明は不可能であると言うのです。

ニヒリズムのスタートはカントに始まるといってよいでしょう。そもそも真の世界なんてものは約束出来ない。たとえ未来においてさえも約束出来ない。到達出来ないものなのだから。けれども、たとえ約束出来ないにしても、道徳感情によって、高き者にはその世界を考えるのは慰めでもあると同時に、義務でもあり、命令でもあると言っているのです。つまり矛盾したことをカントは言っている。カントは『純粋理性批判』の中で神の存在証明は出来ないと定めた。理性によって神の存在は証明出来ない。しかし理論理性では出来ないけれど、実践理性、すなわち道徳の感情によって神の存在は確認される。それを証明は出来ないけれど、そこに到達するのは義務であり命令でもあると。これを「定言命法」と言ったのですね。

結局のところこれは古い太陽なのだとニーチェが釘を刺しているのを注目してください。カントは結局のところ古い太陽にすぎない、もう昔から言われていることではないか、と。プラトンとキリスト教、これと同じことにすぎないのだけれど、ひとまず霧と懐疑を潜り抜けていて、神話をぜんぶ取っ払ってしまって、知的懐疑の論証を経ているその分だけ「真の世界」は崇高になり、蒼白くなり、北方的になり、「ケーニヒスベルク的」になっていると。からかっているのです。哲学者をからかって書いているわけですよ。

ニーチェは別のところで面白いことを言っています。カントの究極の概念は「物自体」ということでしたね、「ついに神様は『物』になったんだ。神様の発達の最後の段階では神は没落して『物』になった」と、からかっています。神を立てるということ自体が否定されています。

以下、私の感想です。結局カントは、あの世を信じていた人だと思います。神の存在を信じているのです。あるいは当時の社会でそれを疑うなんて言ったら大変なことですから、カントはひじょうに常識人でもある。ただそれまでのやり方とは違う形で、科学では証明出来ないけれど、われわれは人間としての道徳心を持っているではないですか。それなら神様を信じることが出来るでしょうと言っている。当時の人にあわせ、社会的に常識的な解決をした哲学者だと私は思っています。

四、真の世界は――到達不可能なのか？　ともかく、到達されたことはない。到達されたことがないのであるから知られてもいない。従ってまた慰めにもならず、救いをもたらさず、義務を負わせることもない。知られてもいないものがどうしてわれわれに義務を負わせることが出来るであろう？

（仄(ほの)白い朝。理性の最初の欠伸(あくび)。実証主義の鶏鳴(けいめい)。）

実証主義が鶏の時を告げる声を上げたという、面白い言い方です。これを哲学専門の人が訳すと、みんなつまらなくしてしまう。

近代の実証主義は簡単に言えば「科学」ということになります。科学の時代が始まった。科学であの世を証明出来ないことは分かりきっていますね。しかも科学をいくらやっても実証主義では慰めにもならないし、救いももたらさないし、カントのように義務を負わすことも出来ない。そんなものはもういくら重ねてみてもすべてダメになったのではないかと、これは理性の最初の欠伸だと、こう言っているわけです。

ニーチェ自身は科学を否定していません。科学の果たすべき役割をたいへん評価しています。科学が事実を発見して世界について説明しようとする場合、一定範囲の中でそれをすることの効果の大きさは認めるけれど、それですべて解明出来る、すべて実証出来る、すべて説明出来る、とする「科学の盲信」は有害だとみなしています。科学を称賛するけれども、万能だとは思っていません。

というのはニーチェは、ある意味で科学を、実証を、拒絶してもいたからです。ニーチェにとって事実というのはやはり存在しないからでしょう。解釈だけが存在するのです。パースペクティヴィズムといって、「すべては解釈である」とも言っています。だから何らかの事物を突き止めたところで、それは事物の見方を新たにしたということであって、解釈によって多様になるのだという考え方です。世界についてすべてを説明しようとする科学者は科学者とはいえないともニーチェは言っています。これを「理性の最初の欠伸」と表現したのです。

五、「真の世界」——これはもう何の役にも立たない理念であって、もはやわれわれに義務を負わせることさえもない。——無用の長物となり果てた理念である。従って、論破されてしまった一理念なのだ。であるからには、われわれはこれを廃絶してしまおう！

（光明るい日中。朝食。良識（ボン・サンス）と快活さの復帰。プラトンの赤面〔プラトンは恥ずかしがっ

ているよと……」。すべての自由な精神たちのどえらい馬鹿騒ぎ。)

もはや「真の世界」などというものはいらない——これはまさに唯物論のことです。「どえらい馬鹿騒ぎ」というのは der Teufel という言葉を使っているのですが、本来「悪魔」という意味で、「こん畜生!」という意味で使われる言葉でもあります。私は「どえらい馬鹿騒ぎ」と訳してみたのですが、自由な精神たちのどえらい馬鹿騒ぎ、いってみればさまざまな自由解放の運動、フランス革命や、サドの快楽主義……こんなものを私は連想するので、プラトンが赤面することになるのかもしれません。そういうことを面白く言っているわけですが、ニーチェはこのあたりの認識で満足をしているわけではありません。次を見てみましょう。

六、真の世界をわれわれは廃絶してしまったのだ。で、どんな世界が残っているのか? ひょっとして仮象の世界が残っているのでは? そんなばかな! 真の世界と共にわれわれは仮象の世界をも廃絶してしまったのである!

(正午。最も影の短い瞬間。最も長い錯誤の終焉。人類の頂点。ツァラトゥストラ始まる INCIPIT ZARATHUSTRA.)

以上、一から六 [偶像の黄昏]

ここが結論なんですが、「真の世界」、「あの世」、もうそんなものは廃絶してしまった。するとどんな世界が残っているのかというと、「真の世界」に対して「仮象の世界」が残っているということになるのだろうか。ここに Schein という言葉が使われていて、「見せかけの世界」と訳す人もいますが、私は「仮象の世界」がよいと思います。Schein は、英語では Appearance です。es scheint mir, dass ...。英語では it seems to me that ~ . it appears to me that ~ .「~であるように見える」、「思われる」「外見は、そう思われる」。それを名詞にした Schein は、仮象や仮の姿のこと。現象の世界と実在の世界とに分けたときの前者ですね。

形而上学では、神の世界を実在、それに対して現象の世界はこの地上の諸々の変化する世界、あの世に対してこの世は現象の世界、このように分けています。根底にある「真の世界」は見えないままである。ずっと「隠れている」ということもあり得た。しかしこのような「真の世界」が無くなってしまっても、「仮象の世界」が残っているではないかと人は言うかもしれないが、そうではない。じつは「仮象の世界」も一緒に無くなってしまったのだとニーチェはここであえて言っているのです。

それが「正午」という言葉で表現される。「正午」はもっとも影が短い。あるいは影がない。中天に太陽がありますから影がないわけです。

これはひじょうに象徴的な表現です。本稿の終わりにも同じテーマが出てきますから「正午」という概念と「最も影の短い瞬間」という概念を憶えておいていただきたい。

ニーチェはヨーロッパ文明の影と光の両方を見ていました。私たち日本人にヨーロッパの世界は、光り輝く世界に見えていましたが、同時に暗い影を伴っていて、影と光が共にアジアにやってきました。アジアは最初から光と影を対立させないで生きてきており、そういう対立概念すらありませんでした。ここに出てくる神様の問題もそうです。すべてではありませんが、仏教の多くは「神様の世界、『あの世』は無い」という断念を前提としています。「あの世」を求めない心を前提としています。そういう意味ではアジア人はニーチェの結論を先取りしているともいえて、またそれについての大きな別の問題がこのあとに控えているのですが、しかし私たちアジア人はヨーロッパ近代文明というものに襲来されて、それを「理性と光の世界」として受けとめてきました。つまり「科学技術その他」ですね。それは私たちをいまでもなお覆いつくし、縛っている抜き差しならない現実でもあります。

光の世界の裏に、ヨーロッパの世界は大きい暗闇を抱えておりました。光と同時に暗黒、つまり悪の世界をヨーロッパは抱えております。アメリカもそうです。最初日本人にはこの二重性が見えなかった。明治・大正・昭和とずっと見ずにきた。欧米の受け入れと近代化はあまりにも早急であった。二重性が見えないまま慌てふためいて、ついに戦争にまで立ち至ってしまったけれど、いまの私たちには西欧が二重の世界だったとはっきり見えるようになってきました。私たちの時代は、やっとそこまで来たのです。けれども、そうなると、光と影の両方があって、ツァラトゥストラはそれを「正午」と言ったのですが、「正午が来た」――それは影が無い世界が来たということにほかなりません。ヨーロッパもそれに徐々に気がついてきた。やっとあることが分ってきた。欧米も二重性に気がついて変わり始めたということですね。しかし私たちアジア人は最初から正午に生きているのです。そういうことが新しい問題として現われているということを言っておきます。

『悲劇の誕生』と『アンチクリスト』の読み直し

文学にせよ歴史にせよ、言葉の世界であり文字表記の世界です。前にも言ったように時間を果てしなく遡れば、文字も言葉もない世界にぶつかります。空間を果てしなく拡大しても、やはり言葉の及ばない世界が現れます。具体的な手掛かりのある有限なものではなく何もない世界。死と虚無を対象とするとき、何が起こるか。時間と空間の果てに、死と虚無を認めない立場もあれば、死と虚無だけしかないことをしっかり直視している立場もあります。ニーチェの場合はもちろん後者に属します。

死ではなく永遠の生がある。虚無ではなく不滅の存在がある。そういうものを立てる場合もありますが、ニーチェは明らかにそうではありません。歴史をどんどん遡っても文字表現の成り立つところまでしか遡れません。文字無き以前の遠き果てしない過去を尋ね、ときに古代ギリシャの深淵の世界に、晩年には古代イスラエル史の深層の世界に彼は遡りました。今までの歴史や既成の歴史観を破棄して、白紙に戻すということを彼はやりました。『悲劇の誕生』と『アンチクリスト』の二作がそれに当ります。

グロイター版全集の編集の結果、『アンチクリスト』は紆余曲折を重ねて模索され、ついに完成されなかった『権力への意志』という主著の、複数の草案の中の最後の一案ということになっています。

『アンチクリスト』の重要性を私はひじょうに早くから感じていて、切っ掛けがあって二十代の終わりごろに翻訳しました。この作品は激しい過激な言辞に充ちている割には物語仕立てで、いちおうプロットがあり、流れがあり、構成がなされているので、読者にそれほど不安を与えない。ニーチェの作品は断章ばかり並んでいて、よく解らないというかたも多いのですが、『悲劇の誕生』も『アンチクリスト』もきちんとした骨組みがある作品です。

『アンチクリスト』のテーマは、キリスト教の歴史における無からの創造はどうして可能だったのかを考究した、論争仕立ての一書です。神による天地(あめつち)の創造、処女マリアの受胎、十字架上に死んだはずのイエスの復活……。何か原因がなければ、こういうことは起こらないとニーチェは考えています。何かの危機があったのでしょう。普通には古代人といえどもこういう一連の破天荒なドラマはあまり認めません。考えられないバカバカしい神話なのですから。無から有は生じないのです。キリスト教の成立史はあからさまに不合理です。キリスト教の神はあまりにも自由すぎます。この自由は「神の恩寵」と呼ばれています。私には理解不能です。「原罪」という概念と並べて二つ、日本人である私には拒否感情があります。ニーチェに共感する根拠のひとつがこれです。何かのからくり、何かの動機づけがあったからこそあの巨大なスケールの信仰の歴史は可能になったのだろう。あのような神秘的超越が起こるのは何かの仕掛けが無ければ考えられない、とニーチェは想像したに違いありません。

そこには今述べてきたような決断の自由、「信じるとは意思の決断である」、そのような精神のドラマが起こった結果に違いない。様々な誘惑を棄てて神の掟に従う決断です。その自由はいかなる条件によって可能になったのであろうか、という謎を考えてみると、われわれはユダヤ人の歴史を振返ってみる必要があるのですが、なかなか難しいテーマで、本稿ではごく簡単な略史のみにしておきます。

ユダヤ教が創られたとき「ユダヤ民族」というものが既に存在していたわけではありません。ユダヤ民族がユダヤ教を創ったのでもありません。エジプトで奴隷として差別されていた人々がいて、それがモーゼの掲げた神の名のもとに団結して、エジプトの支配者に反抗し、逃げ出した。その人々が「ユダヤ民族」ということになるのです。したがって人種はバラバラで、民族というものが最初に纏まっていたわけではなく、「多様な人種」が奴隷として連れてこられたのが徐々に集まって、反旗を翻してそれが「ユダヤ民族」ということになった。彼らが一つの集団に纏まるためには全知全能の唯一絶対神を戴くことが必要だったのでしょう。

奴隷たちがモーゼのもとに集まり、エジプトから逃げ出して、カナンの地に移住します。その記録が所謂『出エジプト記』ですが、彼らが自らのアイデンティティを護るために創り上げた一神教の世界。これがユダヤ教です。ユダヤ教徒たちはパレスチナ辺りで力を得て、ユダ王国をつくっていたのですが、新バビロニアに滅ぼされ、それがまた上位の大帝国であるローマによって滅ぼされる。ローマによって支配されてしまいます。再び、差別される階級に落ち込んだユダヤ教徒の中からキリスト教が生まれました。そのキリスト教はローマ帝国の中心部へ伝わり、もちろんローマの神々に対抗するわけですのでまずは弾圧されます。有名なあの事件、ライオンの前にキリスト教徒が放り出されてコロセウムで食い殺されるというような事件があったのはその前後のことです。

しかし、弾圧にも負けないで、北から流れてきたゲルマン人とか、被差別民とか、新たな奴隷とかとにかく下層階級、下層民にどんどん広がりまして、それら下層階級を越えて、普遍性を勝ち得たと称するのですけれど、ローマ帝国が弾圧しきれなくなってキリスト教徒を利用した方が統治上便利というようなこともあって、キリスト教は国教化されます。いずれにしても最初はキリスト教徒は差別されたり虐殺されたりして、下層民の宗教だったわけですが、やがて上流階級にも迎えられるようになります。

下層民から出たというこの観点はフロイトも言っていますが、フロイトはニーチェから学んだと思います。ニーチェの書き方は面白いので、その一端をお見せしたくてここに挙げてみました。

ここで翻訳について一言述べておきます。

『偶像の黄昏』と『アンチクリスト』は一冊の本に私の翻訳で纏まっています。もう少し努力して、私も『ツァラトゥストラかく語りき』も訳しておけばよかったんでしょうが、今となっては残念です。『偶像の黄昏／アンチクリスト』は白水社のイデー選書の一冊に選ばれました。アラン、キルケゴール、パスカル、ベルクソン、ルカーチ、デカルト、ニーチェ、オルテガ、ルソーなど、白水社が翻訳の良い既刊本を集めて、シリーズとして再刊しました。ですからこの選書は他のものも概して良い翻訳です。この私の本は吉本隆明さんが解説を書いてくれてもいて、特徴のある一冊です。ただし新刊はもう無いかもしれません。

キリスト教学者は、「イスラエルの神」からキリスト教の神へ、民族神からすべての善なるものの精髄へと神の概念が展開したのは、一つの進歩であったと述べ立てているが、われわれはどうして今日、こんなおめでたい見解に甘んじて附き合うことができよう。——ところが、ルナンまでが、こんな見方に甘んじている組だ。ルナンはまるで、おめでたさに加わる権利が欲しいとでもいう風にだ！——が、明白なる事実は、以上キリスト教神学者の説のまさに正反対である。すなわち、上昇する生の諸前提、いっさいの強さ、勇敢さ、尊大さ、誇らしさが神の概念から取り除かれて行ったのである。神は一歩一歩下落して、疲労したものの杖、溺れ行くものの浮袋のシンボルと化し、とりわけ貧しき人びとの神、罪びとの神、病めるものの神となり果て、「救世主」、「救済者」といった賓辞だけがいわば神の賓辞一般として残ったのである。以上が明白な事実であってみれば、このような変質、神概念のかかる縮小低下は、何を物語るものであろう？——たしかに、神概念の変質によって、「神の国」は拡大したといえよう。その昔、神はただ自分の民族、自分の「選ばれた民」しか持っていなかった。そのうちいつしか、神は選民たちとまったく同じく、異国に赴き、自身さすらいの旅路についた。爾来神は、いずこの地にも二度と落ち着くことがなかったが、ついに、神が定住の地を得たとき、神は世界中いたる処を故郷とするに至ったのだ。神は偉大なる世界市民（コスモポリタン）となった。——ついに、「多数者」と、地球の半分を味方につけた。「神の国」はたしかに拡大したといえよう。だが、この「多数者」の神、神々の中のこの民主主義者は、それにも拘わらず、高い誇りを掲げた異教の神になったわけではない。彼はいぜんユダヤ人だ。いぜんとして片隅の神だ。暗い隅々、暗い場所の神、世界中のすべての不健康な居住地区の神！……神の世界帝国は、相も変らず冥府の国、病院、地底の国、ユダヤ人街の帝国。……しかも、神そのものにしてからが、何と蒼ざめ、何と弱々しく、何とデカダン……形而上学者諸君、諸君は概念の白皮病患者、蒼白い人間の中でも最も蒼白い人種だが、そんな諸君ですら、神を自由に操れるようになったのだ。諸君はじつに久しい間神の周りに蜘蛛の網を張りめぐらしてきたわけだが、諸君の動きによって神は催眠術を掛けられ、自ら蜘蛛となり、自ら形而上学者となり果てた。さてこそ今や神さまは、御自身の体内から再び世界を紡ぎだした。――「スピノザの相の下に」Sub specie Spinozae〔スピノザの有名な言葉、「永遠の相の下に」Sub specie quandan aeternitatis をもじった〕――さて神さまは、今やいよいよ影薄く、蒼白いものへと変り果て、「理想」となり、「純粋精神」となり、「絶対者」となり、そしてついに「物自体」〔言うまでもなく、カント哲学用語〕となったのである。……神の堕落、神さまが「物自体」となったのだ！……

〔アンチクリスト　十七〕

痛烈な皮肉が込められています。キリスト教を信じている人や、キリスト教に好意を持っている人や、ヘーゲルやカントを尊重している人は到底これらの表現を認めることは出来ないでしょう。我が国がアメリカに侵略されて卒然と悟ったことは、アメリカがキリスト教国であるという事実ですが、いまだに日本ではそれを認識していない人が多いようです。ヨーロッパよりはるかに強烈なキリスト教国です。アメリカという国は宗教を信じるという点において、イスラム圏の国々と双壁をなすでしょう。ところがアメリカに留学した日本人は、ドイツやフランスに留学した日本人よりもキリスト教の存在を意識しない。キリスト教がいかにアメリカ人の背骨をなしているかを意識しないのです。おそらくヨーロッパに留学すると、大伽藍の数々やゴシック建築の数々を目にするからでしょう。「すげぇなぁ」と思うからでしょう。でもアメリカにそれらは無く、市民化、近代化しているので、宗教とは関係のない国だと思うのではないでしょうか。ところがキリスト教の信仰について、アメリカ人のほうがヨーロッパ人を数字においても上回ります。アメリカ人は八割も九割もの人がキリスト教の神様を信じている。もうヨーロッパ人は三分の一もいない。教会に礼拝する人もヨーロッパは二割くらいしかいませんが、アメリカでは三分の二くらいの人が日曜になると教会へ出かけて行く。この凄まじい宗教への傾倒。これはトクヴィルが有名なアメリカ論で既にしてアメリカの宗教性を認識して、発言して以来のことですが、むしろ干戈（かんか）を交わした日本人が気がつかないのは変な話です。

　このアメリカの宗教性はどこから来るのか。移民してきた清教徒たち、ピューリタンたちはヨーロッパで虐げられた宗教戦争の敗北者たちです。骨の髄まで虐められた人たちが神の国を創らんとして、「モーゼの下に集まって渡来したユダヤ人が遁れてエジプトを脱出して……」という、あの出来事と同じようにアメリカという国を創るのだと……。だからジョージ・ワシントンはアメリカ人にとってモーゼのような役割を果たしていた。そういう宗教構造がいかに根深いかをわれわれはよく知っておく必要があるのではないでしょうか。そのことは先回の講演会で、アメリカはなぜ対日戦争をしたのかというテーマの中で、アメリカの宗教性ということを繰返し論じましたが、この点は本当に不思議な話で相当の人でも気がつかないのです。

戦争前に日本人がアメリカを研究したとき、宗教性を考慮せず、アメリカ人も同じように日本の宗教を考えないと思い込んでいましたが、アメリカ人は各民族の宗教を常に研究していて、そこを叩き潰すことが戦争に勝つことだという戦略をつねに持っていました。アメリカが真先に天皇に狙いをつけてやってきたのは言うまでもありません。『菊と刀』という本がそれを物語っています。日本人は迂闊で、直前までヨーロッパと戦争をするのだと思っていた。少なくとも昭和十三、四年頃まではそうです。「英米可分」の予想でした。アメリカを敵だと思っていなかったのですから。全てが、迂闊な話なのです。

現代の話はちょっと措いて、迫害されたキリスト教徒がアメリカのバックボーンを形成している一方、ヨーロッパは十八世紀に啓蒙主義の時代を通して、脱宗教というか、「宗教を乗り越える」という精神運動を一旦潜り抜けており、政教分離はそこから生まれました。十六、十七世紀のヨーロッパ史には凄まじい内乱や宗教戦争の体験がありますね。「信教の自由」を巡る激しい内戦がありますが、あれらを経験したからヨーロッパ人は目が覚めるところもあって、啓蒙主義が理性と寛容を互いに学習する機会を与えたのですが、アメリカにはその経験が無いのです。ヨーロッパにあったような挫折と内省をぜんぜん経験しないでいきなり、という一面があります。アメリカ人の宗教に対する無警戒さ、宗教を政治に結び付ける躊躇の無さこそが問題の一つではないかと思います。

ニーチェがアメリカのことを問題にしているわけではなく、私は日本人だからそういうことをあらためて意識しておく必要があると思って話題にしてみました。

『アンチクリスト』や『偶像の黄昏』を書く前、ニーチェは『道徳の系譜』という一作を書いています。その中で「ルサンチマン」という概念を掘り下げている。これは精神的な、心理的な自家中毒のことであって、強い人間ではなく、弱い人間に宿りがちな、しかもある程度平等が行き渡っている近代社会の中で、無力感から生まれる心理的な鬱屈感情を指すとしています。行動で鬱を晴らすことが出来る人はこういう病気に罹りません。知識人や聖職者にはルサンチマンの病を抱える人がかえって多いというのです。

ルサンチマンの心理学は今では当たり前の理解になっていますが、そういう心理構造が社会の中でいろんな問題を動かしてゆく大変大きなばねになっていることを明らかにしたのが、『道徳の系譜』の中の「ルサンチマン」の概念です。マックス・シェーラーという人がニーチェのこの主題をまたあらためて分析・解明しました。まず自分で行動を表現出来ないタイプの人に無力感が宿る、その無力感が内向してそれが鬱屈してゆく。これが溜まっていって破壊的なパワーになる、という諸相を心理的に精密に議論しています。

ニーチェはキリスト教の信仰の土台にあるのはこのルサンチマンだと見ていたのです。差別された側の人間のドラマがキリスト教を生み出した。キリスト教が持っている暗黒の部分はこれだというのです。キリスト教が一面でみせている明るい愛の部分は必ずしも主役ではないのだと。キリスト教の信仰の導きの基本になる心理的な根拠、先ほどの信仰の歴史的発生の由来のようなものを併せ考えると、ニーチェが言おうとした深層心理的な追究はお解りいただけると思います。

しかしシェーラーはニーチェの結論には反対なのです。ニーチェが一所懸命書いたものは社会心理としては重要な指摘だけれど、ルサンチマンがキリスト教の愛の概念を転化させて現われたという解説は納得出来ないというのです。結局ヨーロッパの大部分の人もニーチェは行き過ぎている、ニーチェの言っていることはとても一面良いのだけれど行き過ぎていると。二十世紀の前半まではほとんどそうでした。キリスト教にはそういう面もあるのだけれど、こういう面までは説明出来ない。ほとんどの意見はそうでした。学者たちや哲学者たちの意見はずっとそれできていた。

ところが時代がどんどん進むにつれて、ヨーロッパのニヒリズムは深まる一方で、文明の衰弱もますます目に見え、戦乱が重なるような時代になり、ヨーロッパの価値が相対化していき、近代文化の価値も落ちてゆくということになると、ようやく先ほどの形而上学の「ある錯誤の歴史」も確かにそこで言われているとおりだなぁ、ということが理解され実感されるようになってきたのです。

ニーチェにとっての仏教とは

そうなると私たちにとって大事なのは、キリスト教の否定面をまるで打ち消すかのごときニーチェの仏教に対する高い評価をどう考えるべきかという問題です。ルサンチマンから解放された仏教の柔和で自然な生の肯定者の側面が浮かび上がる。注目すべき価値の転換の図です。

> キリスト教をこのように断罪したからといって、私がこれに似た一つの宗教、信者の数ではキリスト教を凌いでさえいる宗教、すなわち、仏教に対し、不当な仕打ちをしたと思われては不本意である。両者はニヒリズムの宗教としては同類であろう。――ともにデカダンスの宗教である――が、まことにきわだった仕方において互いに袂を分かっている。今、この両者の比較対照が可能であることに対し、キリスト教の批判者は、インドの学者に深く感謝している。――仏教は、キリスト教に比べ百倍も現実主義的（レアリスティッシュ）だ。――仏教は、問題を客観的に、冷静に提出する昔からの遺産を身につけている。仏教は、幾百年とつづいた哲学的運動の後に出現しているのだ。「神」という概念は、出現当時すでに、始末がついている。仏教は、歴史がわれわ

れに示してくれる唯一の、真に実証主義的な宗教だ。その認識論（一個の厳格な現象主義——）においてさえそう言えるのである。仏教は、もはや「罪に対する戦い」などを口にしない。その代り、どこまでも現実というものを認めた上で、「苦悩に対する戦い」を言う。仏教は——この点でキリスト教から深く区別されるのだが——道徳概念の自己欺瞞をとうに脱却している。——それは、私流の言葉でいえば、善悪の彼岸に立っている。——仏教の根底にあり、仏教がはっきり眼を据えている二つの生理学的事実は、第一に、感受性の過度の敏感ということ、それは精巧をきわめた苦悩の感受能力として現われる。第二に、過度の精神化、すなわち概念や論理的操作の中であまりに長期間くらしすぎたこと、このような生き方の下では、個人本能は損われて、「非個人的なもの」に有利になるであろう。（——以上二つの生理学的事情は、私の読者の少くとも二、三人、「客観的」な人びとなら、私同様、経験の上で知っていることだろう。）以上述べた生理学的条件に基づいて、ある一つの沈欝な心的状態が発生したのであった。仏陀はこれに対し衛生学的な手段を講じる。彼は対策として、野外生活、遍歴生活を採用する。飲食における節制と選択、いっさいの酒類に対する用心、癇癪を興させ血を滾らせるようないっさいの情念に対する警戒、自分に対しても、他人に対しても、どちらにも気を遣わないこと。仏陀は、心を平静にする、あるいは晴れやかにする想念だけを要求する。——彼は、これ以外の想念に淫することから逃れる方法を編み出す。彼は、善良さを、善良であることを、健康増進に良いものと判断する。祈禱は無用とされている。禁欲も同様に無用である。いかなる定言命法もない。そもそも強制というものがない。僧団の中にさえない。（——還俗が許されているのである。——）総じて強制で行われることは、あの過度の敏感性を激化する手段になりかねないであろう。まさしく、このゆえであろう、仏陀は見解を異にするものへの戦闘さえ人びとに要求してはいない。復讐や、嫌悪や、怨恨(ルサンチマン)といった感情に陥ることを、仏陀の教えはなにものにもまして警戒しているのだ。(――「敵意によっては敵意は終熄せず」、これが仏教全体に共通する感動的な復唱句(リフレイン)である。……)尤もなことである。こうした情念こそ、摂生上の主目的から見て、このうえなく不健康なものだといえようから。仏陀は、精神的な倦怠を目の当りに見たのである。あの過度の「客観性」(すなわち個人的関心の薄弱化、重心の喪失、「エゴイズム」の喪失)――こういったものに表われる精神的な倦怠に打ち克つために、仏陀は、たとえ極度に精神的な関心事であろうと、遡って、これを個人というものに還元して考える。仏陀の教えにおいて、エゴイズムは義務となる。「無くてはならぬものは唯一つのみ」〔「ルカ伝」十の四二〕、すなわち「いかにして汝は苦悩を免れるか」――これが精神上の摂生全体を規制し、制限するのである。

〔アンチクリスト 二十〕

仏教の前提をなすものは、きわめて温暖な風土と、風俗習慣にみられる大いなる柔和さ、暢びやかさといったものであって、決してミリタリズムではない。運動の中心地が比較的上流社会の、知識階級の中にあることも、仏教の前提の一つといえよう。最高の目標として目指されていることは、心の晴れやかさ、静けさ、無欲恬澹(てんたん)たることで、しかも、こうした目標は、実際に達成されるのである。仏教は、単に完全性を目指して気張っているような宗教ではない。完全さが、常態(ノーマル)なのだ。――

キリスト教においては、抑圧された被征服者の本能が、表面に押し出されている。キリスト教に救いを求めるのは、最下層階級である。

ひじょうに明確な断定を下していますが、私たちアジア人には、比較の巧みさにかえって奇妙な印象をもたざるをえません。つまりニーチェがキリスト教を貶めるために仏教を戦略的に敢えて持ち上げる、という修辞学に過ぎないんじゃないかとも思えるし、それがまた面白すぎる対比の仕方のせいであるとも思えるからです。ニーチェはキリスト教に反抗して戦うのですが、その場合、どうしても相手に規定されざるを得ません。反抗する相手であるキリスト教に規定されてしまうという心理構造が逆に反映して、対照的なものである仏教をかえって持ち上げ過ぎているのでは、という観測が成り立つからです。

しかし他方、ニーチェからはヨーロッパの外からヨーロッパを見るという視線も感じられないではない。多くは述べませんが、そういう例はたくさんあります。晩年のニーチェはドイツの外からドイツを批判しました。ヨーロッパの外からヨーロッパを冷たく見る自由な観点も随所にあるのです。もちろん彼はヨーロッパの外を旅行したこともないし、アジアの言語を自ら学んだわけでも無いので、ひじょうに不思議な感じもするのですが、百パーセント西洋に閉ざされていたわけでは決してないということだけは言ってよいと思います。

しかしこのようなアジアに対する、仏教に対するニーチェのものの見方は、私たちにはひじょうに複雑な感情を与えずにはおきません。仏教文化に培われて、しかもヨーロッパ近代すなわちヨーロッパの合理性や、ヨーロッパの科学やヨーロッパの法律制度や、ヨーロッパの近代的な社会構造そのものも自ら身に浴び、それによって自分を形成し、それに追い駆けられてきた私たち近代日本人にとって、ニーチェの仏教への関心は、たいへん複雑で矛盾した対応を私たちに強いるという思いが一方であります。

平均的日本人が初めてヨーロッパを旅行して、教会の内陣に描かれた壁画面、或いはまた大きな美術館に飾られている聖書に材をとったあの残酷画の数々を見せられると、ある違和感、ある拒絶感情を心中に抱くのはむしろ自然です。そしてニーチェに「仏教は老成した人間のための宗教である」、「親切な・柔和な・精神的になりすぎた種族のための宗教」であるなどと書かれると、ニーチェもまたわれわれと同じような外国人の目を持っていたようにも思えてなりません。しかしそういう両面性があって、ニーチェがヨーロッパの文化圏からはっきり離脱していたとまで言えるのかどうかは謎です。

ニーチェは「ヨーロッパは仏教を受け入れるまでにはまだまだ成熟していない」といいますが、仏教文化圏に生きてきた日本人が彼の言葉を真に受けて「日本人はキリスト教徒よりはるかに成熟した高級な知恵をもって生きている」、と簡単に言うわけにもいきません。もちろん日本がヨーロッパ近代に接する以前、仏教が日本人の生活の中にしっかり根を生やしていた時代においてなら、このような優劣はあながち不可能ではないかもしれませんが。

しかし近代の日本人にとって複雑なのは、ヨーロッパの近代合理主義を限界まで走りきったニーチェが自分の外にアジアを垣間見て魅了されたのに反して、そのアジアに住むわれわれは、彼が既に過去として克服した近代を自らの前途に置いて、また今日までは規範としてこれを仰ぎ見て歩んできたという逆説、そういう事情があります。ですから近代の日本人にとっては厄介なまでに事態は入り組んでいると言わざるをえません。

それでも私たちもまた、ヨーロッパの近代を自分の中に取り込んで、そして近代を走り終わったニーチェに共感し、それを自らも追跡して、自分の内部にも既にこの同じテーマを感じております。

私たちはヨーロッパの合理主義を自分の前方に見ながら、同時に自分の背後にそれを克服してゆかなくてはならないという二重の芸当を演じているわけですが、このような複雑な構造でニーチェのこの仏教に対する感想を読むと、どうも、どういう風に言ったらいいか分からない当惑を一方では強く抱いて、たじろがざるを得ません。

私が『天皇と原爆』という本の中で、和辻哲郎の戦中の論文を引用したのを憶えておられる方もいると思います。「アメリカの國民性」という論文の中の、フランクリンが述べたエピソード。あるスウェーデンの牧師がアメリカ先住民の酋長たちを集めてお説教をしたときに、酋長が立ち上がって謝辞を述べ、「あなたのお話は非常によろしい、リンゴを食べたのが悪かった、リンゴ酒にしたら良かったんだ、こんなに遠くまで来てあなた方の言い伝えを話してくださった厚意は感謝に堪えない」と言って、酋長はトウモロコシとインゲン豆の起源についての神話を話した。すると牧師は、不愉快そうに、「私の話したのは神聖なる神の業なんだ。しかし君のはつくり話に過ぎない」、と言ったら、酋長は怒って答えた。「どうもあなたは礼儀作法を教わらなかったらしい。礼儀を心得た我々は、あなたの話をことごとく本当だと思ってお聞きしたのだ。なぜあなたは、我々のこのトウモロコシとインゲン豆の話を本当のこととしてちゃんと聞かないのか」

これと同じようなことを、じつはカントが言っています。カントの話はまた不思議です。彼は哲学以外に、ケーニヒスベルク大学で地理学の講義をしており、次のような話が受講者のノートにありました。やはり同じようにキリスト教の宣教師がイエスの生涯や教えをインド人に話して聞かせると、彼らは傾聴して反論を加えなかった。ところがその後で、インド人が自分の宗教について語るのを、キリスト教の宣教師が不機嫌になって、「そんな戯言を君たちは信じているのか」と非難し始めたら、インド人は感情を害して、「自分たちはあなた方の話を、それが真実であると証明されなくても信じているのに、あなた方はどうしてそうしないのか」と反論した。これは、さっきのアメリカ先住民の話と全く同じです。

私が自分の西洋体験の中で考えたことの一つに、キリスト教ヨーロッパ文明は一つの「鎖国」であるという問題意識があります。閉鎖文明であるといいかえてもいい。もうひと周り外側から見る視点を持つと、ヨーロッパの方がわれわれよりもはるかに閉ざされて見える。今のアメリカ先住民の話やインドの話を遠い昔へつないでいくと、われわれの方が広くて包括的で、それに対してキリスト教文明圏は閉ざされている、狭い、こういうことになります。

私のヨーロッパ体験についてですが、全集に『ヨーロッパとの対決』という巻があり、それは私の中期の頃の、激しくヨーロッパ人と争った論争文などを集めたものです。ちょうど八〇年代の貿易摩擦の頃で、今でも感じますが、ヨーロッパの閉鎖性ということを当時ものすごく強く感じました。ヨーロッパの閉鎖性、アメリカを含む欧米の閉鎖性、これはキリスト教の閉鎖性、彼らの自己認識の閉ざされ方とぴったり一致する問題だと思います。私はずっとそれを敏感に意識しつづけてきた人間ですが、しかし同時にまったく逆のことも言えるのです。その逆のことをあえて皆さんに今は言わなくてはいけません。

西洋文化の構造の基となる自然科学

今の私たちは本当に複雑な構造の中に生きているということを論じるために、逆のことを言います。いかにヨーロッパ、キリスト教文明圏に私たちが包み込まれているのか、というむしろ正反対の展望図もあります。それは端的に言って「科学」です。自然科学はアジアには無かったのです。中国にもアラビアにもインドにも日本にも科学はあったけれど、地球を覆う、今のコンピュータにまで至るような科学はなかったのです。今のコンピュータまで創り出しているのはキリスト教文明圏なんですよ。自然科学はヨーロッパの精神史の問題で、キリスト教と切り離すことができません。数学的、幾何学的な観念です。そしてキリスト教のあの天地創造とも関係があるのです。

自然科学の勃興は、キリスト教の歴史と切り離して考えることは出来ません。それはデカルトとガリレイの問題です。デカルトは、世界を数学の方程式に還元して、形とその変化、位置とその変化という幾何学と運動学とですべて世界は言い尽くせる、という思想を展開しました。デカルトは、主観と客観ということをはっきり言って、主観がすべてで、物質にはいろんな性質があるけれど、それは主観に映じた影に過ぎないので、物質それ自体に宿っているものではないんだといいます。色・音・匂い・味・手触りなどの感覚的性質は、人間の精神の中だけにあるのであって、物そのものに固有の性質だとは言えない。人間の体も物であるから、したがって手足の痛みというものはなくて、精神の中にあるのだと。これは『省察』の中にも書いてあります。首尾一貫しているのですね。人間が物の大きさや形や位置を把握できれば、感覚的世界の全てが理解出来るのだと。これはガリレイも同じですね。物質の諸性質は感覚主体の中に存在するに過ぎないと。この観念が、自然の数学化という革命的影響を惹き起こして、感覚的性質を物から排除して人間の意識、または精神の中に押し込めた。これがコンピュータグラフィックスにまで繋がっているのです。

この哲学上の認識論は今では誤謬であったと言われています。有名な出来事で哲学史の上ではバークリとかヒュームとかカントが出てこれをみな批判します。しかしバークリやヒュームやカントとは関係なく、ガリレイ、デカルトによる自然の数学化は、もうわれわれの日常の暮らしの世界の中で、哲学史の動きを無視するかのごとくに独立した自然科学の方法論として、どんどんどんどん一人歩きをしている。人間的曖昧さを切り捨てて科学によって構造化され、立体化され、数学化された世界が、私たちの目の前を覆い尽くしています。自然はただ幾何学的に死んだものとして線引きされ、数値化されて、それが客観世界として有無を言わせぬ勢いで私たちの目にするすべてを支配しているのはご承知のとおりです。

ガリレイ、デカルトの二元論が理論としては否定されても、実際には現代の自然科学において一大発展を遂げているのは覆しようのない事実です。信じられないことですが、極小世界は素粒子の解析、極大世界は宇宙の開発という二つの方向へ一層の細分化と遠方化へ向けて精密分析は終わりを知らない勢いです。さらに科学は人間の体も分解して、物体化して、やがて人間の精神をまで、脳生理学の対象として「自然の数学化」という十六、七世紀以来の展開においてずうっと支配しつづけているのです。これはキリスト教文明から出たのです。この全体の流れを私たちはどう考えたらいいでしょう。

もう一つは歴史観です。今の日本では高校の歴史教育で世界史が必修になっています。こんなバカなことをやっている国はおそらく世界中にありません。いかに日本は世界史が分かっていないかです。世界史という観念はキリスト教にしかありません。世界の歴史なんてそもそも無いんですから、そんなものは。どの国の歴史もそれぞれの民族の歴史なのです。世界史という観念を持ったのはひとりキリスト教徒のみなのです。前にも申しましたが、キリスト教は発端があって終末がある。歴史開闢があって目的がある。人間は未来を目指して生きる。自分の、人間の生き方は一回性に依拠しており、元来一回的なものであるという、それ故に記録に値し、それ故に構造化された歴史が描かれる。

しかし古代ギリシャ人も古代インド人もすべてそんなことを意識したことはありませんでした。それは皆さん、考えてみるべき重大な事柄です。たとえば「皇国史観」という日本に特有の歴史概念がありますが、あれも近代的な歴史観です。ヨーロッパ近代、キリスト教の圧力でもなかったらあんなものは出てこなかった。創られたものですから、マルクス主義と同じことで、けっきょく近代の歴史観なのです。そういう何かの目的を持って歴史が展開するという目的論的歴史観というのはアジアには無かったのですから。

しかし逆にキリスト教徒は、さっきニーチェが揶揄した、ユダヤ主義から、キリスト教徒が生まれてコスモポリタンになったと、そしてキリスト教が生まれて宗教は民主主義的になったと……。からかい言葉でニーチェは言っている。そしてそれは悪しき動機から、つまりルサンチマンという人間の精神の暗黒の部分を逆転させてこの壮大なドラマが創られたのだと言っている。しかもキリスト教徒が一人ひとり神の前に立って、今日私がずっと話してきたような、自由の観念、それを身に帯びて決断するということをやって来た。それによって逆にキリスト教は世界の宗教になったのですよね。そういうふうに考えると今世界で起こっていることは、いかにニーチェが「ノー」と言っても、恐るべき勢いで繁殖網羅しつづける宗教、すなわちキリスト教の流れの中に依然として置かれている。キリスト教徒からすれば、いずれ数百年か数千年かのうちに人間は全部キリスト教徒になるだろうと想定されているでしょう。そしてまたこれは着々と実行に移されているのです。

ありとあらゆる人間はみんな天地創造からイエスの復活まで、最後の審判まで、一直線の時間の中に置かれていて、世界史の中に組込まれるのだと。「グローバリズム」ですね。終わりの日には、人間は一人残らず裁かれる。勝手にそう思い込まれているその動きが、世界史を覆っているからか、日本までついに西暦で表記するのがあたりまえになってしまいました。平成を境にして、二〇〇〇年になってから。銀行の表記はどうでしょうか。役所はまだ元号を使っているのかどうか。西暦と併記かもしれませんが、元号表記がどんどん減っていって、何かそれが進歩的だと思い込んでいるようです。このあいだ、昭和十六年って言ったら若い人が分からないんですよ。戦争の始まった年は一九四一年と学校で習います。そういう時代なのですね。日本は征服されているのです。

加えてもうひとつ大事なことを言っておきます。先ほどから話題にしているあの「世界史」の中に日本が入っていないんです。高校が世界史を必修にするというのは本当に変な話です。世界史の中には日本が書かれていないでしょう。そういう世界史を教えているんです。そういう世界史を誰が作っているのでしょう。キリスト教文明史が作ったその世界史をわれわれ日本人は世界の歴史だと思って習っているわけです。そしてその中で日本人は何ら役割を果していない。

だいいち文部科学省の日本史の教科書検定の基準があって産業革命とフランス革命を人類の歴史の「メイクポイント」として書くように指導しています。西洋史を下敷きにした日本史が政府指導の基準です。それでいて重大なことは、いま私が言ったように、一方で日本人には、キリスト教は閉ざされているという認識もあるわけです。向こうの方が自己を閉ざしていると。私たちの方がむしろ広いと、包摂的だと。そういう認識もあるのです。向こうは閉ざされているように見えるわけですが、他方、われわれはその相手にむしろ包摂されている別の面もあるわけです。他から大きく包まれている。西洋に科白（せりふ）を付けられてしまっている。

江藤淳さんが戦後、占領軍の言葉でわれわれは支配されているという、良いことを言いました。報道の言葉がアメリカの占領政策によって拘束されている、と。しかし戦後の話にとどまりません。外国の言葉が人を支配するのは戦後史のテーマに尽きるのではありません。じつは明治以来、西洋の言葉や概念で日本人は支配されているともいえるわけで、「自らを発見する」ということは一体どういうことか、そこに至る手続きの厄介さは言語に絶するものがあります。

脱出を今こそ考えねばなりません。

ニーチェが言っていることで、ひじょうに重大なのは、仏教は、神を、「あの世」を考えない宗教だと書いてますが、現代の私たちも普通には「あの世」を考えません。ほとんど考えないで生きているような世界観、或いは宗教観の中にあるというべきでしょう。そうすると、「あの世」を考えないで生きるとき「真の世界」というのは、いらない世界です。私たちも「あの世」を考えないで生きている世界。そして現在のヨーロッパも「あの世」を考えないで生きている世界。しかし、「あの世」を考えて生きてきた価値観、世界観がずうっと私たちを一方では今も支配しています。見えない形で支配しているというとき、私たちはどういう認識を持つべきか、というのが最大のテーマになるのではないでしょうか。

ニーチェがルサンチマンと言ったことについて、あまり詳しい説明をできませんでしたが、ルサンチマンからキリスト教が生まれたということについて、ひじょうに大事なポイントを成していると思うことは、「キリスト教文明には闇がある」ということです。野蛮だということです。闇があるけれども同時に普遍性もあり、人間の決断の美学もあり、それから科学的合理性もある。そういう二重性があるのです。私たちはその二つを見ているのです。そうすると、それら二つは別々の世界なのだろうか、ということです。

科学的合理性、近代の合理性は光だけで成り立っているのでしょうか。それとも背後の闇がその光を生み出したのでしょうか。ニーチェはそう問うているのです。闇と光は一体で、闇が光を生み出していると。暗いものが明るいものを支えてきたんだと。巨大建造物のようなヨーロッパ近代の合理性の殿堂は、例えば法体系にしても、今もなお世界を支配しています。国連もそうだし、国際司法裁判所も西洋の法律ではないですか。そういうものもじつはキリスト教の信仰、あの闇を信じた、あの訳の分からぬものを信じた信仰がなければ覚束なかったものなのです。現実に信仰と切り離すことが出来ない。ヨーロッパは今でもそうですよ。

ゲーテの『若きウェルテルの悩み』の最後に自殺の話があって、無神論者というか異教徒は一緒にお墓に入れないという話が書いてあります。そういう何でもない話が書いてあるのが小説の面白いところですが、今でもヨーロッパでは、自分は無神論者だと役所に届ければ、教会の墓地に納めてはもらえません。祈禱も拒否されます。そういうアジア人も居たりして、しょうがないから、市民墓地というものが別に造られていたりするのです。そして税金を別途取られたりするのです。今でもキリスト教は、強烈な組織力と政治力を握っておりますが、暗闇を抱えているからこそ財政的に維持されているのではないでしょうか。つまり悪を抱えているから合理性も同時に成立しているのではないでしょうか。

私たちは明治以来、「文明開化」と言って光だけ見ていたのですが、それは間違いでした。光の背後に闇があるということはアメリカと戦争してよく分かったはずです。それでもまだ分からなくて、アメリカ民主主義は光だけだと思っている。そういうバカな人もいますが、そうじゃないってことが分かったはずです。影も闇も無い理性など実はどこにも無い。ただ西洋人の信仰の心が影を隠していただけで、愛だとか、十字架の犠牲とか、そういうものを美化してそれが影を隠していただけです。

日本では特にカトリック系の女学校などがたくさんできて、あれはみんな星菫(せいきん)趣味ですね。「星やスミレ」というのですが。明治以来、キリスト教はずっと星菫趣味で来ているのです。でも、そんなもんじゃないということは、外国へ行って美術館を観れば分かります。キリスト教は陰惨残酷な世界です。美術館で西洋中世末期の絵画でもご覧になると凄いですよ。つまり明るいヨーロッパ、合理性という名のヨーロッパは、暗い非合理なものを目に見えないように隠してきたということ。それが日本が受け止めたヨーロッパ、ルネッサンスから近代への世界像です。明るいものが暗いものを表面に出ないよう抑止して、合理性が非合理性を制圧して成り立っていた二重構造こそが、私たちが受け止めた西洋世界だったと思うのです。

でも、ニーチェの生きた世界で、ニーチェの自覚によって、にわかに事態は明らかになりました。闇が急速に浮かび上がってきたのです。彼は二百年後のニヒリズムの到来を告げ、ヨーロッパは衰弱して没落すると。その通りになっているではないですか。ニーチェの自覚から二百年後が近づいて来ました。闇が急速に表面に浮かび上がってきて……。

ですからニーチェは、

狂人はランプを叩きつけて「お前たちが神を殺したのに気がつかなかったのか。神を殺したのはお前たちだ。」

と言った。合理性の外側の、光の外側の、明るいものの外側の闇が荒々しく世界を覆い始め、見え始めてきた。これはなにもニーチェが引っ張り出したのではなく、ただ暗いものの荒々しき裸形、すなわち裸になって見え始めてきた文明の姿を見て、予言して、そしてそれをただ正直に認めようと言ったに過ぎなかったと私は思います。ニーチェはニヒリズムを宣言しましたが、明るい近代の背後に虚無が居座っている、ということをわれわれに知らせようとしたに過ぎません。キリスト教のスタートがおかしかったんだよと。ルサンチマンに発したつくり話だったんだと。そのために大いなる文明は生まれたけれど二千年経ってついに終わったと……。

これはすごく深刻な指摘です。そして西洋のその自覚にわれわれは巻き込まれているのです。必ずしもわれわれに積極性があるとはいえません。この光と虚無というキリスト教の二重構造が、本当にここ十年か二十年かで、朧げながらわれわれにも分かってきたのではないでしょうか。ニーチェがなぜ最後に仏教に一瞥を投げかけたのかという理由もこの点にあると思います。この二十年くらいに分かりかけてきたことです。ニーチェの問いが日本人にも分かりかけてきたのです。

仏教は光と闇との分裂を惹き起こさないで済みますよ、と彼は教えてくれた。両方総合して成り立っていた巨大な西洋文明とはまったく違い、これは大いなる正午だと。正午は影も作らないからふんわかと全体を照らしてくれている。これが正午だ。まったく中天に架かっている太陽は闇も作らなければ影も作らない。ただそういう世界のありのままで、それが「キリスト教の外の世界」なのだと。ニーチェはそのことをツァラトゥストラの口を借りて言って、そのことを言うために気が狂うまで闘ったといえるでしょう。

それはあの時代だからそういうことを言わざるを得なかったというのではありません。それがニーチェのニヒリズムの指摘であり自覚であるからです。そしてそれが今日のわれわれに対するますます深い「示唆」でありつづけているのは、われわれが「キリスト教の外の世界」にいながら、明らかに外に立っているとも言えないからであり、「外の世界」に生きる利点が何であるかも分らぬままに、二つの世界に引き裂かれて生きていて、向こう側にある「内の世界」にもう一度もぐり込まないと外に立つことも分らないという苦境にあり、これはよく考えると本当はニーチェの自覚や指摘よりさらに厳しい困難にさらされている事態だといえるのではないでしょうか。

私は困難をまさぐるようにわが指先を差し出す余りの心細さにわが民族の行方を見つめ、身の震える思いがいたしております。

ニーチェの言語観にこと寄せて

一八七三年、『悲劇の誕生』が刊行された翌年、ニーチェは『道徳以外の意味における真理と虚偽について』という短い論文を書きました。それはこんな風に始まります。

無数の太陽系をなしてきらきらと振り撒かれている大宇宙の、どこか遠くかけはなれた片隅に、かつて一つの天体が存在した。その天体の上で、怜悧な動物たちが認識というものを発明したのである。そのときこそ「世界史」の、最も誇り高い、また最も欺瞞に満ちた一瞬であった。が、これもほんの一瞬のことにすぎない。ほんのしばらく自然が呼吸していたかと思うと、もうその天体は凍結してしまった。かくして怜悧な動物たちも、死滅せざるを得なかったのだ。――こんな風に誰かが、一つの寓話を創作することもできるかもしれない。しかし、これでもまだ、自然の内部における人間の知性が、いかに惨めで、影のように不確かで、束の間の儚いものにみえるか、そしていかに無目的で、身勝手なものにみえるかを、心ゆくまで説明したことにはならないであろう。人間知性の与らなかった数々の永遠が存在したのだ。再び人間知性が過ぎ去ってしまえば、何事も起こらなかったと同じことになるであろう。人間知性にとっては、およそ人間の生命を超えて、そこから先へ導くような使命などは存在しないからである。知性は人間臭いものである。世界の軸が人間知性を中心に回転しているかのようにじつに悲壮に知性を受け止めているのは、ひとりその知性の所有者と産出者だけなのである。が、もしもわれわれが蚊と話が通じうるなら、蚊もまた同じ悲壮さをいだいて空中を浮游し、自分の内部にこの世界の空飛ぶ中心を感じているのを、われわれは聞き取ることになるであろう。

寓話的な文章ですが、自然と人間、あるいは宇宙と人間の知性といえばわかりやすいかと思います。宇宙はコスモスと考えても良いのですが、別の言葉で言えば自然と人間世界の対照ですから、後者は歴史、これには自然科学も含まれる。したがって、この場合の自然とは自然科学が対象とする自然ではありません。物質的世界のことではない。

自然科学では捉えられない自然

私は本書の第Ｉ部で「神の視座」という言葉をくりかえし用いました。一万二千年前に氷河期が終わって、日本列島が海上に浮かび上がった原イメージを「古地理的状況」の名で強調しました。このようなものの見方、このような「視座」を可能にしたのは自然科学という外来文化の力であるとも言いました。それは十六－十七世紀のヨーロッパに誕生した相対的なひとつのものの見方であって、普遍的絶対的な尺度であると決定することは出来ないとも言いました。想定される無限の時間と空間の中で、人類が選んだひとつの「仮定」です。

それをニーチェの『道徳以外の意味における真理と虚偽について』のあの寓話に当て嵌めてみると、人類という名の「怜悧な動物たち」が自らの生存を維持するために、自らの知性を悲愴壮大に受け止め、世界の軸が人間知性を中心に回転したかのように思いなしているけれども、空中を浮遊する蚊もまた同じ悲愴壮大感を抱いて生きているのだと考えてみよ。「人間知性の与らなかった数々の永遠が存在したのだ」とニーチェは言います。永遠（die Ewigkeiten）は複数形で書かれています。永遠はただ一つの絶対的なものだという思想を退けているのです。そして、その「数々の永遠」こそが彼の言う「自然」であって、自然科学の考える自然の概念とはまったく異なる世界が示唆されていることは明らかでありましょう。

自然はもちろん多様であり、これだけではいろいろ考えが及ばないところもあるわけですが、この自然に向かって人間の知性は真理を求めて遡ろうとする。つねに言葉が及ばない。自然は寂として声がないということが次に問題となっていきます。

私たちは人間の歴史を遡るにつれて、歴史がだんだんはっきりしなくなることを知っています。黄昏を迎える頃には薄闇に閉ざされてくる。最後は闇に消える。そのようなことをわれわれは経験上知っている。あの「人間知性の与らなかった数々の永遠」のどれか一つを信じて選んでも、その先は濃い闇でもう何も見えない。人間の歴史がそのような歴史であることを知っており、生きている私達一人びとりの人生もまた同様であります。

たとえばギリシャの歴史を例にとれば、アイスキュロスやソフォクレスのギリシャ悲劇が花を開いたかなり前にホメロスの世界があり、ホメロスのさらに前に神話の生まれた時代があり、それよりもさらに先に行くとなんだか分からなくなるわけです。つまり、果てしなく過去に遡って行くと最後は神話に辿りついて、その先は先史時代ということになり、石器の欠片などがあるうちは良くて、あとは何もなくなってしまうのです。

神話時代というのは、人類の歴史のまどろみの中に、暗い闇からだんだん目が覚めてきて、はっきり目覚めてしまう少し前になぞらえることができます。われわれの生活でもそうですね、深い眠りのときには夢を見ません。明け方薄すらと光が迫る頃、浅い眠りの中で夢を見る。人類の歴史も同じようなものであって、そのことはワーグナーが薄明の中で目が覚めるときに、人間はこの目覚めにおいて恐怖に襲われたり、悪夢にうなされたりして、深い眠りの中にいるときには起こらないことが起きる、それが音の発生する最も根源的な瞬間なのだ、というようなことを書いてもおります。ワーグナーの音楽は夢の奥底から湧き出るような音ですが、歴史を遡ることとわが身に起こることとは何か深く関係があるのかもしれません。

さて、この『道徳以外の意味における真理と虚偽について』というのは小編ながらいろいろなことを語っていて、論理的に整理してニーチェの哲学全体との関連を説明すべきところですが、それは今の私の狙いではありません。「遺稿断片」に属するこれらの小編群は後年のものを含めるときわめて数が多く、膨大な量をなしていて、そこにニーチェの真意があるともいえるしないともいえる不思議な構造をなしています。著作として公刊するつもりだったのが途中で止めてしまった文章群も含まれていて、面白い表現が非常に多い。冒頭の「怜悧な動物たち」の寓話もその一つです。次の段落で、彼がいかに言語ということを当該論文の中で重ねて言っているかということを、少し見てみたいと思います。

われわれは樹木とか、色彩とか、雪とか、花とかについて語る場合に、そうした事物そのものについてなにごとかを知っていると信じているが、しかしわれわれが所有しているのは、根源的本質とは徹頭徹尾一致しないところの、事物の隠喩(メタファー)以外のなにものでもないのだ。（同）

これは言葉と物の関係でよく言われていることで、言葉はただの約束かそれとももっと違うものかというプラトンの『クラチュロス篇』にも出てくるテーマです。ニーチェの発明でも珍しいことでもありません。

例えば、樹木というものを考えると、われわれは樹木というものを知りません。知っているのは、松や杉、檜です。しかし松というものもわれわれは知りません。知っているのは、赤松や黒松や椴(とど)松(まつ)などであります。いえ、それもじつは知らないのです。知っているのは、あの赤松かこの赤松かに過ぎません、というふうに抽象の階段をどんどん下りていっても、結局ものそのものには届かない。というような意味のことをここでは述べているのです。

ここから類推して、言葉は真理というものを妥当に表現していないし、またそもそも真理を問題にもしていない。もし真理を言葉で捉えることができるのなら、言葉がこんなに多いはずはないであろう、と。言葉が多いということは真理を捉えることは不可能だということを最初から言っているようなものなのだというのです。

さらに「概念の形成を特別に考えてみることにしよう」と、ニーチェは話題を転じます。

> おのおのの語は次の過程によってただちに概念となるのである。おのおのの語が成立の母胎と仰いでいる一回限りの、徹底して個性化された根源体験のために、おのおのの語になにか記憶の役を果たさせようというのではなく、多少とも似ている無数の事例に、すなわち厳密に考えれば断じて等しくはない、よってまったく不同の事例に、おのおのの語が当てはまらなければならないということによってである。あらゆる概念は等しからざるものの等置によって成立する。一枚の木の葉が他の一枚とまったく同じだということが断じてないのは確実であるが、

それと同じように確実に、木の葉という概念はこうした個性的な多くの差異を任意に棄て去ることによって、つまり相違点を忘却することによって、形成されたものである。そしてこの概念は、自然のなかにはさまざまな木の葉のほかに、「木の葉」そのものとでもいいうるようなにかあるものが、すなわちあらゆる木の葉がそれに則って織られ、描かれ、測られ、彩色され、縮らされ、塗られるようななにかある原型が存在しているかのような観念を呼びさますのである。とはいえ、へたな手でこれがやられる結果、どの一葉の見本も、原型の忠実な模写としては正確ではないし、信頼するに耐えないものに終わっているのが実情であろう。われわれはある人間を誠実な人といい、あの人は今日はなぜあんなに誠実に振舞ったのだろうか、と問うたりする。これに対するわれわれの答えは、つまりは彼の誠実さのせいだよ、となるのがせいぜい落ちであろう。誠実さ！　これはまたしても、「木の葉」そのものがさまざまな木の葉の原因である、というのと同じことである。われわれはじつは、誠実さと呼ばれるような本質的な一性質についてはまったくなにも知らないのだ。おそらくわれわれの知っているのは、等しからざるものの棄却によってわれわれが等置し、いま誠実な行動と名づけてみているような、数多くの、個性化された、したがって等しからざる諸行動についてであろう。われわれは最後に、これらの諸行動から、一つの「隠れた特性」〔qualitas occulta〕を定式化して、それに誠実さという名前を賦与しているのである。

個性的なもの、現実的なものの看過は、われわれに概念とともに、形式をも与える。これに反して自然は、いかなる形式も、いかなる概念も、よってなんらの種属も知らず、自然が知っているのはただ、人間にとっては近づき難い、定義しえないXだけである。

（同）

ここでいう自然という概念は最初に申上げたとおり自然科学の自然ではありません。そして、この議論は必ずしも哲学的に高度なレベルの議論ではなく、言語理論の中でもありふれた内容であり、ある意味わかりきったことを言っているのであり、言語論のいろはのようなものです。

しかし、普通はここで留まっているのに対し、ニーチェの場合には、〈概念に辿りつかない〉ということが、ある種の絶望感を持って語られているということがあり、それが独自なのです。

> それでは、真理とは何なのであろうか。真理とは隠喩（メタファー）、換喩、擬人観〈人間の姿に型どった見方〉などの動的な一群であり、要するに人間的な諸関係の総和であって、それが詩的にまた修辞的に高められ、転用され、修飾され、そして永い慣用の後に、ある民族にとって確固たるもの、規範をなすもの、拘束力のあるものと思われるようになったものである。すなわち真理とは、それが錯覚であることを忘却されてしまった錯覚、使い古され具体的には無力になってしまった隠喩（メタファー）、肖像が消えてしまってもはや貨幣としてではなく、金属とみなされるようになった貨幣なのである。
>
> （同）

「真理」とここで言っているのは自然科学上の真理でも、歴史哲学上の真理でも、宗教上の聖人の語り出す真理でも、そのどれでもなく、またどれであっても構わないのです。人間的な諸関係の中から抽出され、高められ、民族の長い慣用の中で固定されたもののすべてを指すのであって、「それが錯覚であることを忘却されてしまった錯覚」をわれわれは一般的に「真理」と呼んでいるのではないかというのです。

ニーチェの文献学へのこだわり

ニーチェはよく知られているとおり文献学者（der Philologe）でした。言語の能力や機能にこのようにしつこくこだわるのはそのことと無関係ではなさそうです。

学生時代のニーチェの学問的活動の大要をここで整理しておきます。同じ学舎の友人たちとつくった「文献学研究会」における彼の口頭発表は昔はぜんぶで四回であったと記録されていましたが、実際には六回でした。整理すれば次の通りです。

一、テオグニスの最終的編纂
二、スイダスの文献史上の典拠について
三、アリストテレスの著作目録
四、エウボイアにおける詩人の技競べ（わざくらべ）
五、テレンティウス・ウァローの諷刺詩とキュニコスの徒メニップスについて
六、ホメロスとヘシオドスの同時代性

テオグニスに関しては三つの論文が執筆されています。最初プフォルタ高等学校（ギムナジウム）の卒業論文として「メガラのテオグニスについて」が書かれ、それがリチュル教授に認められて、「テオグニスの格言詩集の歴史のために」へ発展しました。弱冠二十四歳でバーゼル大学の教授に抜擢された伝説

的事績の元になったのがこの論文です。

同論文の第一章の題名は前記一の題名と同じで、「テオグニスの最終的編纂」となっています。

ニーチェが文献学者らしい仕事をした時期は短く、厳密にみると学生時代のこの時期にほぼ限られていたのかもしれません。しかし、古い時代の言葉の世界にのめり込んでいたこの折にも恐らく言葉の機能に対する懐疑は鋭く、深く、静かに炸裂していたに相違ありません。

私たちは驚くほど何も知らない世界を生きているのだとニーチェは言いました。言葉を通じて何かが分かると思ったら大間違いである、言葉というのは人を騙すためにあるようなものだ、と。例の『道徳以外の意味における真理と虚偽について』の中でもさらに次のように語っています。


いったいどのようにして真理をめざす純粋で誠実な衝動が人間のあいだに立ち現われることが可能であったのか、ほとんどこれほど不可解なことはないといえよう。人間は幻影（イルージョン）や夢像のなかに深くひたされていて、その眼は事物の上っ面をすべって行くばかりで、「形式」を眺めているにすぎない。彼らの感覚はどこにも真理への通路をもたず、さまざまな刺戟を受けては、事物の背中のうえでいわば手探りの遊戯をすることに満足している。おまけに人間は、夜分、生涯を通じて、夢のなかで瞞着されるままになっているが、道徳的感情がこれを妨げようとしたことはついぞない。強い意志で、鼾（いびき）をかくのを止めたという人々がいるといわれているのに、である。人間は自分自身について一体何を知っているのだろう！　実際、人間は明るく照らされたガラス箱のなかにでも寝かされたようにして、いつか完全に自分の姿を知覚することが、わずかでもできるようになるのだろうか。自然は人間に最もありふれたことさえも、人間の身体についてさえも、秘して語らないではないか。

自分の死の真際まで自己意識を失わずに、死に赴く自分の意識の動きを高感度カメラのように明晰に写し取る客観的作業をなし得た人がいるとは思えませんが、ニーチェはそういうようなことを秘かに考えていた人ではなかったかと私は推測しております。

ここで自然と言っているのは、再度申し上げますが、自然科学の自然とは違います。なぜそれほどまでに彼が、言語に対する絶望にとらわれ、人間の認識力に対する断念を深めていたか。その理由の一つは、ニーチェが文献学者であったためで、正しいテキストというものを前提に作業を進めるのが——言語に関する研究、歴史学も文学研究も国語学もそうですが——あらゆる読解ということの基本であるからです。すべての作業はテキストの真実性を前提としています。そうではありますが、実際にははるかにかけ離れた立場に人間世界が置かれているという恐るべき宿命があるからなのです。

そのことをニーチェは文献学者として強烈に実感したのではないでしょうか。

古代ギリシャの著作家思想家、プラトンにしてもアリストテレスにしても自筆のテキストは今日なに一つ残っておりません。ヨーロッパにも原本は残存しておりません。全て写本です。古代の写本もほとんどありません。あるのは中世以降のものばかりです。古代のものはごく一部、火山灰のなかに埋もれていたパピルスに書かれたものが少し残っている程度です。パピルスというのは、湿気に弱く、一部の例外を除いて原典消失の一因です。ですから、何もわからないというのが古代ギリシャの作品の実態です。ショッキングな出来事と言ってよいくらいわからない中にわれわれは生きている。

たとえば、ホメロスはいつ頃の人物か。ペロポネソス戦争より前だと見当がつけられているのですが、その戦争が正確にはいつか分かっていない。紀元前四〇〇年代くらいといわれているだけで、本当のことは分からない。それより前に紀元前八〇〇年頃にホメロスという「現象」があったらしいというだけです。それもホメロスの「人格問題」といわれる名称に絞られる問題であって、詩人は実在しなかったという説を踏まえている。すなわち一人の人格ではなく、複数の詩人の総称として「ホメロス」という人格が生まれたのだという説も生じ、その当否は揺れた。

しかもそのようなホメロスの一番古い写本は紀元前三世紀です。紀元前八〇〇年ぐらいに生きていたらしいという人の最古の写本は紀元前三世紀で、後は全部消えてなくなってしまったということですから、「人格問題」にしてもそもそもわれわれは幻を相手に格闘しているに等しい。それが、古代研究というものの実態なのではないか。

これはブッダにしてもイエスにしても同じなのですが、一体なんだろう、と。するとわれわれは文字に関する学問や研究に対しては、極端に懐疑的にならざるを得ません。それを何とか正道に戻そうというのが、文献学という学問でした。ニーチェは一生懸命やったわけですが、不可能だという絶望が最初に彼を襲っていたに違いありません。

古代ギリシャが没落した後に多くの文献や学問がまず、ビザンツ帝国に移行します。ビザンツ帝国の後はアラビア人の手を介すわけですが、ギリシャのありとあらゆる文献は消滅してしまって、パピルスも火山灰の中に残っていたものぐらいしか、形を留めていないので、全部が中世の写本ということになるとは今申し上げた通りですが、なぜ中世の写本は残っていたかというと、ビザンツ帝国とアラビア人の教育者たちの手によって残されていたからです。

私が驚いたのは、ギリシャ最高の劇詩人と言われるアイスキュロスは今日、七編の作品があることが知られています。ソフォクレスも「エディプス王」など七編の作品を残しております。ところが、じつはこれ以上にもっと沢山あったらしいのです。ビザンツ帝国の学校がテキストとして使っていた七編×二＝十四編、それ以外は全部消えてしまった。ビザンツ帝国の学校教育の中では十四編以外は関心を持たれなかったためです。

そうなりますと、私たちにとって古典というのは、まことにもって永遠ではないと感じさせます。残ったのはビザンツ市民の好尚と恣意の如何によって左右されていたものなのです。多くのすぐれた作品が古代世界の没落とともに人知れず消えてしまったということです。これを切実に強く胸の痛むような思いで回顧せざるを得ないのは、この地上に生ける「怜悧な動物たち」がいくら知性を誇ってみたところで及ばない無限の空間、無限の時間のなかで、生存を維持しているということを意味する以上のものではありません。まことに怜悧な動物たちは「認識」というものを発明した、これは「世界史」の最も誇り高い一瞬なのであり、また最も欺瞞に満ちた一瞬なのであります。

それで私はふと思うのですが、私たちの短い人生の中ででも日本文化の没落や衰弱を経験しているといってよいでしょう。昭和文学などというものは、いずれ藻屑のごとく消え去る運命にあるのではないか。いや、戦後文学はすでに消えかかっている。戦後の目で見た戦争文学全集などをまだ出していてあきない出版社がありますが、全くのナンセンスです。とはいえ、たしかに文字は残りますから、電波映像より確かで、何でもかんでも残した方がよいのかもしれませんが、それでも昭和文学の運命は長い目でみると頼りないのはやはり事実で、私たちが生きて共に愛読し、共に共感してきた作家たちの仕事はどういうことになるのかと思います。

古代の文献学というとき、アリスタルコスの名を忘れることはできません。エジプトにあったアレキサンドリア（今の名はイスカンダリア）という大図書館を擁した都市が、理由のわからない地殻変動で海中に没してしまった事件があります。アレキサンドリアの大図書館の水没は古代史上の驚くべきドラマの一つですが、アリスタルコスはその大図書館の館長として、紀元前二世紀前半に活躍した代表的な文献学者であります。ホメロスの原典確認、本文校訂という、近代の学問に持ち越されたテーマをしっかり差配した有能な人物でした。ホメロスに関しては彼の写本が他のあらゆるテキストを圧倒して今日に伝えられています。

では日本にも文献学があったのかというと、私の知る限りで日本の文献学と言っても良いと思われるのは、平安時代末期から鎌倉時代初期の藤原定家が家族全員で行った「書写」であります。藤原一家が総出で和歌、源氏物語などを書き写しました。これにより定家の権威によって古典というものの意味付けが初めて行われ、価値付けがなされたのです。文献学のこれが恐らく濫觴(らんしょう)であったといってもいいでしょう。

さらに、もう一例は鎌倉時代の仙覚という僧侶です。万葉集に訓点をつけた人ですが、一二四六年頃であります。

ここで少し考えていただきたいのは、皆さんは古事記の成立を七一二年と教わったでしょう。しかし最初の写本は六六〇年後の一三七一年でした。古事記が七一二年に成立したという記録はありますが、実物は手に入らない。最初に編纂されたものから六六〇年間のすべては消えてなくなっている。万葉集も同様です。万葉集は万葉仮名で書かれていますから、じつはオリジナルは全て漢字、漢字の訓読みで書かれたものです。この漢字で書かれたオリジナルの万葉集は滅びてしまっていて存在しない。それに訓点というものをつけて最初に訓読みをしたのが、平安時代の九五一年でした。しかし、漢字だけで書かれた万葉集が滅びたように、平安時代の中期に最初に訓点をつけて漢字を読めるようにした折の、その古点も一つも残っていない。残っているのは辞書の一部だけです。

そして鎌倉時代の僧仙覚がもう一度やりなおしたのです。ところが、そのオリジナルもまた消えてなくなった。写本が残っており、それが今日に尊重されている西本願寺本となっています。そうしますと、本当はなんだったかわからない。何とかしてオリジナルに近いテキストに仕上げようというのが、文献学です。これは洋の東西を問わず存在します。

古代の文献学というのは、日本の場合はせいぜいこれぐらいですが、中国にもありました。とくに中国は贋作が沢山ありますから、文献学は栄えました。

私はニーチェがなぜ言葉というものにこれほど拘ったのかを考えてみました。言葉の学問から始まったけれども、どのようなことをしたところで、言葉では摑み得ないものがあると思い知らされたのでしょう。若い頃テキストの不備という問題にぶつかり、それだけではなく、それを過去そのものを把握できると思い込んだ十九世紀の歴史科学的意識に対する強い疑問へと転じて行ったと思います。

その前に古代ギリシャとヨーロッパの関係を述べると、ヨーロッパはローマ人がゲルマン人と混じりあったところから始まります。もともとの住民がゲルマンによって征服され、今度はローマ文化への侵入でいわば混血していく時代が続くわけです。その間に古代のギリシャのものなどは全てどこかに消えてしまい、やっと十五世紀ぐらいになって発掘がはじまります。

そして、十八、十九世紀のゲーテの時代には、ギリシャが東ローマ帝国に征服されてから二千年ぐらい経っているので、壺が出てきたり、彫刻が出て来たり、われわれが縄文土器を発掘するようにヨーロッパの土地においてギリシャの様々な美術品が——ローマやナポリに行くと数多くのギリシャ彫刻をご覧になると思いますが、あれはローマ時代のコピーなのです——いっせいに出土して大騒ぎになり、みんなを狂喜させた。ゲーテやシラーやヴィンケルマンの時代です。彫刻の美しさを基本に考えてギリシャ復活が行われた。

そしてその次に言語に対する信仰が始まる。ニーチェの時代ですが、今度は文字の尊重、言語の研究によって隠されていたものが次々と復活して、先ほど述べたように本文校訂が盛んに行われる。「言語の研究によって真実は摑み得る」という迷信に近いような、客観性に対する学問上の信仰が盛んになります。十九世紀は〈歴史科学の時代〉と言われ、学問的な努力をすれば、客観的な真実を言葉によって把握することができるという信念、信仰が強く起こります。その時代を生きたのがニーチェでした。そしてニーチェはそれにノーを突きつけたわけですね。本当の古代の精神を知るにはそのようなことではとうてい駄目だと。

彫刻から言語、そしてシュリーマンから始まる遺跡の発掘へと時代は移ります。古代ギリシャ像というのは彫刻の発見、文字言語の復活、そして遺跡の発掘という三回ぐらい大きな展開を経ながら転変し、進歩発展していく。これが西洋古代学の歴史です。言語によって古代をとらえることができるという時代を生きたニーチェが、それに対して絶望したいきさつはいま述べた通りですが、しかしニーチェの場合には、言葉そのものの無力というもうひとつ強い自覚がある。

私達は自分の言いたいことを伝達するとき、自分をもはや十分に尊重してはいないのである。私達の本来の体験は、徹頭徹尾、おしゃべりではない。それはいくら望んだところで、自分を伝達することはできないだろう。つまり、本来の体験は、言葉というものを欠いているのだ。私達がそれに対し言葉を持っているような事柄などから、すでに私達ははるかに超え出てしまっている。あらゆる語ることのうちには、一片の軽蔑がある。思うに言葉というものは、平均的なもの、中庸なもの、話すことの好きなもののために考案されたものにすぎない。言葉によってすでに語り手は自分を卑俗化しているのである。

音楽の世界象徴法にたいしては、言語をもってしてはいかにしても太刀打ちできない。理由は明瞭である。音楽が象徴的にかかわっているものは、根源的一者の心臓部における根源的矛盾、根源的苦痛にほかならず、したがって音楽が象徴している領域は、いっさいの現象の彼岸にあり、いっさいの現象の以前にあるからである。音楽と比較すれば、どんな現象もどのみち比喩にすぎない。したがって言語とは、現象の器官であり象徴である以上、音楽のもっとも深い内奥を露呈させることは絶対にできない。

（『悲劇の誕生』第六節）

音楽は世界の奥底に触れることができる唯一の芸術である。音響は奥底から溢れてくる。しかし、言葉は到底、世界の奥底に触れることはできない、という言葉に対する限界設定を行っているのです。この問題意識をニーチェはショーペンハウアーの『意志と表象としての世界』第五十二節に負うているのです。

ギリシア悲劇の主人公たちの語る言葉は、彼らの行為よりも、いわば皮相浅薄である。神話というものは語られた言葉の中に、けっしてその適当な客体化を見いだすことがない。舞台場面の構成や具体的な形象のほうが、詩人自身が言葉や概念でとらえることができるものより、はるかに深い英知を啓示するであろう。

（『悲劇の誕生』第十七節）

つまり、言葉よりも行動が先で、人間の行動が原点であり、言葉はその行為をなぞっているだけであると。さもなければ言葉があれほど多く存在するわけはない。言葉では真実を伝えることはできないと、ここでも繰り返し述べています。

言葉と伝達

ここで問題をもう少し深掘りしてみましょう。

私達は書物を介してしか、過去の精神とは出会えないわけですが、書物とはただの言葉です。そこに過去に生きた人間の精神が存在していることなど、信じられません。そこには紙とインクがあるだけです。また、それが仮に信じられたとしても、私たち現代人が古人と同じように自我の奥をむき出しになどしないで、欲望を抑え、個性と独創にうぬ惚れずに生きているのでなかったとしたら、どうして過去の偉大な人と相似た体験を共にするなどということができるでしょうか。

すなわち彼らを理解することなどどうして出来るでしょうか。一つの書物、一つの精神を理解するとは、それはただ読書することと決して同じではない。このことを厳密に問い詰めているのがニーチェの思想です。例えば私が書いた『光と断崖』の冒頭に、彼の読書観が述べられているのでご紹介します。読書などというものは暇人のやることで、自分の精神が燃え上っているときには、読書は邪魔で仕方がない。読書によって相手を理解するなどということは出来るのか、と。

ソクラテスやイエス・キリストは、本を書き残した人ではありません（哲学者の故川原栄峰先生は、「ソクラテスも本を書かなかったので、私も書かない」とおっしゃっていました。当時、その自負心は面白いと思ったものですが、川原先生も結局、大著を次々と書かれました）。

実際、ソクラテスもキリストも本を書かなかった。しかし彼らの存在がわれわれに残した言葉は今に至るもたえず訴えかけている。それは本を書かない人間の行為が遠い時代に生きていて、それを見た弟子たち、ソクラテスの場合にはプラトン、イエスの場合にはペテロやパウロなどが、その残した言葉をわれわれに伝え、われわれはそれを媒介としてソクラテス、イエスその人に迫ろうとするからです。しかし、いったいそのようなことが可能かどうかということにわれわれの考えが及ばざるを得ない。近代の学者や文学者の本を読むようには、われわれはソクラテスやイエスの本、記録を読むことは簡単に出来るとは思えない。そこから文献学のいちばん深刻な問題が始まるのです。

後世に伝えられているのはプラトンのソクラテス像であり、ペテロやパウロのイエス像です。つまり、それは弟子たちの報告にすぎません。解釈にすぎません。それは単なる言葉であります。言葉は行為の抜け殻にすぎません。ソクラテスやイエスの行為そのものは永遠に地上に再び現れることはありません。行為は後世のものには近づき得ないものであります。言葉はそれをまっすぐに語る架け橋ではなく、比喩であり暗示であるにすぎません。そうなるとこちらの精神が激しく大きく動かない限り、相手の精神に迫るなどということはあり得ないことになります。

このようなことについて徹底的に考えた人は数多いのですが、日本の場合には荻生徂徠に次の言葉があります。徂徠は論語を疑問視しました。

『論語』は聖人の言にして門人の辞なり。之を聖人の文と謂ふ者は、惑へり
（『論語徴』）

こんなことを言えた儒者は中国にはもちろんいません。日本の江戸時代というのは自由な精神の世界だったのだとあらためて思います。論語は言行録にすぎません。言っていることが相互に矛盾しており、部分は人間智の奥深い処を射ていても全体は隠されている。そういう意味で方向の見えない処も多く、決して体系的ではない。人間の良いところばかり並べているように見える一面もあります。したがって裏を調べなければわからないのですが、調べる術がない。論語は少なくとも道徳の書ではありません。論語には中国の文化のあり方の本質のようなもの、中国人の政治の原則も書かれています。道徳論のように読めてしまうところのあるのが曲者です。

話を元に戻しますと、言語そのものには伝達の力はなく、われわれが歴史上の人物と共通の体験、共通の精神を何事かあらかじめ共有していてはじめて過去からの呼びかけに応答が可能になるのです。過去の偉大な人からの伝達ということが起こり得るのはやっとそのときですが、しかし、そんなことがいったい現代のわれわれの身に起こり得るでしょうか、という問いが古代ギリシャに直面したニーチェの十九世紀の学者たちに浴びせかけた問いだったと、そこにつながるのだと思ってください。

血をもって書けと、血をもって書かれたものだけを読めという言葉もニーチェにはあります。それからまた古典文献学の講義録のひとつに、こちらが大きな存在にならない限り、大きな存在である相手を理解することはとうてい出来ない、という抑えた表現もありました。

いろいろなニーチェ流の意見があるわけですが、若きニーチェが学問の問題にぶつかって戦いをした残響というものは、彼の全哲学に深く関係します。

ニーチェは古代ギリシャに対して実証とはまったく逆のアプローチをしました。『悲劇の誕生』

は、ギリシャ悲劇が音楽の精神から、具体的に言えばコーラスから誕生したいきさつを述べる一芸術の発生史を追究した学問的な本なのですが、そのために彼は芸術や言語や哲学や神話学の知見をすべて動員して、古代の秘密を探るためにテキストの表面には出てこないギリシャ文化における非論理的な側面についてすべてを飛躍した比喩や象徴法を用いて語ろうとしました。それは論証以前の独断を含むやり方でした。実証面でニーチェはあきらかに不利でした。彼は客観的には当時証明されていないギリシャ文化の中のデーモン的で、心霊的で、非合理な側面を、しかも表面に語られた言葉の中には出てこない部分をあえて学界の慣例に従わない破壊的方法で露呈させようとしました。

さきほど申し上げたようにギリシャ悲劇は言葉の劇としてはとても十分には心に響かない。言葉だけでは古代の当時の感動を味わうことはとうていできない。身体が体験しなかったものから何がわかるのか。ニーチェはコーラスをどう理解するかを鍵と見るのですが、ギリシャの楽器も楽譜も今は存在せず、どんな音楽であったかすら現代人には知るすべもない。そこで彼はいきなりワーグナーを持ち出してきたのです。これは乱暴です。当時の世の中はワーグナーを援用したニーチェのギリシャ論は学界の破壊、根拠なきものを利用しておもしろがらせるワーグナーの宣伝係ということになり、彼は学界から事実上追放されてしまうのです。

ところが、時間が経つにつれて、面白いことが起こりました。ギリシャ全土の考古学上の発掘が進む時代に入ります。彫刻から言語へ、そして発掘へと動く、あの三段目の展開が始まります。発掘によって土俗信仰の証拠が次々と出てくる。ニーチェがテキストの文字の背後にある闇として指摘した諸問題が次第に古典学界の広範囲の了承事項とならざるを得なくなるのです。

学者たちは驚愕し、困惑しました。古代ギリシャ人たちが理性の徒であるという仮定をついにやめざるを得なくなります。これが十九世紀から二十世紀にかけてのギリシャ像の変遷であり、『悲劇の誕生』が大きな転換をもたらし、予言的であったことを物語るのですが、だとしたら、彼はただの主観を述べた主観的学者だったのでしょうか。そうではなくて彼の天才的直観は客観性を破壊して、じつはより客観的な実相を露出させたのではないでしょうか。

客観とは何か。過去を理解することにおいて学者は何を動員してやるべきかという問題です。言葉の表だけを見ていても駄目だということです。ニーチェは音楽を援用しなければ言語の理解すら及ばないという判断を押し進め、感動を伴った理解の仕方でなかったら、ギリシャ悲劇の復活は覚束ない。しかし楽器もなく楽譜もないため、ギリシャの古代音楽は再現のしようがない。日本でギリシャ悲劇を上演するに際して能舞台で行ったりするのはそのせいであります。

ニーチェの場合は天才的なやり方で一気にこの客観性を証明してしまった。それが『悲劇の誕生』の運命です。近代世界では及びもつかない世界像が古代にはあったということを言うのに、過去を単に認識するのではなく哲学的に過去の中へ思索する道を選んだ。十九世紀の学者はそれをしないで例えば浅い理性優位の近代的価値観で、過去のギリシャを表現したり、評価したりしていた。そうなると、市民平等社会の楽天的な十九世紀のばら色のヨーロッパ像、ヨーロッパの観念、進歩に囚われた科学という価値観で古代ギリシャを見ることになる。それでギリシャの様々な問題を評価したり、分類したりしていた当時の学者たち、その全体にニーチェはNOと言ったのです。

十九世紀は宗教と科学が対立し、二律背反することが立ち現れていた時代でした。当時は宗教や芸術の見方に自然科学というものが入ってきて、信仰が危うくなる時代だった。日本もそうでした。天皇崇拝、神話信仰というものが明治末期に衝撃を覚えたのは、科学が入ってきたからです。それで日本が大正・昭和初期の時代にぐらつく。そのようなドラマは日本にもありました。

科学と信仰、あるいは理性と宗教を両立させて考える、というのが現代の一般的対応になっています。これにはカントの果した役割が大きかったと思います。「純粋理性」と「実践理性」の二者に理性の機能を分けて、科学には科学の道を歩ましめよ、信仰の道はこれとは別だ、と認定した、あのカントの常識——カントはいい意味で常識人だったと思います——は、われわれの時代にまで深く及んでいますが、そこに落ち着くまで対立は烈しかった。否、落ち着いたのではなく、科学は勝手に独り歩きし、他方、信仰は稀薄になって宙に浮いたのだともいえるでしょう。カントが切り拓いたのはじつはニヒリズムでした。ニーチェはそのことを見抜いていました。

そのニヒリズムを救うのは芸術の力だというのが彼のもう一つの主題でした。次に掲げるのは〝ディオニュソス劇場〟でどのようなことが行われていたかを示す彼の描写です。つまりディオニュソス的な世界の根底が音楽の坩堝(るつぼ)の中で動き出し、観客の一人びとりと合体して、そこで夢のシーンが見えてくるのだ、その時にアポロの像は美しいと、次のように語ります。

これがアポロ的な夢の状態であり、ここにおいて白昼の世界はヴェールをかけられている。白昼よりもさらに鮮明、さらに明白、そしてさらに印象的な、しかし白昼にくらべれば影のような一つの新しい夢の世界がわれわれの目にあらたに生み出され、休みなくその姿を変えてみせるのである。

（『悲劇の誕生』第八節）

ディオニュソス劇場でディオニュソス神とアポロ神が合体して円形劇場を埋めている観客の目にアポロの夢の状態が見えるという場面です。美しいシーンです。幻覚と現実が交叉する一瞬といっていいでしょう。神話の秘儀といってもいい。

もっぱら言葉と論証にのみ頼り、言葉の能力への疑いを持たない学者的あり方では、これを垣間見ることすら出来ないだろうと彼は言っているのです。

「自然」とは何か

私たちは自然科学から与えられる「真理」に取り囲まれて生きていますが、ニーチェがそれとは違う「自然」の概念を訴えていたことは以上に述べた言語観、芸術観と切り離せない関係にあります。それはいったい何であるかを少し追究してみましょう。

> われわれにとってそもそも自然法則とは何なのであるか。自然法則とはわれわれにはそれ自体の姿において知られるものではなくて、ただその諸作用において、いいかえれば他の自然法則に対する諸関係において知られるものにすぎない。ところがその、他の自然法則もまた、われわれにはただ諸関係として知られるものにすぎない。したがってこれらの諸関係は、繰り返し互いに指示し合っているだけで、その本質からいってわれわれには、徹頭徹尾、不可知である。われわれがそれにさらにつけ加えているもの、時間、空間、したがって継続関係や数などだけは、そのなかでたしかにわれわれに知られているものかもしれない。しかし、われわれが自然法則に接して目を瞠らんばかりに驚き、そのためわれわれが説明を要求され、観念論への不信感にまで導かれかねない驚異の源は、ほかでもない、ひとえにただ時間および空間表象の数学的厳密さと不可侵性のうちにあるのである。ところが、時間および空間表象を、われわれ

はわれわれの内部において、われわれの内部から、蜘蛛が糸を吐くあの必然性をもって産み出しているのだ。われわれが万物をかくかくの形式のもとにのみ把握すべし、と強制されているのだとしたら、万物を見て実際にそこにかくかくの形式のみを把握したとしても、これはもはや驚くには当たらない。万物が必ず数の法則を担っているというのがその理由である。そして数こそまさに事物のうちにおける最大の驚異であろう。星の運行や化学的変化においてあれほどにもわれわれに感嘆の念を起こさせる合法則性は、畢竟、われわれ自身が事物に添加している諸特性と一致しているのであるから、われわれは自分自身に感嘆の念を覚えているのと同じことだといってもよいのである。（中略）

概念の建物を建てるのに働いているのは、われわれが先に見た通り、そもそもの初めにおいては言葉であり、時期が後になってからは学問である。

（『道徳以外の意味における真理と虚偽について』）

学問（die Wissenschaft）とここで呼んでいるものは「科学」と訳してもよいものです。自然科学はつまるところ人間を尺度にした巨大なフィクションの体系であって、われわれはそれに包まれて、本当の「自然」を見ることが妨げられている、と言っているのです。

同様に、言葉というものは、そういうものだと称され、信じられたところの、諸真理のひとつの基礎なのである。すなわち、人間と動物は、まず最初に誤謬から成り立ったある新しい世界を築き上げる。

そして、これらの誤謬をますます精巧に仕上げていく。……「真理」とは、実際には、人間が考案する事物の中に存在しているだけなのである。例えば、数。人間は何かを挿し入れる、そしてそれを後でもう一度見つけ出す。――これが人間的な真理のあり方なのだ。

（一八八一年『曙光』時代の遺稿より）

これも自然科学否定論です。

本章冒頭の「怜悧な動物たち」の寓話で申し上げました宇宙と人間、それは同時に自然と歴史ということです。その歴史の中に自然科学が入っている。歴史と自然は共に「自然」と対立しているものだ、というような話をあのときも申しました。つまり物的自然対象物というのは自然科学が把握しているわけですが、それとは違う自然がある。それがギリシャの自然だというのは少し図式的な捉えかたです。ギリシャ世界だけの話ではありません。

そして、自然というものは時間とどう関係するのでしょうか。あるいはまた自然は歴史とどう関係するのか。ここで思いきって個人的な話をさせていただきますと、私は戦争中に茨城県の山奥に疎開していました。ちょうど三十年後ぐらいにそこを再訪しました。山も川もそのままで、親子で暮らしていた二階建ての家はすっかり老朽化しておりましたが、まだありました。庭にも昔の面影が残っておりましたが、しかし、村は産業の波で破壊されて、側をバイパスが通り、自動車が走りがらりと姿が変わっていました。

親と過ごした廃屋より以上に私に時間を感じさせたものはありません。遠い記憶の中にある山や川を見ておりますと私の心はやすらぎ、懐かしさが募るばかりでした。しかし破壊された村の姿、そこにはガソリンスタンドやゴルフ場が出来ていて、一変した光景には何かが足元から失われていくような不安を覚えました。その後者に私は見慣れない不気味な世界を感じました。目を瞑ると浮かんでくるのは、昔の農村の風景でありました。幼い友人たちの顔々……でした。私は自分の時間が否定されたような思いでした。

さて、私は自分の全存在をわずかに記憶に残っている事物にとりすがって見直しました。廃屋、家は時間であり、庭も時間であり、山も川も時間である。そういう自然があるということです。ハイデッガーは存在はそのまま時間であるという難解な理論を展開しました。歴史の裂け目ということです。存在とここで言っているのは自然ということです。ハイデッガーの『存在と時間』というのは、自然と歴史と同意だと言えばもちろん言い過ぎでしょうが。

道元が山も時なり、海も時なり、時にあらざれば山海あるべからず、と端的に断定しています。ハイデッガーも道元も私が疎開地で思い出したただの感傷的感想とは異なるより深い徹底した哲学的思索ののちに述べている言葉で、ここで並列するのは語るに落ちる話ですが、ただ少なくとも、過去から現在、未来へとのっぺらぼうに延長している通俗的時間概念に抵抗して、それに疑問を抱いているという点では同じ方向を向いているといっても良いでしょう。

つまり時間というものを幾何学上の一本の直線のように考えているきわめて通俗的な物理的時間概念には、疑問があるのです。自然と先ほどから繰り返し述べていますが、自然には二つの層があるというふうに言い換えてもよい。自然科学によって説明される自然と、その層の下に科学によって隠されているもうひとつの自然がある。これはわれわれ現代人は平生には気がつかない。その自然のほうが本質的であり、科学に毒されている現代人には見えないというだけに過ぎません。

たとえば、私はよく経験するのですが、大きな木の下に立つと、ある恐れの感情を抱きます。とくに夏の夕方など濃い緑の巨木の下に立ちますと怖さを感じます。理由はわかりません。濃い深い緑色の葉っぱは闇を形成して畏怖の念を抱かせるのです。みなさんは人っ子ひとりいない広い沼地の岸辺に立ったことはありませんか。私は子供の頃の記憶としてはっきりあるのですが、逃げ出したいと思いました。早く家に帰りたい。おいはぎが出るからでも怪しい野生生物がいるからでもないのです。理由のはっきりしたわかった敵が恐怖を与えているのではなく、沼から陸地に続く立ち木が並んでいるラインの闇が怖かったのです。明確な理由はなかったのですが、自然そのものがはらむ一種の不可測性だといってもよいでしょう。

山道を歩くと突然、思いもかけず小さな祠が存在します。あれはなんだろう、ここから先は神様の領域ですよと言っているように思えます。因果の法則と呼ばれる精密な形式のうちにはどうしてもおさまりきれない自然が存在する。われわれが歴史の中に認めるのは、そのような自然であり、自然は時間と一つになっている。そのようにいえる自然があるんだということを申し上げます。

ソクラテス以前の哲学者というのがありますね。プラトン以前の哲学者ともいえます。同じです。タレースは万物の根源は水であるといいました。ヘラクレイトスは万物の根源は火であるといいました。これは決して自然科学でいうところの水ではないし、火でもない。しかし形而上学的原理でもない。自然という概念をあえて使っているだけです。その場合の自然というのが、今申し上げている自然とどこか近いのではないかと思うのです。

川原栄峰先生が亡くなられてもう十年以上が経ちますが、先生の名著『哲学入門以前』の中に、一万年ぐらいの人類の歴史をフィルムに収めてガーとまわしたらどうなるかと書いておられる。そうするとただすべては灰色に見え、その中には国も人間も犬も猫もみんな入っている、戦争も平和も労働組合も天皇陛下もみんな入る、と。一万年のフィルムをまわしてみたときのこの無差別性こそが、タレースがいった水、ヘラクレイトスがいった火ではないか。これがニーチェが言ったディオニュソス的なるものではないかと仰有っていました。『悲劇の誕生』の中ではディオニュソス的なるものというのは根源的矛盾、根源的苦痛、根源的快楽とも表現されていて、われわれの足元の根源を支えている唯一者であり、混沌そのものを暗示しています。キリスト教が言う神という概念ではなく、自然がまっすぐにわれわれを包んでいるコスモスのようなものではないかという面白い説明をされています。

ここでヘラクレイトスについてのニーチェの文章を出してみましょう。

ヘラクレイトスは、アナクシマンドロスと同様に、世界の滅亡が周期的に繰り返されることを信じていたし、また、一切を破壊する世界炎上の只中から、繰り返し新たにもう一つ別の世界が出現することをも信じていた。この世界炎上と、純粋な火焰のなかへの解体消滅とに、世界が急ぎ足で近づいて行く周期を、彼はなんと一個の欲望として、しかも必要事として特徴づけているのである。

（『ギリシア人の悲劇時代における哲学』第六節）

ヘラクレイトスはすべてを運動の概念で理解した人であります。この世界は二つのものの衝突でなりたっている。永遠に衝突し合って、永遠に繰り返していくという世界観の持ち主でした。ギリシャ人の生き方の原型といっていいかもしれません。ギリシャ人はアゴーン（競争）という概念を尊重しました。ご承知のとおりオリンピア祭がその一つの例です。そこにパンがあればすぐにパン喰い競争を始め、大食い競争もやる。宴会の席上に一本の角笛があればどちらが上手に吹けるかをすぐに競争する。その競争こそがギリシャ人の発展の泉であり、同時に健康な精神の発露であるということです。それをさらにいえば世界を闘いの相で見るヘラクレイトスの思想もまた競争の原理であるというほかありません。プラトンの対話も競争の精神の結実です。ギリシャ悲劇の名作もディオニュソス劇場の競演の成果です。日本のように調和し合って話し合うというのではなく、ことごとく対決する競争ということを基本に置いています。

たとえばオストラシズム（貝殻投票）というのがありますね。これは民主主義の証明のように言われていますが、決して独裁を防ぐために行われた防衛措置ではなく、一人の僭主が登場することによって、より下位の世界が競争することを忘れてしまうのを恐れて、よりいっそう競争を活発化させるために競争を封じるものを排除する、これが貝殻投票の精神だといわれています。

このようにギリシャの闘いの相における精神の型は近代ヨーロッパの精神にも流れこんでいるということはマーケット主義をみれば分る。ところがギリシャでは商品経済だけは絶対に競争の概念の中に入れなかった。アリストテレスもはっきりそう言っている。経済でそれをすると独占が生じてよりまずいことが起こるということで、ギリシャ人の経済は小さい家業経営を基本にしていました。そのような経済に競争の原理を入れることはよくない。

さらに大事なことは、ギリシャ人はなんでも競争したわけですが、神々と競争することは禁じられていました。たとえばオリンピアで青年たちが競って槍を投げ、走るのは、自分たちのポリス（都市国家）のためであって、国家を超えていく競争はしない。それは神々との競争と同じで、そのようなことは許されないと。これは健全な考えです。枠がある中の競争だった。

ところが、近代人はそれを破った。宇宙開発も原子爆弾もあるいは原子力発電も神々との競争です。このようなことはギリシャ人は絶対に自らに許さなかった。マーケット至上主義のようなものも許さなかった。それにも拘わらず古代社会では競争を尊重した。この両義性をわれわれは忘れてはなりません。

ヘラクレイトスは次のように語っているとニーチェは捉えています。

あるのは永遠なる生成のみであること、いっさいの現実的なものはヘラクレイトスの教えるようにたえず働いて生成するのみで、存在することなく、どこまでも無常であるということ――これは思うだに恐ろしい、気も遠くなるような一つの観念であって、地震が起こったときに、しっかり固定していた大地への信頼を人が失うときに感じるであろう感覚に、影響の点で、きわめて似ているといえよう。（中略）

彼によれば、生成と消滅のいきさつは一つの力が、二つの質的に相異なる正反対の活動――いつかは再び一つになろうと努力している活動――に分離していく動きであって、このような両極性の形式のもとに理解されたのである。一つの品質は年がら年じゅう自分自身と仲たがいしていて、分裂して対立者同士となる。この対立し合ったもの同士は、またしても年がら年じゅう互いに相寄ろうとして努力しているものである。たしかに世の多くの人は、固定したもの、完成したもの、永続するものを認識しているように思っている。しかし実際には、いついかなる瞬間にも、光と闇とは、苦さと甘さとは、相並び相接してからみ合っているのであって、さながら交互に上になったり下になったりする二人のレスラーに似ている。ヘラクレイトスによれば、世界は苦くて、同時に甘いのである。世界そのものは始終かき混ぜられる必要のある混ぜ桶である。相対立するものの戦いこそがあらゆる生成の起源である。われわれの眼に永続するものと映っている一定の品質は、ただ相争う一方の一時の優勢を表わしているにすぎない。

（『ギリシア人の悲劇時代における哲学』第五節）

つまり、一つの赤なら赤という色が見えるのは赤の後ろにある色が隠されているだけで、実際には混じりあっているのだ。ただどちらかがいま勝っているからそのように映っていると。そのような世界観なんです。

ここで少し唐突かもしれませんが本居宣長について話をします。

私は最近、本居宣長の『古事記傳』の一節にヘラクレイトスに関するニーチェの解釈によく似た古代日本人の自然観、宇宙観の一端を発見し、強い興味を覚えました。文化や歴史の相違を考えると、比較の土俵を一つにして簡単に結論を出すことにはもちろんためらいもありますが、これほど隔たった時間の尺度に立つと、宣長とニーチェはほぼ同時代人です。

天之御中主神（あめのみなかぬし）、高御産巣日神（たかみむすびの）、神産巣日神（かみむすびの）

○上件三柱神は、如何なる理ありて、何の産霊によりて成坐りと云こと、其傳無ければ知がたし、然るは甚も〳〵奇しく霊しく妙なることわりによりてぞ成坐けむ、されど其はさらに心も詞も及ぶべきならねば、固り傳のなきぞ諸なりける、【凡て古の傳なき事を、己が心以て其理を考へて、おしあてに説くは、外国のならひにて、いと妄なるわざなり、】又此神たちは、天地よりも先だちて成坐つれば、【天地の成ることは、此次にあれば、此神たちの成坐るは、其より前なること知べし、】たゞ虚空（オホソラ）中にぞ成坐しけむを、【書紀一書に、天地初判、一物在於虚中、又一書に、天地初判、有物若葦牙生於空中、などあるを以て准へ知べし、いまだ天も地も無き以前は、いづくも〳〵みなむなしき大虚空（オホソラ）なりき、○虚空（ソラ）を即天とするは、漢籍（カラブミ）のさだなり、天は虚空を謂に非ず、なほ天と虚空とは別なること、傳十七の廿七の葉にいへり、】

（『古事記傳』『本居宣長全集』第九巻）

「成り」は何もなかったところに自然に何かが形をなして現われる、生れ出る、つまり「生成する」の意味であります。「坐し（いま）」は有り、居りの尊敬語で、つまり「存在する」の意です。オホソラが「大空」ではなく「虚空中」と書かれているところにご注意頂きたい。

大空は「むなしき大虚空」なのです。空を天とするのは虚空だと言っているんです。天は中国の神の観念ですから、天は存在なんです。

宣長のこの言葉は天も地も無い以前よりも先に御柱の神が生成して、大空にあるけれども、その大空は虚なる空と書いて、なにもないということが強調されています。そしてそれを天と言ってはいけない。天は中国の観念、神の概念にすぎないからです。ヘラクレイトスと同じで、永遠に大空のままにしておけ、固定してはいけないと言っているのです。

さらにここでニーチェが最晩年の「遺稿（ナッハラス）」で次のように言っているのに注目してください。

> 生成に存在の性格という刻印を押すこと——これこそ最高の力への意志なのである。
> 存在、恒常、等価値といった性格の世界を維持するためには、感覚の側からと精神の側からの二重の偽造がある。
> いっさいが回帰するというのは、生成の世界の存在の世界に対する極度の接近である。考察の頂点。
>
> （ニーチェ『遺された断想』一八八六年末～八七年春）

生成というのは、ヘラクレイトスも本居宣長も永遠に生成しているということからどこまでも運動の概念です。これに対してニーチェは「存在の性格」と書く、これは運動ではなく停止の概念ですが、しかも次に「刻印を押すこと」といってこれを否定していないのです。「これこそ最高の力への意志である」としている。

ところがさらに「いっさいが回帰するというのは、生成の世界の存在の世界に対する極度の接近である」とまで言っている。つまり、ヘラクレイトスや本居宣長が言っているように生成するということは、万物が流転し永遠に展開していて、動くことであってとどまることはないという意味です。それは無であって、空であって、決してどこかの固定的な神様の観念を認めない。それでいてニーチェはそれが永遠に「回帰する」とまで書いているということは、「生成」するということ自体が「存在」することになってしまう。少なくともそれに近づいていく。繰り返されるということはいったい何か。生成するということは危ない概念ですが、永遠に流転することが続くということで、続くという存在になってしまうであろう。そのような逆説を言っているのです。それが「生成の世界の存在の世界に対する極度の接近である。考察の頂点」と逆説の逆説を言っているような展開です。

宣長に戻りますと、宣長の思想は哲学や神学ではなく文献学なのです。ところが、和辻哲郎も丸山眞男もそうですが、西洋の裏返しで物を言うのですね。和辻は「不定の神」と言い、丸山は「なる」「つぎ」「いきほひ」と言い（これについては二〇〇頁参照のこと）、日本神話の基底にある特徴には「真の永遠性」が欠けているというような言い方で無意識のうちにキリスト教神学と比較している。日本の古語の積極概念を見せていない。何かというと日本人論になってしまうのです。日本人は原理がない、定まらない、影を抱いている精神の中空構造で、どこかに空虚なものをかかえながら、しかしそれがまた日本人の強さだなどと言う。もうこのような論は沢山です。思想ではなくデザインなんです。

日本人論についいわれわれは陥りやすいわけですが、それもまた警戒しなければならない概念に過ぎないと思います。大切なのは存在ではなく生成なのです。精神が展開し続けている運動だけが肝要なのであって、どこかに固定した観念や概念に立ち止まってはダメだと思います。「歴史の真贋」という言葉を本書の標題とした意味はやっとこのあたりにきて理解して頂けるのではないかと思います。

本書の次の展開へ

ひきつづき小林秀雄と福田恆存(つねあり)の両者について考察いたします。私はお二人を尊敬しております。それは今述べた点にあります。小林秀雄の文章は概念ではなく音楽なのです。ニーチェもそうです。いつの間にか始まってどこかでポツリと終わってしまう。どこで終わってもいい。そのような精神の運動が文体に表れている。演劇人福田恆存は行為によって精神の固定化を回避しようとしました。お二人はどちらも断片表現に力があります。

小林秀雄は周知の通り「真贋」の概念をもち出して、福田恆存がそれを承け継ぎました。本書は次の展開でこのテーマを追求しますが、「真贋」はニーチェの『道徳以外の意味における真理と虚偽について』の「真理と虚偽」の対概念に深く連動しております。

小林は骨董や古美術を扱う人々の無鉄砲なまでの評価の放漫ぶり、美に関する価値観の混沌、ほとんど無政府状態といってよい美の判定の無制限な自由とその危険について語っています。これはニーチェのニヒリズムの自覚と重なります。福田は日本人の生き方の中の絶対者の不在について、くりかえし語りました。相対的な価値観を絶対者に祭り上げる知性の弊害に対する自覚は、同じようにニヒリズムの自覚に通じています。

小林秀雄、福田恆存、三島由紀夫にとって価値の尺度は「真贋」でした。三者三様に「真」の概念が異なっていたのは、彼らの行為の概念が異なっていたことに由ります。ただし「自己」を知る困難が問題の要で、知ることは行為することにとうてい及ばないとした点において、三者は共通し、ニーチェの主題にも深く通底していました。次章をお読みください。この問題の新しい展開に光が当てられていきます。

真贋ということ――小林秀雄・福田恆存・三島由紀夫をめぐって

一、

中国の明の時代に唐太常という富豪がおりました。学問もある博雅な人でした。三本脚の鼎(かなえ)の名器を持っておりまして、他の器はその前では輝きを失ってしまうほどでした。名器は天下一品と称され、幸田露伴の小説集に収められている文章には次のように書かれています。

實際無類絶好の奇寶で有り、そして一見した者と一見もせぬ者とに論無く、衆口嘖々(さくさく)として云傳へ聞傳へて羨涎(せんせん)を垂れるところのものであつた。

ここに呉門の周丹泉という人があらわれて、その鼎を見せてもらい、懐から紙を出して模様などを写し取り、大変素晴らしいものを見せてもらって有難うございますと帰っていった。半年ほどしたところで、ご秘蔵の品と同じような鼎をそれがしも手に入れましたと言って、新しいものを提出して見せた。

それが、大きさから重さから色の具合から我が家のものと全く寸分変わらぬもので、早速自分の所有のものを出して見較べてみると、双子のようにそっくりで、蓋もピタリと合う。これには唐太常もびっくりしてしまった。――

そのような話であります。

さて、恐ろしい人もあったもので、と露伴は言います。この人が作らせた模造品はおそらくあちこちの家にあるに違いない。このようなものが作られるようでは、と贋作を本物と並べて秘蔵したいと唐は言い出し、四十金を贈ったのです。

年月を経てある商人が唐太常の家を訪れるがすでに孫の代に替わっていた。商人は噂に聞く名器をどうにかして手に入れたいと狙っており、富豪の孫は本物を見せる必要はないだろうと最初に模造品を見せる。商人はそれを本物だと信じて、千金を差し出して鼎を持って帰ってしまった。しかし、孫は穏やかな良き人であって、千金をもらってしまっては具合が悪い。じつは君が持っていったものは贋物で、自分の心に恥じるものがあるからどうぞあの品を返して、千金もお返ししようと使いの者に伝えた。すると商人は孫は未練が出て品物を取り返したいのだと判じて、たとえ偽物にしたところで手前としては後悔はございません、と言って返さなかった。

このようにしていつの間にか本物と偽物の区別がつかなくなってしまう。事柄の委細を世間は誰も知らない。したがって、商人の家では千金に換えた本物が伝わったと思っていて、商人が亡きあと、その子供がこれを伝え持っていたということになるにつれ、偽物はどんどん本物になって行くというお話でもあります。

言ってみれば骨董というものの正体を示している逸話なのであって、小林秀雄の『真贋』やその他の人に、露伴のこの一文を下敷きにして書かれた一連のエッセーがあります。露伴の文章は淡々とした口調でひとつの話の流れを物語っているだけですが、小林さんはご承知の通り、個性的なおもしろい言い方に切り換えています。

「いわゆる書画骨董という煩悩の世界では偽物は人間のように歩いている」とか、「煩悩がそれを要求しているから」であるとか、『真贋』の冒頭で、偽と言われて悔しくなって良寛の書を一文字助光の名刀でバッサリ切ってしまうという話が出て参りますが、その他にも面白いことを色々と語っています。

「本物は減る一方だから、偽物は増える一方という勘定になる。加えて偽物の効用を認めなければ、書画骨董界は危殆に瀕する」

偽だなんて言うのは素人の言い分で玄人はそんなことは言わない。二番手だという。ちと若いと言ったり、これはいけませんねと言ったりする。決して偽とは言わない。それが情けというものであり、小林さんはそのような世界を色々と角度を変えた言葉遣いでたくさん書いているのはご承知の通りです。

小林さんは古い知り合いの骨董屋で雑談していて李朝の壺が目に入って、激しく所有欲をそそられ、我ながらおかしいほど逆上して数日前に買って持っていたロンジンの時計と交換して持ち帰った。今から考えるとこれがキツネの憑いた始まりだった、と。

小林さんは、骨董イジリとはそういうもので、それを現代の知識人は古美術の鑑賞などというが、しゃらくさい、古美術の鑑賞なんていう世界では決してない、ということをしきりに言います。本当に好きになるということは何か。嫌いではないということと好きとの間には天地雲泥の差があるとも言っています。

美術館でガラス越しに名器、名画を鑑賞して、そのくせして毎日使用する飯茶碗の美にはおよそ無関心なのが世の中の大半の人で、そんなんじゃダメだと言っています。ぐっと胸に来る言葉です。

非常に強く私が打たれたのは、トルストイの『クロイチェル・ソナタ』を読み返して、心を動かされ、トルストイの感受性に小林さんがあらためて納得しているくだりです。音楽にしても美術にしても芸術作品というものは、体を躍らせる。だから行進曲で軍隊が行進するのはよろしい。舞踏曲で人が踊りたくなるのも大いに結構だ。ミサが歌われてお祈りしたくなるのも大いに良いだろう。それでは普通の音楽、つまりクロイチェル・ソナタ、あるいはどんな交響曲でもいいんですが、それが演奏されるとき、人は一体なにをしたらいいのか。訳の分からぬ力を音楽から受けていながら、聴衆というのは、行為を禁止されて椅子に釘付けになっている。こんなおかしな話はない、と。

> 行爲をもつて表現されないエネルギイは、彼等の頭腦を藝術鑑賞といふ美名の下に、あらゆる空虚な妄想で滿たすと（トルストイは）いふのだ。何と疑ひ様のない明瞭な說であるか。
>
> （「骨董」昭和二十三年）

言われてみるとまさにそういうことです。つまり、偽物を摑まされたり、家中が焼き物だらけになったり家計も顧みなくなったりする、いわば狂気に近いような骨董イジリの世界は、身体を使って音楽に浮かれてしまうのと同じようなことですが、そのようなことをしないで、目だけぎょろぎょろさせている現代知識人の美術鑑賞などというものは一体何事だと。そういうことが言いたいのですね。

小林さんの一連のエッセイを読んで感じることは、評価の不在ということです。こう言っておられます。

> 美は信用であるか。さうである。純粋美とは譬喩である。

信用されていれば美は成り立つが、美という客観的評価などないんだ。人がそれに感動して、その人達がそれを本物と通してしまえば、それは本物なのであって、本物と偽物の区別はないんだと言っているのと同じことで、偽物も明日は本物になるし、自分にとって本物だったら本物でいいんだし、ある種の美の評価に関する無政府状態を言っているようなものですが、それが美の行為の前提なのではないか、と。

そして、行為を禁止されても美の近代的鑑賞というものに対してトルストイが疑問を持っているのは、例えばわれわれが展覧会や美術館に行って、箱入りでもって見ているだけの美は愉快な行為を禁じて人を疲れさせるのであって、不快な疲労感を伴うような美の鑑賞にわれわれが疑問を持つということと似ています。——しかしこれはわれわれが外国へ出かけて行って美術館を歩いているときのあの奇怪な感情に伴なう避け難い運命みたいなものであって——もう限られた時間ですよ、われわれが外国へ行けるのは。それでもその間美術館に行って、あの大量の絵画を見て、感動などできませんが、できるとみな思っている。

小林さんは感動しないよとはっきり言っている。そしてオランダで、有名な例のゴッホの烏のいる麦畑の風景画に出会う。自分が感動したのは昔持っていた一枚の複製画で、クレラー・ミュラーの本物のゴッホは私の見た一枚の複製画の複製に見えた、という挿話がありますが、人は複製で感動しますし、翻訳で外国文学を理解し、縮小した美術全集で美を見ていた、そのような日本人。外国文化との接触の仕方というものは、それでも感動するときは感動するし、本物を見たときでも感動しないときはしないし、そのようなことがあるという。これはある意味で凄まじい話でもある。

つまり、無政府状態と私は言いましたが、どこかに明確な基準があるわけではない。偽物は常に本物になっていく。本物は明日自分にとって偽物になるかもしれない。その大きくうごめく世界というものが人間の行為というものであり、客観的な基準や標準なんてものはもともとないんですよ、ということをしきりに言われているような感じが致すわけです。

二、

さて、小林さんは色々な人と対話をしていますが、わけても坂口安吾との対談が面白い。骨董趣味に狂っている小林に坂口安吾がかみついている内容です。教祖の文学であるとか、批評の神様だなどといわれてあぶなくなりだした小林に一発かましてやろうというわけで、安吾が登場した。

そもそも歴史の中に文学などないんだと安吾は言う。小林は気取ってやがるという思いがあるのでしょう。文学というのは生活の中にあるんだ。モーツァルトとかいってもそんなものは生活している時には出会えない。彼の生活がわれわれがいま感じているような整然たるものであるかどうかなど分からないではないか。われわれがジャズやダンスをやったりする中に実際に人生があって、それが芸術というものを生むんだ、と。乙に澄ましている小林に対して文句を付けに出向いたわけです。

すると小林さんは、「骨董趣味なんてあんた言ったけど、趣味が持てれば楽なんで、あれは僕に言わせれば、女出入りみたいなものなんだよ。美術品鑑賞ということを、女出入りみたいに経験できない男は意味ない。だけども、そのように徹底的に経験する人は少ないいんだよ。実に少ないのだよ。キツネが憑くようなものさ、キツネが憑いているときは何もかもめちゃくちゃになるのさ。標準のない世界をうろつきまわって何か身につけようとすれば、すったもんだしなければならんが、これは一種の魔道だろうね。他に易しい道があるとも思えない。経済的にも精神的にも家庭生活は滅茶滅茶になってしまうんだ。文士づきあいも止めてしまって、骨董屋という一種奇妙な人間たちと行き来して変な生活が始まるんだよ。それだけでも結構地獄だね。それにあの世界は要するに鑑賞の世界でしょ。つまり見ているだけの世界でしょう」と。

自分が身体を動かしてやるわけではないから、という絶望も語っている。批評家の悲しみも語っている。ここはキーポイントです。物を作れない人間の閉塞感。批評の世界は要するに鑑賞の世界です。

「美を創りだす世界ではない。どうしてもそのことを意識せざるを得ない。この意識は実に苦痛なものだ。これも地獄だ。それが嫌なら美学の先生になりゃいいんだ」

美学の先生はダメだと言っているのです。この辺りのことには小林さんの芸術と人生の関係をめぐる本質的な観点が現われているように思えてなりません。坐っているだけの学者を見下しているが、一方では美を創りだしている人に対して劣等感を持っている。

そして、自分はただ感動しているだけで感動をどうやって言葉で表していくかということだけに腐心しているけれども、創ることができないでいる。しかし、美を感じるときには自分は体で感じている、頭で感じていてはダメだ、ということをしきりに言っている。「僕は焼き物で夢中になった二年間ぐらい一枚だって原稿を書いたことがないんだ」とも言っています。小林秀雄の人生はそのようなことだったのではないか、なるほどなと思うのですが、坂口安吾との対談が大変面白いのは、このように自分の弱点をさらけ出している点です。自分の願望もさらけだしている。

対談の終りの方でドストエフスキーの話が出てくるんですが、『カラマーゾフの兄弟』のアリョーシャに感動している。そこまでは滞りなく認める。アリョーシャの人物を創造できることは只事ではない、と。「アリョーシャを描きだしたのは、我慢に我慢をした結果、ポッと現われた幻なんだよ」と小林さんは言うわけです。富岡鉄斎の絵に出てくる観音様だと突然言い出すのです。私はぎょっとすると同時に、なるほどなとも思ったわけですが、そのアリョーシャのことについて彼はこうも付け加えて言うんです。

「俺はいまは自信がないが、だけど俺はそこまで書きたいと思っている」つまりアリョーシャを書きたいと思っている。これはものすごく矛盾しているんです。なぜなら彼は批評家であって小説は書けない。ドストエフスキーではないんですから。しかしアリョーシャを書くことが人生の目的だというのです。

「俺はやってみる。俺はできねぇだろう。ダメかもしれないや。本当の俺の楽しみはそこにあるんだけどね。楽しみはつらいことだ」

アリョーシャを批評家が書くということはどういうことか。この大矛盾が小林秀雄の人生であって、素晴らしいことでもあり、苦悩の起点でもあり、いい気になった甘えでもあるんです。

というのは、彼は文章で書くわけです。音楽だの美術だの一つの人物だの、それを評論の筆でどうやって書くんですか、と問いたい。でもそれが彼だったんです。その矛盾がどんどん広がって行くのですが、全部成功するわけでは必ずしもない。

感極まって引用ばかりしている時もあるんです。『ゴッホの手紙』なんかはまさにそうでした。でも感極まってしまってそれしかできなかった。『「罪と罰」について』には本当に感心しました。ドストエフスキーの『罪と罰』を読み終わった時の感動と似ているんです。そのような記憶があるんです。あの矛盾を実行する、出来ないことをやっている。あれはなんだろうかというと、結局、芸術作品というものは小林さんの場合には、自己があり、芸術作品をどのように自己が感じるか、考えるか、対決するかというその前に、小林さんの人生がある。そこに鍵がある。

実際に彼の批評は私小説的です。彼の私生活や交友関係や骨董イジリの世界を知っていると素晴らしく胸を打つものがあるのです。客観性というか、多くの観衆を前にしてどうこうという話ではなく、もっと狭い世界の自分にこだわっている。しかし彼は何かを認識するといっても、客観的に認識するとか、心理的に認識することを低く見ています。

科学者が何かを客観化して描くとか、学者が対象を分析して客観化するとかそういうことを高く評価しないのですが、そのようなことでは知ることはできないものとは何か。それは行為することで知るんだ。だから頭脳の世界ではない。体の世界だということも繰り返し言っているので、この関係は複雑であり、同語反復であり、同じタイプの問題として三島由紀夫に繋がっている。

いまのことと深く関係があるんですが、昭和五十三年（一九七八年）、国民文化研究会の主催した「夏季学生合宿教室」で、小林秀雄が学生たちと対話をした講義録があります。

ある女子学生が、人生を通し先生のような一貫した道筋というのを守れるのはどのような意志とお気持ちからだったんでしょうか、と質問したら、「自分の一生というものを振り返ってみますと、僕は計画が立たない男です。計画を立てて何かをしたということは、まずないんですよ。その場その場に解決していったものの積み重なりが、いつの間にか宣長さんにまで向いていったのです。／僕の仕事は、何か一つの感動とか、ある直覚とか、そんなものがいつでも先にあるのです。はじめに、漠然としたものかもしれないけれども、明瞭な感動があるんです。そういう感動に次、次、次とこう連なって出会ってきた」（小林秀雄『学生との対話』）

感動というのは彼の場合は全て芸術作品です。色々なものに感動されるわけですが、感動を追い求めてきた人生であった。そしてその感動をいかにして言葉にするかということに心をこらしてきた、と語っている。

そして、そこでとてもよいことを言っている。自分というのは一体何だということなんですが、結局、何を書いてもそこに自分が出てくる。えらく自分に拘っているようですが、元来、自分というものは多様化した概念ですから、一方では自分を出さなければならないが、他方自分を殺してかからなければならない。自分ほどあてにならないものはないからです。

自己表現などということを簡単にわれわれは口にしますが、自分の意見など誰でもみんな持っている。でも自己表現とかいって何かについて表現してもあてにならないことをわれわれは日々自分の意見のつもりで言っている。何かについて感想を言ったり、何かについて所見を述べたり、それこそ美術評論家は美術について論じたり、それはみんな自己表現です。でもそのような自己表現ではまだダメだということを言っているんです。

しかし、小林さんは自分を捨ててかかるけれども、そこにやはり自分が出てくる。そして最後にこう言っているんです。

「感動する時には、世界はなくなるものです。感動した時には、どんな莫迦でも、いつも自分自身になるのです。（中略）世界はなくなって、自分自身と一つになれる」と。

坂口安吾との対談の中でも信仰するか創るかどちらかだと。これが大問題だとも言っています。これはとても凄い言葉で、信ずるか、もしくは創るか、どちらかだと。感動するということも同じです。

福田恆存が『小林秀雄の「考えるヒント」』で次のような言い方をしています。

「吾ゝが道を歩いてゐる時、一里先の山道に目を奪ふ様な櫻の大樹がある事を吾ゝは知らない。それに出遭つた時の喜びが人に傳はらぬ様な書物は、眞の書物とは言へない」

小林の学問は真の書物に出会った際の生きた感動を語った経験録であり、そのために小林は結果を予想して考えを書くということを自らに禁じている。つまり計画を立てない。行き当たりばったりだったと。

考えるというのは頭で考えるのではなく、体で行為することと同じであって、したがって目的を意識して行為してもそれはダメです。目的意識というのは行為ではないということです。考えることそれ自体が目的であって、同時に考えるということは運動することですから、計画なんか立てていられない。それこそ桜の大樹に出会うようにして考える、考えるということはそういうことであると言っています。

私は福田さんも小林さんと共通する側面があると思っていますが、福田恆存は『人間・この劇的なるもの』で、以下のように言っています。「役者の台詞は戯曲のうちに与えられていて決定されている。これは計画されているのと同じことです。もう台詞は決められている。だから未来は決まっている。すでに未来は存在しているのに、役者はそれを未来からではなく現在から引き出してこなくてはならない。彼は今舞台を横切ろうとする。途中で泉に気づく。彼はそれに近づいて水を飲む。この場合気付く瞬間が問題だ。泉が気付かせてはならない。彼が気付くのだ。彼が気付く瞬間までは泉は存在してはならないのである」

これは小林さんが桜の大樹に出会うようにして一冊の書物に驚きと感動を持って出会うのと同じように、役者は演技でもってそれを表現しなければならないという福田さんの演技論という問題点が入ってくると私は思うのです。

ところが、福田さんは小林さんとがらっと違うところがありました。二元論的対立相剋の世界です。根っから劇作家なんですね。ですから自由と宿命、生と死、善と悪、行為と認識、個人と集団、理想と現実、政治と文学、本物と偽物、これらが大切な対立概念として扱われている。小林さんはそのようなことはしません。本物と偽物という「真贋」という言葉を小林さんが先に出したのは間違いない。これに福田さんは捉われてしまっています。

捉われたと同時にこれを大きく展開もしたのが福田恆存です。小林さんの場合は色々な芸術作品の対象の選び方が自由奔放で、天才の乱取りという悪口も言われました。ゴッホを書いたと思ったら福沢諭吉を論じて、そうかと思ったら実朝を論じ、またパスカルを書く。西洋と日本といった基軸の対立概念などは小林さんにはなかった。そして、乱取り、無差別、自由奔放でした。

しかし、福田恆存も三島由紀夫も西洋と日本との対立関係にはまり、終生離れることができませんでした。はるかに深刻で悲劇的です。どんどん対立軸に追い込まれて自分をその中に自覚的に追い込んでいきます。それは福田・三島と小林さんの違うところだと思っていますが、しかしそれは小林さんの弱点でもあるんです。なぜなら小林さんは歴史認識を問題にした人ですが、遂に歴史を自ら叙述することはなかった。小林さんは戦後の歴史研究上の重要な問題のどれか一つと責任をもって切り結んだことはない。東京裁判を論じなかったし、邪馬台国論争にも参加しなかった。歴史と神話を考えるなら魏志倭人伝のテーマは避けて通れません。新井白石が先鞭をつけ、和辻哲郎が新機軸を考案し、ついに私までが西洋古典文献学を引き合いに史料の不成立を主張した（『国民の歴史』7）あの問題のテーマについて、小林さんもなにか言うべきでした。国民にヒントを与えるべきでした。しかし彼はあぶないことには手を出さない人でした。

彼自身は古代学者ではなくて、古代と闘った本居宣長を考察対象としたに過ぎません。それに対し、福田や三島は実作家でした。福田は劇団の主宰者でもありました。三島は「楯の会」を主宰しました。つまり具体的な行動家だったんです。このような点で小林さんは色々と悪口を言っていた大正文化主義、あるいは学者的な在り方、そのような世界の中にじつは片足を入れていた人だというふうに言えないこともない、と私は見ているのです。

三、

そこで、私は福田さんの真贋ということを特に皆さんと考えてみたいと思います。本章は真贋がテーマです。この真贋は言うまでもなく小林秀雄の焼き物の話からスタートして、その大本は幸田露伴にあったという話をすでにしました。

福田さんは真贋の違いに敏感でした。おそらく自分が本物だという叫びもあったのでしょう。真贋に敏感であるということは常に自分を本物だと主張したいという欲望と切り離せませんから。一方で、小林さんの存在を意識していました。小林さんはエッセイの中で真贋と一回言っただけですが、福田さんは真贋の概念を思想的に展開しています。

小林さんと福田さんは違います。小林さんは本物を仰ぎ見るという人生でした。福田さんは偽物と本物を峻別する人生でした。そして偽物を批判した人生でもありました。しかし、自分の中の偽物性をも強く認識する、自覚する人でもありました。福田さんは自覚の人であって、自覚できないものをまでも自覚しようとする、そのようなタイプの激しい自覚の自己再確認の人でした。

したがって、自己表現の安易さというものについては、小林秀雄と同じように峻烈でしたが、自己表現の中には、権力意識というものが含まれているという、そのようなことを言い続けた人が福田恆存なのです。文学者の自己表現が安易であるのは、自らの権力感情に気がつかないからだと喝破しました。それほど非文学的行為はないとも。このようなことに気づいた人は福田さんのほかにいません。小林秀雄には自己表現のうちに表現者の権力意思を読むというような発想はありませんでした。これは福田恆存の新しい認識であると同時に、D・H・ロレンスにぶつかったことが関係していると思います。

西洋的な自我という問題、キリスト教の主題に接近し、小林さんよりもはるかに西洋的であり、かつ倫理というものに強く惹かれる人であり、同時にまた文体も非常に論理的でありました。エゴティズムとか自己愛という問題に強く問題意識を持った思想家でした。もちろんそれは小林さんにもあるんですが、もうひとつ付け加えると、ニヒリズムという言葉は誤解を招きやすい言葉なので、あまり使いたくないんですが、両氏はこのことに関係がある。ニヒリズムというのはこの人生には何もないんだ、無があるだけだということ。そして、彼岸の世界、現象の向こう側、われわれが生きている世界の終った先に何かがあるということもじつはないんだと、それと同時に価値というものも全て相対化されるという新しい認識に両氏はぶつかっている。

先程焼き物の世界について美の評価に関する無政府状態と言いましたが、これはまさにニヒリズムなんです。焼き物の基準はこれですと誰かが示してくれて博物館の鑑定士が「これが正しいんです」と言ってくれれば基準があるわけです。これはニヒリズムにはならず、大概の美術品はそれで救われているんですけれども、究極のものには博物館の鑑定も当てにならないと小林さんは言っている。客観的な評価の基準はどこにもない。そのような限界点に直面するということです。これはある意味ではニヒリズムの自覚です。それがわかるような事柄をこれからお話ししたいと思います。

福田恆存さんに『俗物論』という面白い評論があります。俗物とは偽物ということです。しかしすべての本物はすぐに偽物になるというめまぐるしく動く世界を描き出している。

例えば、自分の生活周辺から次のように語っています。

> 私たちの仲間では、原稿の注文が降るやうにあるのを言外に示す俗物がゐると同時に、それをかたはしから斷ることに快感を感じる俗物がゐる。しかし、かれはその斷つたことを默つてはゐられない。あれやこれやを斷つたといふ話を人にせずにはゐられぬのである。そのとき、かれは俗物になる。かうして、自己擴大慾は、つねに他人の眼を必要としてゐるのである。いや、おれは他人の眼はこはくない、自分を見てゐる自分の眼がこはいのだ、といつてみてもはじまらぬ。自分の眼などといふものはありはしない。それは結局、他人の眼が自分のなかにはひりこんだといふだけの話だ。
>
> 俗物の特徴として、自分が仲間入りしたい上流階級、あるいは文壇とか學界とかの悪口をいふ性癖がある。これは一見颯爽（さつさう）としてゐるやうだが、やはり他人の眼を氣にしてゐるさもしさには變りがない。さういふ俗物にかぎつて、その目ざす世界に仲間入りできたあとでは、猫のやうにおとなしくなる。つまり「孤獨俗物」は水の向けやうで、容易に「交際俗物」に轉化するのである。

物書きの世界の話で日頃見聞きして知っている世界ですが、これをありとあらゆる局面で見ていく。すると世の中の全ての人間は俗物になる。反俗的俗物も俗物になる。いいかえれば価値基準などというものはどこにもないということであって、一番最初の露伴の描いた偽物が本物になってしまったという話とどこか通じている。

私の読書経験や思想経験で考えただけですが、パスカルにこのような世界があります。また、フランスのシャンフォールやラ・ロシュフコーやヴォーヴナルグなどのいわゆる「人間通」はどこかこれに通じている世界であり、江戸の戯作もそうです。黄表紙とか洒落本の世界です。あれは通という概念のあやふやさが基本なのです。

「俺は通だ」という人間はみんな通ではない。「半可通」になる。つまり偽物になってしまう。通ぶると言いますね。山東京伝などの示す通と野暮の関係はめまぐるしく変わる人間心理の世界です。野暮ったい格好しているのが通になったりする。粋がっていればたちまち野暮になる。

そのような通と野暮の関係は近世の江戸文学の繊細な人間関係を反映していて、フランスのモラリズムやパスカルの世界と江戸時代の戯作はどこか繋がっているものがあるのだと思います。神というものが危うくなっている近世的な価値観のぐらつき、それまであった普遍的な価値が通用しなくなるが、まだなくならない時代、全ては神が決めてくれていたという安心していた時代と、そのようなことがだんだんできなくなるけれども、まだ俺が全部決めるというわけにはいかないような時代とかに、どちらでもない中間的な意識の中で繊細な人間心理がかえってよく見えてくる、このようなケースが沢山あるように思える。

私たちが生きていく世界でもこれに似た非常に微妙な問題が少なくないと思っています。と申しますのもこれまでの話は芸術家や作家の話として読まれると思うのですが、職業生活のなかで同じようなことに日々ぶつかっているはずです。会社や官庁で自分が上役と特別な関係にあるというようなことをちらっと見せる人がいます。何食わぬ顔で自分が上部権力の座に近いということを述べておく人がよくいます。このような情報通というのは恐れられる一方で、最も卑しまれ、嫌われます。大学社会で言いますと、有力教授の助手にそのようなタイプの人間がよくいました。教授の権力と自分の権力を取り違えて、地方の大学の無力な人達に大きな顔をする東京の大学の助手をよく見かけました。

彼らは決して愛されることはありません。われわれの社会がこのようなタイプの人間をどんなに嫌っているかは日頃の噂話などから皆さんも日々経験されていることだと思います。彼らはまさに偽物なんです。何かの権力で実際の自分以上に自分を大きな存在に見せかけようとするのは偽物という証拠です。

では、本物はどこにあるのでしょうか。これが次のテーマになる。わけもなく高い地位で威張っている人間を笑いのめしたりして憂さ晴らしをしているわれわれはどうか。彼らを喜劇的に扱うことでわれわれはカタルシスを得ますが、何をよりどころにして自分は綺麗な存在だと思い込んでいるのでしょうか。

自分は権力欲から遠いところに生きている純粋な人物だと自分にも他人にも言い聞かせて粋がっていないでしょうか。それもまた自分を実際以上の自分に見せかけようとする俗物的衝動ではないか。そうなると理由もなく威張り腐っている偽物が、ある意味で一番わかりやすくて、単純で、かわいいということにならないか。そうではなく裏芸を使って別の基準でへへへと笑っているいさぎよさを気取っている偽物のほうが陰険でかえって始末に悪い、ということだってあるのではないでしょうか。

例えば私の学生時代、研究室に二人の助手がいました。仮に田中さんと山田さんとしておきます。田中さんは大学院生と年の差はないのに、教授のように尊大に振る舞って地方の大学のどこかに口があると、大学生、院生を呼びつけてはお前が推薦されるかもしれないなどと情報を伝えて、まるで自分が職を与えるかのような偉そうな顔をする。それに対して山田さんのほうは学生と自分と区別しないで、友達のようにふるまってくれて就職情報なんかには関心を示さないし、言わない。当然、山田さんのほうが学生の間では評判がいい。田中さんはさんざん悪口を言われる。

ところがどっちが偽物かというとこれまた難しいところがあります。山田さんは事あるごとに田中さんをバカにしていました。山田さんは若い学生に対する自分の優位をあえて主張する必要はないと考えていました。彼はどうすれば自分が尊敬を集められるか知っていたのです。そして若い学生の尊敬を集めることが、この男は人望があるとして教授の評価を得られるということも知っていた。しかし、山田さんは学生に心を開きませんでした。つまり彼は官僚的で知能犯です。一緒に酒を飲む田中さんのほうは人の良さをさらけ出しました。

このようなドラマを皆さんも色々な世界で見ていると思いますが、私たちにとって俗物か本物か、真か贋かという問題はめまぐるしく変わる心の構造の問題であり、そしてそれが権力感情と結びついているし、同時に政治とも結びつく。そして福田恆存は芸術上の天才に対して小林さんのように天才を讃仰(さんぎょう)し仰ぎ奉ってそれに表現で近づこうとする人生ではなくて、平俗な世界の中の人間の偽物性に対して手厳しい認識の目を持っておられたと私は見ています。

さて、話は再び私の大学時代に戻ります。今助手と教授の例を出しましたが、今度は私たち学生と教授という別の問題になります。これは厄介な問題です。なぜなら文学部の学生、私はドイツ文学科でしたからゲーテとかヘルダーリンとかトーマス・マンとかカフカとかに明け暮れる毎日でした。分かっても分からなくてもドイツ語で一生懸命読んだものです。

ですから毎日の心の中の対話の相手は歴史上の天才でした。文学部ドイツ文学科の教授は見上げる天空の星の内に入らないんです。それが問題を最も複雑にする局面なんです。山田さんと田中さんの処世術は教授の権威に依存しているわけですが、いいかえれば教授を模倣していたと言えます。もちろん模倣はいいことでもあるので、許されてもいいことです。

しかし文学部の学生というのはほんらい作家とか思想家とか芸術家を志す青年なんです。そうでない人もいたかもしれませんが、元来そういうものなんです。ですから弁護士事務所で働く法律家を志す青年とはもちろん違うし、茶道や華道や剣道や弓道などの師範との関係とも違うのです。茶道や華道や芸道の世界は徹底的に師範を模倣します。しかし私の目指した世界では指導教授は必ずしも模倣の対象ではないんです。なぜならその上にもっと目指す存在がいるわけですから。生きて目の前にいる人間は模範にはならない。これほど皮肉で絶望的な関係はないといえます。

東京芸術大学の学長だった平山郁夫さんから直接聞いた話ですが、芸大の教授はときどき大変に困るそうです。文学部より困る。なぜならば教授よりもはるかに才能のある学生がいっぱいいるからです。これは美術や音楽の世界の話です。だけれども文学部の場合だって原理は似ています。なぜなら教授たちが過去の詩人や哲学者のような生き方や考え方を全くしていない俗物だとしたら、――また、たいてい俗物なんですが――そのことが私たち若い学生を苦しめた。少なくとも私は苦しんだ。だから私は教授に対して傲然（ごうぜん）としていました。当然憎まれた。だって私にとってはゲーテやヘルダーリンやトーマス・マンやカフカがいるわけで、あなたではないと思っているからです。もちろん私が若くて馬鹿だということなんですが、これは原理的に厄介なテーマです。

教授というのは、過去の詩人や哲学者のエピゴーネンですらないという苦い現実、これにぶつかったとき文学部の多くの学生がそうであるように、私もまた大学は学びの場ではなく、本物は歴史の中にしかいないという当たり前の事実を悟ったわけですが、そうなるとこれは大変です。

学生たちは誰しも自分は本物であるということを自分で証明しなければならない。歴史に向かって訴え続けなければならない。歴史が勝負の相手であることを覚悟するほか仕方がない。基準は歴史の中にしかない。これはとてつもなく恐ろしくて困難で孤独な課題です。小林秀雄、福田恆存、三島由紀夫はそれに直面して、このような課題をまさに実行した人達なんです。表からも裏からもそれをまた自覚していたということが同時代の他の思想家たちと決定的に違います。そのことが本章のテーマでもあると思います。

人生の様々な経験をなさって必ずしも芸術家や思想家を目指さない生き方をした方々であっても、人生の業績に審判者はいないということを痛切にも感じ取っていた瞬間があることでしょう。つまり一般の社会人も自己表現の手段は持っている。会社や官庁に勤めていてもそうです。各自の仕事に対して評価が下されます。評価はボーナスの配分やポストの昇格によってなされるとされていますが、必ずしも業績を正確に反映しません。不公平や不平等はつきものです。誰しもそのことに耐えて、心の中に収め、そして動揺も示さないで生きて行く。自分という一個人の人間の評価は別だと思っているからです。

つまり会社で評価されないということと、人格は別だと思っているからです。そうではありませんか。社長から怒鳴られても「テメェなんだ」と腹のなかで笑っているし、俺の人格は俺だと思っているし、会社や官庁での地位はどうせ運に左右される。人格とは関係ない。人の一生の最後の審判者は存在しない。神が存在するならそれは神と自分との関係の世界だと。

ところが、そこで再び作家とか思想家とか芸術家というのはいかに厄介な存在であるかを考えてみて下さい。会社や官庁に勤めている人達とは違うんですね。どう違うかと言うと、真贋というもうひとつの尺度があるからなんです。つまり人格は別だとは必ずしも言えない。人格と表現はどこかで重なってくる。○○賞をもらっても気休めにしかなりません。本が売れても何の証拠にもならない。芸術家の団体や協会の役員になってもそれもナンセンスなことです。でも、会社や官庁の仕事と違って、失敗して仕事の評価と人間の評価は別だなんてうそぶいていられないんですよ。同じことが問われているからです。そのことを小林さんや福田さんたちの文章を読んでいるときに私は痛切に感じます。

政治や時事問題を語っても単に政治や時事問題を事柄として語るのではなく、語り手の精神の高さが同時に問われるということが往時においては普通でした。なにを語るかではなく、どう語るか、語り手の倫理的動機が読み手の課題として読者に常に意識されていた。論じる人の精神の高さがある意味で勝負だった。文章に表われる人品が問われていたと言ったら分かり易いかもしれない。

読者は本能的に人格を嗅ぎ分けていた。議論の立て方や分析の仕方よりも、語り手や書き手の人間性が問題だった。読者の関心は常にそこに集まっていた。政治や時事問題を論じるほうも読むほうもある意味で私小説的であった。しかし、いつの間にかマスメディアは語り方の気品や魅力よりも知識の多いか少ないか、情報の量や出所はどこかが決め手になった。どう語るかよりも何が語られるかだけが関心の中心になった。素人でも情報さえ手にしていれば言論界の主役になれる。そういう風潮になった。それは物を書くこと一般における精神の価値の下落であります。

これが言論の世界で今起こっていることです。私は月刊の言論雑誌が嫌いではないんですが、毎月期待をこめて新しい名前を見出しても書いている方々はみんな素人です。プロの意識がありません。情報は二番手でもいいから人格を感じさせてくれなければ困るんです。嘘か真実かどうかの話ではなく、表現の仕方にすべてがかかっている。今は何でも情報第一です。何か事件があったら、その事件の背後のインフォメーションをどれだけもってこられるかということでページが埋められている。

それともうひとつは、どうやったら人生得するかという話です。ハウツーものです。物の見方の転換というのを得意にします。このような見方をすると新しい人生が開けますとか、あなたは幸せになりますとかいう。こうすれば日本はすぐにうまく行く、という手の話もありますね。あきれるほど、損得論がベースです。これらはみんな嘘っぱちなんですが、嘘でも何でもしばらく一寸だけ勇気づけてくれれば気分がいい。言論はそのレベルになり下りました。

三島由紀夫さんは真贋ということを福田さんのように意識して論じたことはほとんどありません。しかし、自己というものが常に大事であって、自己が行為と一緒でなければいけないという認識は強く持っていました。身体というものと言葉の関係に対してものすごく敏感でした。『太陽と鉄』というエッセイがそうです。福田さんと同じくらい日本対西洋という対比のテーマを意識しました。そこも両者が小林さんとは違う点です。ですが、三島さんは小林さんの影響を非常に強く受けていたと私は思います。

小林さんは日本の近代思想史の上で初めて認識が行為であり、歴史は観照ではないことを身を以て示した思想家でした。大正文化主義の、たとえば和辻哲郎とか阿部次郎ぐらいまではそのような考えはなかったのですが、その時代までは認識は知識であって、歴史は教養だったんです。ですから、文壇では鷗外はもとより露伴まではそうです。小林さんはそれに対するアンチテーゼでした。歴史は客観知ではない、歴史は自己である。本当に知ることは行うことだという『私の人生観』のなかの有名な台詞がありますが、この言葉の前後はこういうことなんです。

本当に知るとは行うことだというのは御釈迦様が弟子に向って、お前は毒矢に当たっている人を目の前に置いて医者に毒矢についてあれこれ説明を求めているようなものだ、と。私は毒矢を抜くことをまず教えているのだと。空の形而上学はあり得ないが、空の体験は可能なんだと。行うことは知ること。本当に知ることは行うことだと。そこに出てくる言葉を小林さんは『私の人生観』で使っているんです。名台詞です。本当に知ることは行うことだ、と。

この考えに三島さんは従った。ということは皆さんご承知のとおりです。認識と行動との一致にこそ、三島の目指す方向があったわけですからね。しかし、釈迦を取り上げて本当に知ることは行うことだと小林さんが言ったときのこの行うという概念は、三島さんがボディービル、乗馬、自衛隊訓練参加……など、このような具体的なことを行うことと同じ行いと考えていいんだろうかというのが私にとってずっと謎だったんです。今でも謎であり、解決しておりません。

三島さんにとって小林さんが言う、知ることは行うことだというのは、そのような彼の一連の実際行動と同じことなんだろうか。私自身はまだその謎を解決していないのですが、ある時その謎について大きな局面が開けたと思ったのはオウム真理教の事件でした。

オウムというカルト教団の事件に出会って、私は三島由紀夫のことを考えずにいられませんでした。「楯の会」は言うまでもなくカルトです。そして三島は作家です。作家の基本は身体なんです。身体で時代の病を表現している。作家とはそのような存在です。

時代の病というものを三島さんは小説の中で色々と表現しています。七〇年代以降ずっと現代におよぶ各種の病が小説の中で追求されているではないですか。

彼はそのつど病を先取りしているのです。果てしなく現実から遠く、それでいて、果てしなく狂気からも遠い。垂直の洞窟を掘り進むかのようにまっすぐに穴の中に墜ちていく。日常市民生活からかけ離れていく。このような行動の在り方において、オウム真理教と三島由紀夫は同じでした。もちろん三島さんには最後まで言葉があり、自己意識があり、日本の社会に対する強い倫理的意識がありました。そして他を破壊するのではなく、自分を破壊するのですから方向は逆です。しかし、ラディカリズムとカルトという点において、一致していたとあえて言ってよいと思うわけです。

本当に知るとは行うことだということですが、人間は誰でも厳密に考えると言行一致ということはありえません。人間が生きているという事実は言行不一致を絶え間なく繰り返しているということと同じです。意識が一定の場所に止まっていたら、これは狂気なんです。

もし私たちがあることを意識していて、他人のおいおいと言う呼び掛けが聞こえなかったら、一種の狂気です。おいおいと言われたら、はっと意識が別のほうへ転ずる。転ずることによってわれわれは平常心を取り戻し、バランスを保つことを可能にする。ですから意識の転換の自由というものこそ私たちが生きていることの証しであり、日常生活を営んでいる証拠に他ならないんですが、しかし、そこのところが三島さんの場合は難しかった。

さて、オウム真理教に戻りますが、オウム真理教は宗教でした。そしてその行動は犯罪でした。宗教がある段階から犯罪になったのではありません。最初から明らかに犯罪でした。そして、ずっと最後に至るまで、かつ今に至るまであれは宗教でもあります。れっきとした宗教でありかつ犯罪なんです。そのように考えない不徹底さが、問題の評価と判定をいまに至るまでおかしくしているのです。

沢山の人がマインドコントロールされました。そのなかには相当のレベルの宗教者もいました。宗教は善と道徳を代表している？　そんなことはありません。宗教は犯罪を犯すはずはない。そんなこともありません。宗教はたとえどんなに歳月を経た成熟した宗教であっても、理性と正反対の側にあるのです。日常性と正反対の側にあります。宗教とはそういうものです。宗教の歴史は奇怪至極であっておどろおどろしい暗部を抱えているものです。世界中どこへ行ってもそうです。

だから宗教が悪と不道徳を表明したとしても驚くことは何もない。オウム事件のときに多くの宗教家の心が震えたのは当然なんです。震えない方がおかしい。なぜならば仏典や聖書の言葉は、いま本当に悩み苦しんでいる人の心に届いているでしょうか。届かなくなって久しいのではないでしょうか。今日砂漠のような状況にわれわれは生きているのではないでしょうか。仏典や聖書の言葉は遠くなっていないでしょうか。ただの教科書でしかないんじゃないですか。ただブッダやイエスの言葉をオウム返しにしたところでわれわれは何も胸に響きません。

まともな宗教家なら、言葉をよみがえらせるには自分もブッダやイエスのように生きてみせなくてはならないと思い至るのが当然です。そのためにはときに近代的市民生活には調和しない仮の囲い込みをしなければならないと思い至るのも当然です。すべての教団はカルトから出発したんですから。

キリスト教も仏教も怪しげなカルトから出発している。親鸞だってなんだってカルトです。どんな既成の大宗教であってもルターも法然も、その意味ではカルト教団の教祖だったんです。

さて、ここで宗教の真贋ということについて、俗物論と真贋とを照らし合わせると大変面倒なことになります。真贋を決めるものさしが宗教の外部にはない。各宗派は自分の宗教だけが本物で他は偽物だと互いに叫びあっているではないですか。先程の小林さんの焼き物の偽物本物に客観尺度がないように、宗教だって客観尺度がない。尺度は宗教の数だけある。したがって、どこにも普遍のものさしはない。

さっきの俗物論の福田さんによると、悪いのは民主主義だということになってくる。ルネッサンス以降、平等が始まってしまった。だからこのようなことになってしまったんだ、と。偽物本物が混乱するのは民主主義と平等のせいだ、と。

そうなると神の評価と宗教の真贋はとてつもなく大変です。どこかにすべての神の上に立つ本当の超越神がいて、優劣を判定する基準を与えてくれなければ納まりがつかない。ところが困ったことに宗教の優劣を争う場は互いに神を争っているわけですから、どうにも手に負えない。俺の宗教が本物でおまえの宗教は偽物だというこれほど苛烈な争いはない。判定者であるべき神が判定のいっさいの停止、無意味、不可能を争って、判定そのものの覇者になろうとするのですから、宗教ほど激しい相互否定の世界はないんです。混沌、カオス以外には答えを見出せないのは理の当然で、最後には武力でけりをつけるほかないということは、歴史が証明してきた出来事なんです。宗教は武力と不可分の世界なんです。

宗教の歴史は血塗られた闘争の歴史です。宗教が武装化するそれ自体は驚くようなことでもなんでもないんで、サリンを作ってばら撒くなんてことも、考えてみれば理の当然のことを彼らはやったまでのことなんです。

問題はうかうかとそれを許してしまったこの国家の体質です。国家がおかしいのです。ですから彼らのおかしさを言う前に国家がおかしいと考えるべきなのです。

さて、現代のわれわれは何をもって宗教の真贋を決める尺度にしたらよいのでしょうか。オウム真理教が日本の知識人世界に突きつけた問いは、じつは思いのほか重く深いということをわれわれはいまになって改めて考えてみる必要があるのではないでしょうか。ここから三島さんの問題にあらためて入るとどうなるか。

四、

小林秀雄は歴史意識を問題にしましたが、遂に自ら歴史を叙述しなかったと言いました。彼自身は古代学者ではなく、古代と格闘した本居宣長を書きましたが、自らが日本の古代にぶつかってそれを我が物として現代のこの生きている世界に奪還しようとしたわけではありません。宗教家はそれをします。ブッダの言葉やイエスの言葉を自ら生きてみせて、それを若い人たちに分け与えて戦わなければいけない。本居宣長だって宗教家に似たところがあるわけですから、論じるだけではダメで、小林さんは本居宣長教団を作って若い人にそれを伝達しなければいけなかったのです。

ですから劇団を作り、国語問題を社会化し、日本文化会議を立ち上げた福田恆存のほうが一歩先を行っていたのです。福田恆存は主人持ちの芸術家ではなぜいけないのかと問いました。マルクス主義の学問も芸術も、主人持ちだから強いと。ところが一般の個人主義の芸術や学問は、どこかに主人がいるとなると否定的に見られがちだが、これはおかしい。あえて言いますが、「新しい歴史教科書をつくる会」は主人持ちの会でした。日本の再生のためにやろうという行動なのですから、一種のカルト教団です。つまり私はカルトの教祖になりかかったわけだ。言うならば主人持ちで闘うということは、正しいことなんです。小林秀雄には出来なかったことです。本居宣長を論じて、文化勲章を貰ってもダメなんです。本居宣長をどうやったら現代に復権させることができるかということが、またもう一つの大きな課題だったはずです。

しかし小林さんはそれをしなかった。それにも拘わらず小林さんは歴史は観照ではなく行為だと言った。矛盾なんです。歴史は自己認識であり、客観性とは別だと言った。そして、その行為は例えば骨董にのめり込むようなことから引き出されてきて、それも素晴らしいことなんですが、私はそこでふと思うのです。小林さんと三島さんを比較すれば分かりやすいんですが、小林さんには宣長と同じように古代への思慕があります。小林さんにも現代人としての信仰への危機感がありました。

そして、その相克の中に立ちつくす他ないという断念と自己の限界とに対して、彼は謙虚でした。自分も古代人と同じように生きてみせたいが、そういう問いが限度を超えると何かを破壊し不毛に終わることを小林さんは若い頃から予感していた。だから批評家なのです。創造家ではないのです。だから歯ぎしりするほど俺は物を作れないと叫んでいたのです。

私は小林さんにブルクハルトを見ます。ブルクハルトという歴史家はそういう限界を知る知性の人でした。ブルクハルトと対立するのはニーチェで、二十六歳の年の差があるけれど、バーゼル大学でお互いに尊敬し合い、年上のブルクハルトはたぐいまれなニーチェの才能を認めつつも危ういと思い、ついていけないものを感じていました。歴史を知的に理解するだけでなく、自分の行為の中に体現する。これをブルクハルトはなし得ない。なぜならば歴史に対して冷静ではなくなるから。これをやるとどうしても宗教家になるからです。

ニーチェは若い頃、危うい深淵のきわに立ちました。古代ギリシャに対面した若い時代のニーチェはソクラテスのような少人数の弟子たちとの世界を十九世紀のドイツに作ろうとしたのです。古代ギリシャの賢人たちのようなグループを作ろうとした。単なる研究や学問では満足できず、エルヴィン・ローデその他友人たちを誘って、新しいギリシャ風のアカデミーあるいは修道院めいた哲学者学校を創設しようと本気でした。実際に財政計画にまで着手し、バーゼル大学から貰っている給料を貯金するとまで言い始めている。

ギリシャを現代に呼び戻す企てです。もとより彼は自分が車座の真ん中に座って、ローデをはじめとする信頼できる友人たちを周りに配して古代賢人の世界を十九世紀ドイツの真っただ中によみがえらせようというのでありますから、これは間違いなくカルト教団です。危うい淵のきわにニーチェは立っていたのです。

ちょうどそのころ普仏戦争が始まって、それでニーチェは救われたとも言えます。幸いなことにニーチェの想い通りにならず、この極めて非現実的な夢想的な行動プランは挫折します。しかし、彼の夢は覚めない。次に何が起こったかというと、ワーグナーとの共闘です。彼がワーグナーを担いだんです。ところが、ワーグナーの側はニーチェを相手にしなかった。ニーチェが自分に都合のいい宣伝係であれば満足していたけれども、それを離れてなにかすることは許さなかったのです。

つまり、ワーグナーを筆頭とするバイロイト運動に懸けたニーチェの夢というのも、考えてみればカルトへの熱病ではないのかということなんですが、そのようなニーチェを見ていて、二十六歳年長のブルクハルトは、この友人の並々ならぬ才能は認めていたんですけれども、過激な思想には付いていけないという思いを持つに至ったのです。

本当に知るとは行うことだということでそこで止まった小林さんと、行ってしまった三島さんの違いではないでしょうか。ブルクハルトとニーチェ、小林秀雄と三島由紀夫、これはある意味で見事な対比になるかもしれない。

ニーチェはその後ルネッサンスの時代のボルジアを礼賛したりします。金髪の野獣とかいって、暴力的人間を賛美したとき、ブルクハルトは当惑し、既視感を感じるばかりで反対します。ブルクハルトは常識人です。イタリア・ルネッサンスの文化を書いたブルクハルトが、ボルジアを礼賛することはできません。これは当然と言えば当然です。二人は十九世紀型歴史主義への抵抗者、反対者として同志だったのですが、ぎりぎりまで近づいていよいよのところで離れました。

小林さんの歴史は、ブルクハルトに似て、やはり観照ではないと言っているけれども、どこか観照で留まっているところがあった。観照を打ち破って行動に一歩踏み出ると、危険極まりない宗教家になる。学者が宗教家になる。文学者が宗教家になる。そのようなことがどういうことなのか、それはとりもなおさず三島由紀夫の問題ではないかということをこれから述べます。

私の全集第2巻に『三島由紀夫の死と私』を全一冊そっくり入れておきました。その中で国文学者の三好行雄さんと三島さんとの対談を取り上げています。

対談の中で三島さんが戦争中、来週の水曜日に誰それに会えるなんてことを信ずることが出来なかった。嫌だった。許せないことだった。帝国ホテルで来週の水曜日、若い女性と約束をする。そのようなことは考えられなかった。来週の水曜日はないかもしれない。明日大空襲で死んでしまうかもしれない。そのような時代を生きていた三島さんの戦争末期の話です。

ところが、今は水曜日に会える。会ってしまう。それは平和だからであるし、文学以外のことだから人と人が会ってしまうのは仕方がない。それがわれわれの生活で当たり前である。しかし文学の世界では、今でも来週の水曜日帝国ホテルで会えるかどうかわからないという一点に基準がある。それが僕の小説を書く根本の原理です、と彼は言っているのです。

こうなってくるとえらいことだと思います。三島さんにはずっと前からそのような傾向があって、『私の遍歴時代』の中で、『花ざかりの森』など初期の短編を書いていた昭和十六年－十九年の、その時の幸福感を回顧しているんです。あのとき自分は活き活きとして自由だったと。閉ざされた空間の中で、自分は生きていた。

ところが、戦争が終わったならば、おもちゃ箱をひっくり返したような世界が始まってしまった。知識人たちは、勝手なことを言うようになってきたし、言論は自由になるし、人は人を罵倒するし、訳の分からない世界がいっぺんに来て、自分は途端に孤独になったと。自分は認められ始めるけれども、不幸になるという話を『私の遍歴時代』に書いています。

同じようなモチーフは『若人よ蘇れ』という戯曲にもあります。第二次大戦の本土決戦も間近な時期の学生寮の学生と一人の女学生の恋愛物語ですが、要するに明日のない世界が描かれる。学生寮では皆勝手なことをやっている。新興宗教に凝ったり、法律を一生懸命勉強したり……しかし明日出征するかもしれない、あるいは明日爆撃で死んでしまうかもしれない。これは、田舎に疎開していた東大の学生寮の密室ドラマなんですが、明日がなくなってしまうかもしれないけれども恋愛はあったのです。終戦を迎えたら恋愛は消えてなくなっちゃった、と。三島さんは最初からそのようなテーマを抱えていた作家です。行動と認識というものの一致への意思が見て取れる。

先程、人間は行動と認識が一致しないものだということを言いましたね。毎日われわれはいい加減に生きることによって日常的に生きられるのではないですか。現代社会の昼間の仕事において偉そうなことを言っていても、仕事が終わった帰り路では酒飲んでくだらない話をして帰るわけですから。それが自由というもので、われわれの意識はどんどん無責任に転換しているんです。つまり、意識が自由であるということは、ほぼみんな俗物だということです。偽物だということです。みんな偽物で生きていて、それを許し合う世界なんです。

それが許せないということになってくるとえらいことになります。三島さんは最後はそうだったと思います。彼が許したのは一緒に死んだ森田必勝ただ一人。三島さんが否定したのは、彼を理解していたと公言している人々です。村松剛が一番否定されているのだと私は思いました。死んだ後も理解者のように演じていましたが、村松さんが残した三島論は平板なことしか書けていません。三島に何が起こったかが分かっていません。一番わかっているような顔をして、アナウンサーのような実況をしていただけなんです。それでは駄目なんです。三島さんに拒否されたんですから。三島さんが許したのはともに行動した森田必勝一人です。全てのラディカリストはそういうものなのでしょう。

ニーチェに最後まで一緒に付いてきたペーター・ガストという哀れな音楽家がいますが、ニーチェが許したのは彼一人です。母をも妹をも許さなかったのです。ラディカリストというのはそういうもの。恐ろしいのです。孤独な魂のラディカリズムは恐ろしい。とにかく恐ろしい世界なんです。三島もニーチェも。

結局、三島文学はそこへ行ってしまったわけです。『わが友ヒットラー』という作品を読んだときに寒気を覚えました。

『サド侯爵夫人』のほうが安定していて美しいです。というのは、あの作品はサドという悪魔を舞台に出さなかったからです。間接的にしか出さなかった。六人の女性がサドをどう見ているかという、他人の義憤に対するイメージで作った戯曲です。しかし『わが友ヒットラー』では、ヒットラーという悪魔が舞台に堂々と登場する。芝居としてみるとゆとりや遊びがなさすぎるんですが、薄気味悪いほど迫力があり説得力がある。

私はこれを舞台で見ていないので、上演したときの効果は分からないのですが、ドイツでは全く扱われ得なかった観点です。ドイツでこのようなことを書くことは不可能です。つまり、この作が凄絶にリアルな印象を与えるのは、三島自身の政治参加（三島の政治参加というのは「楯の会」ですよ）、それと密接な関係があることを疑えないと私は思います。つまり自己の演劇化、自己の文学化です。認識と行動の一致です。ある時代を襲った政治的な狂気というのは、これを科学的批判の対象としてしまうと客観的に整理されすぎて、その時代を生きていた人間の真実というのは、抜け落ちてしまう。

大戦後は善玉、悪玉という通俗的な人間観がはびこっている時代でありまして、歴史への畏怖というものは消えてしまう。ドイツの作家はそのような反省ものを戦後いっぱい書きました。ペーター・ヴァイスやギュンター・グラス、ハインリッヒ・ベル、みないけません。ノーベル賞を貰っても、そんなものは何の証拠にもならない。ドイツの作家が試みたナチス批判は要するに批判なんです。批判ということは、最初からヒットラーを狂人扱いしている。だから自分の心の中の狂気というものは全然書けていない。

作品が事実に負けて文学としての独立したイメージを結ばない。ナチズムの犯罪があまりにも凶暴であったヨーロッパでは、これはどうしても避けられない宿命かもしれない。ドイツの作家が為し得なかった逆の視点を三島は提供した。自ら意識的にヒットラーの魔に取りつかれることによって時代の狂気を内側から描いています。それは狂気を客体として描くということではなくて、自らが狂気と化すことによって狂気をぎりぎりのところで意識化するということで、密閉された意識の枠を創るために、三島さん自身が自らの政治行動を必要としていたのだと、「楯の会」は文学のために必要だったのだとあらためて思います。

それはまた同時に三島さんが敗戦直前に体験した密閉された自分だけの空間。彼はこれを非常に求めていた。時間と空間の密閉された状況というものを彼が必要としていたそのことと関係があると思うのです。

五、

さて、小林秀雄さんと福田恆存さん、三島由紀夫さんとの違いについて最後に。小林さんと福田さん、三島さんとの違いは、西洋というものに対する意識の違いです。とかく日本精神の復活なんて気楽に言う人がいますが、日本的であろうとすればそれでいいというものではない。われわれの日常生活を見れば、生活文化は西洋化されてしまっているわけですから、三島さんは西洋化を突きぬけていかなければいけないと考えた。これは福田さんも同じです。徹底的に西洋化をしなければ、日本そのものには突き当たらないと。

その意味で、小林さんは徹底的な対立ということは言いませんでした。つまり日本でもあり西洋でもあるという自由無碍であったし、それがまた彼と彼ら二人との時代の違いでもあったと思うんです。

さらにいえば、もう日本がなくなってしまっているという危機感が、三島さんは小林さん福田さんよりも強かった。作家は西洋化された長編小説を書かなければいけないという強迫観念が三島さんを突き動かしていた。これは福田さんにもあった。西洋化された、西洋と同じ新劇の舞台を創らなければいけないという思いが。だから「劇団雲」を作って、ロンドンとそっくり同じようなことをやらなければいけないと、彼は思った。同時に日本人が市民劇を見に行く、それならばその前に市民社会を作らなければいけないとまで福田さんは考えていました。彼の政治発言にはその理想主義もあった。しかしそれは空しい。いかにも徒手空拳です。福田、三島共に、むなしい努力をした人たちなのです。

日本の市民社会の中に演劇を見に行く層を作ることが一人の知識人の力で出来るわけがない。しかし、はっきりしていたことは、西洋化を捨てて日本文化へ向かうということでは決してない。柳田國男にしても鈴木大拙にしても、西洋化されない純粋な日本を現代の中に求めていますね。福田さんはネガティヴに見ていました。一方三島さんはこう言っています。純粋日本の敗北の宿命に立って、その洞察力に立って純粋日本はなくなってしまったという宿命をしっかり見据えよう、と。信仰は失われた、と。純粋日本などというものは観念に過ぎない。そう言っているのです。

つまり、日本人の心はかつて対象に直に接する未分離の状態になることがあり得た。自然と自我が未分離の状態になるというようなことをよく鈴木大拙などは言います。しかしそのような状態が今ではなくなっている。痛切なまでに信仰は失われている。そうするとわれわれは徹底的に西洋を学ぶことによって徹底的に西洋を乗り越えるしか、日本化へと向かう道はないという逆説が生まれる。これが三島さんに言わせれば『豊饒の海』であり、福田さんに言わせれば「劇団雲」だったということですが、同時に三島さんは文学的な悲劇意志をそこに見ていました。彼は『英霊の声』で昭和天皇を否定しています。

戦後これほどラディカルに天皇制を否定した人はいません。なぜ否定したか。旧敵国に去勢された戦後日本の平和体制、それと現行の天皇制度が妥協しているという点が三島さんは許せなかったんです。

たしかに国体が生き延びるためにはしかたがなかったと、今のわれわれは戦後の運命を知っているからそう思います。アメリカに包容されるのは仕方がなかったと。皇室が生き延びるためにはこれしかなかったと。ですから三島さんの要求は現実離れしているし、悲劇的であらざるを得ないのですが、同じ意識は私も持っています。時代が進み、昭和、平成、令和となるにつれて彼の予言はますます憂愁の色を濃くしつつあります。

最近の皇室の様子を見ていれば皆さんもきっと同じような思いをお持ちになっているはずです。やっぱりどこかおかしい。やっぱり、やっぱり、やっぱりという思いはこれからますます強くなるだろうと想いますし、私も全体としての行方を悲観しています。

小林秀雄と福田恆存の「自己」の扱いについて

小林秀雄と福田恆存——じつは、私はお二人を並べると、歴史上の人物として小林秀雄と口をついて出てくるのですが、福田恆存と呼び捨てにするのは、非常に言いにくいのです。サッと口に出てくるのは「小林秀雄」、「福田先生」なのですね。それで「小林先生」とは、また言いにくい。年齢が違い過ぎて一度しかお目にかかってないし。というわけで、本日は小林さん、福田さんで通しますので、ご了解ください。

講演を頼まれたあと、二つの全集を引っ張り出し、あっちこっち眺めて、考えて、するうちにひょっとある発見をしました。すでに誰もが知っているありふれたことで、格別の発見でもないのですが、私はあらためてハッと気がついたのです。

小林さんは言うまでもなく、普通の歴史研究家が歴史を自己の外に置いて客観的に眺める、そういう安定した観察者ではありませんでした。歴史に向かって、批評家の個性を主張するなどというのはつまらぬことだと、折に触れて語っておられた方でもありました。

歴史はどんな解釈も拒絶して動じない。そういうものでなきゃならん。そんな歴史でなければ、評価に耐えないいんだ。自分は古人の思想の単なる演奏家であれば良いんだ、と。

そういう小林さんの覚悟は、歴史は、「解釋を拒絶して動じないものだけが美しい」という名台詞に表われている。言うまでもなく『無常といふ事』に出てくる有名な言葉です。私も若い頃から何度も目にしていて、第一、国語の教科書にも入っておりますから、皆さんもそうでしょうが目にし耳にして、いやあ、いいなあと胸を打たれていた名文句の一つだったんですが、じつは三日ほど前、これを見ていましたらオヤッと思った。

「古事記傳」を讀んだ時も、同じ様なものを感じた。解釋を拒絶して動じないものだけが美しい、これが宣長の抱いた一番強い思想だ。

（『無常といふ事』昭和十七年）

私は真ん中の「解釋を拒絶して動じないものだけが美しい」だけを気にしていて、その前後に『古事記傳』と宣長という言葉があったのを、読んでいなかったんですね。初めて気がつくという、私にとっては発見で――あらためて迂闊だった自分に驚いた、という話ではないんです。余りに自明だからそこが意識から抜け落ちていた。

これはどういうことかと考えたとき、私自身も宣長を読んでいて、似たようなことを別の面で感じたことがあったのです。ハッと気がついたというのは、かなりシビアなことを言っているつもりですね。この一語は小林さんも意識しなかったほどに裾野が広い。じつはあらかたの古代の解釈家、歴史家をほとんど全否定するような、少なくとも現代の研究家の評価を全否定するような言葉と言えないこともない。

「解釋を拒絶して動じないものだけが美しい」は、和辻哲郎・丸山眞男、それから河合隼雄。そういう人たちの神話に関する考え方というものを、ほとんど串刺しにしている言葉なのです。私はそういう一連の体験をしました。小林さんはそこまで具体的に言ってませんけども、これは、私自身も感じていたことだ、という体験をお話ししたい。とはいえ結局、小林さんに与えられたヒントに導かれてのことだったのかもしれませんが。

解釈を拒絶して動じないものだけが美しい

和辻哲郎は『日本倫理思想史』第一篇第二章のなかで、神話の中に出てくる日本の神さまというのは、天皇によく似ている。いや、現人神（あらひとがみ）としての現代の天皇によく似ていて、案外に超人間的ではないんですよ、といいます。

日本の天皇は祀られるとともに、自らもお祀りする神さまである。祀られる神であるとともに、自ら神を祀る神でもある。神話の中に出てくる神さまはみんなそうだ。それが日本の現実の世界における天皇のお振舞いとさして変わらないことに、日本神話の特色がある。そういうようなことを言います。

和辻さんは『古事記』の中から、仲哀天皇とその后の神功皇后の新羅征伐の物語を持ち出します。天照大神が命じたという意思の主体はそうなっているけれど、そこがじつははっきりしない。別の神が命令したのが本懐のようにも読める。新羅征伐という重大事を命じたのは誰かがよく分かりません。そこでは天皇の名前もまだ出していないんですね。

和辻さんは、あらかじめ結論を決めてかかっているような形で、いきなり「神の命令というものがはっきりしないのが日本の神話の神話たる所以だ」という神話論を、ほとんど詳しい説明もせずに展開します。命令を発する神というのは、日本の場合、定まらぬ神である。不定の神々の命令として人間に与えられる。「神命の通路」がそこから限定されてくる。命令を発する主体ははっきりしない。一定の神様を請わずして不定の神の命を請う、という形式を採っていることが注目される。和辻さんはそうやって、現代評論風の神話論を展開しています。

その念頭にあるのは明らかにキリスト教です。つまり命令する神。超越論的絶対者としての神が日本の神話には欠けていると。これは和辻さんが発見したわけではありませんが、今日ひじょうに流布している考え方でもあります。しかもそれでいて和辻さんは宣長の慎重な実証を下敷きにしています。それらを巧く利用して叙述を展開して、和辻さんの現代風の評論が成り立っていることを、私は両方を調べて分かったのです。

しかし宣長は、そういうことは一切言っていません。『古事記傳』の「伝」は、注釈という意味です。ですから宣長は気の利いた解釈は一切施さない。もちろん宣長は、その空洞と化した日本の神話論の構造を面白可笑しく、現代評論風にもしない。だいたい宣長の思想に結論は無いのです。どういうことをやっているかというと、ただ文献学的手続きを行うだけです。前後の関係を徹底的に調べています。煩雑になるのでここでは引例しませんが、天照大神以外にどんな神様がいて、神様の誰が何を命令したかとか、文献学的な「手続き」です。小さな語句へのこだわりと読みほぐしが叙述の大半です。したがって和辻さんのように先にパッと網を張って、「不定の神だ」なんて気の利いたことを定義してものを言っていないのです。

私は小林さんが和辻さんのことを意識しているとは思わないし、その証明も出来ないけれど、これに類するようなことを言っているのではないかと思ったのです。「解釋を拒絶して動じないものだけが美しい」というのが宣長の思想の根幹で、『古事記傳』で小林さんが感心したのはそのことではないかと、ふと思ったのです。

明治以来、西欧キリスト教を前提にして日本の神話を見ると、絶対神を欠いている我が国の神様の世界は、確かに空洞化した、或いは主体の欠落したものに見えるわけですね。

丸山眞男に「歴史意識の『古層』」（『忠誠と反逆』ちくま学芸文庫所収）という有名な論文があります。左翼だった丸山さんは晩年、日本主義に転向しました。日本神話の発想の基底にある特徴を、平仮名で「なる」「つぎ」「いきほひ」の三つのタームを手掛かりに解釈して「つぎつぎになりゆくいきほひ」であると定義して、日本型の永遠者をそこに考えます。説明は飛ばしますが、「つぎつぎになりゆくいきほひ」を日本神話の原型とします。「この無窮性は時間にたいする超越者ではなくて、時間の無限の線的な延長のうえに観念される点では、どこまでも真の永遠性とは異なっている」（むすびに代えて）と書いている。

ここで「真の永遠性」という言葉が出てくると、間違いなくキリスト教神学のことを意識していると言わざるを得ない。そして何のことはない、キリスト教的歴史意識が欠落している、それが日本だということが言いたいわけです。西洋との対比において「真の永遠性」というのがキリスト教的な神の観念で、日本神話はそうではないということを言おうとしている。これもやはり和辻さんと同じことで、前提が先にあるのです。

河合隼雄の「『古事記』神話における中空構造」（『中空構造日本の深層』中公文庫所収）という論文はよく知られています。河合さんはユング研究で名高い精神分析医です。この人もやはり日本の神話の不思議に注目して、天照大神と須佐之男命（すさのおのみこと）ばかりが重要な役割を演じているけれども、二番目に生まれた月読命（つくよみのみこと）に関する物語が『古事記』にほとんど表れない、これはおかしいんじゃないかと指摘しています。ここから日本神話の体系の中心は「空」、つまりカラッポであり、男性原理と女性原理、善と悪などの対立軸を余りにも欠いている、というようなことを強調しています。

つまり和辻哲郎、丸山眞男、河合隼雄は西洋と対比させた日本神話の原理の不在、欠落の構造ということを定義的に打ち出している。

これらは西洋文化が日本に入ってこなければ言えないわけですから、明らかに西洋に規定されて逆読みしているということになりますね。これが小林さんの言っている「解釋」ではないか。こんなことを解釈しても仕様がないだろう、というのが小林さんの持論ということでしょう。

私自身も右の三者のように、現代風めかしたキリスト教を前提とした日本神話解釈を書いたことがあるし、西洋と比較しながら日本文化における超越者の不在を定義することがままありました。でも、定義しながら定義を否定してきました。福田恆存さんも日本文化を西洋文化で定義して、またその定義を否定したりする、そういう精神の運動が常にありました。しかし、どうも今取り上げた和辻、丸山、河合の三者は、「定義のための定義」というふうに私には読めてなりません。

それが、『無常といふ事』の中の「『古事記傳』を讀んだ時も、同じ様なものを感じた。解釋を拒絶して動じないものだけが美しい、これが宣長の抱いた一番強い思想だ」……この話ではないでしょうか。ここでいう「拒絶」はこのうえなく動的な概念であって、そこに先立つ何らかの精神の運動を示唆しています。

神話というのはまた面倒な別の問題を孕んでいて、簡単に言うと、だいたい厄介な現代風な解釈を誘発したがるものです。神話は古代の政治家の創った捏造であるという津田左右吉の思想が大正・昭和の初期にありました。戦後にその思想は一世を風靡します。神話は真実そのものだという戦前の皇国史観があった事例に対抗して、神話は政治の捏造だということに一転して、それが戦後流行るのは周知の通りです。

田中卓という古代史学者がいて、それらの「真ん中」をとります。すなわち神話はどこまでも神話であるが、何らかの史実を反映している。「史実反映説」という有名なテーゼを打ち出す。一つ例をあげると、八岐大蛇の話は、島根県の斐伊川が航空写真で見ると八つに分かれて見える。支流が八つに分かれていて、そこで洪水が盛んに起こって、それが八岐大蛇の大蛇の正体なんだと。それで櫛名田比売（奇稲田姫）は「稲田」ということもあるから、田圃の神様なんだという……。この史実反映説というのは真実説と捏造説の真ん中をとって、理に堕ちた話です。

そんなことを言い出したらと、亡くなった国語学者の萩野貞樹さんは、怒っていました。ギリシャ神話なんかはどう説明するんだろう。九つも十も目のある怪物が出てくるし、それらが出て来るたびにいちいち川筋とか洪水の大小を調べたりしなければならないのかと、まぜっ返した。神話とはそんなもんじゃないんだよ、ということです。

この田中卓という先生は、古代史に通じた大家ということになっていて、先年亡くなられていますが、今たいへん困った役割を演じています。「女系天皇論」の旗振り役であると同時に、理論的根拠を示している方ということで、ある漫画家が夢中になって、彼の理論を使って宣伝していたのはご存知のとおりです。じつはこの田中卓先生は、これまでの例から分かるように、古代の精神に迫っているのではなくて、マルクス主義者ではないけれども戦後の合理的な歴史家なのです。神話は政治的捏造だという津田左右吉一派の思想に一所懸命反対をしているような顔をして、ミイラ取りがミイラになって、結局合理主義の歴史認識の虜になってしまったのが実態だと思います。

私は竹田恒泰さんという若い方と対談本を出しました。そこで女系天皇論の黒幕を暴くというキャッチフレーズで、今述べたようなことを書いております（『女系天皇問題と脱原発』飛鳥新社　二〇一二年十二月刊）。ここらでもう困った議論に止めを刺したいのです。ああいった影響で宮内庁が動きます。つまりまだ依然として、宮内庁に利用される情勢に対して、「ダメですよ」と止めを刺すのはわれわれ言論の仕事だと思います。

話は飛びましたが、現代的な「解釈」を全て諦めるということがいかに難しく、いかに大事かということを言いたいのです。どうしようもない岩盤にぶつかっていないから、ああだこうだという解釈が出て来る。

歴史の記述に真実を見る

ここで少し別の面に考えを転じて歴史と解釈、現実と言葉ということについて考察を広げてみたいと思います。私はマキャヴェリが割と好きなのですが、凄いことが書いてあります。「父親の殺されたのはじきに忘れるが、自分の財産の損失はなかなか忘れない。だから残酷という悪名は問題にせず、相手の財産や婦女子に手さえ出さなければよいのだ」

恐ろしい言葉ですよね。こんなことは世の中、普通の市民社会では通りませんよね。しかしこれは『君主論』という本の中の一文です。「君主は、君主たるべきは」と主語をはっきりさせれば、「誰か家臣の父親が殺される。そんなことは人間はじきに忘れるもんなんだ。しかし財産を奪われることは忘れないんだよ。君主たるものは、だから残酷などといわれることは気にしないで、その相手の、家臣の財産や婦女子に手を出しさえしなければ、父親を殺しても恨みは買わない」となるのです。イタリア・ルネッサンス時代の話ですが、そう読めばいいわけですね。ところがもし、「君主は」というところを除いて一般論で書いてしまうと、あり得ない話になってしまいます。

近代的な書物では小説でも文化論でも、人間の心理や道徳や性格を事細かに描くということがなされています。近代リアリズムに基づく小説、トルストイでもバルザックでもわれわれがよく知る誰彼の小説でも、みな男女の性格や心理を事細かに微妙・微細に描いて、広い層の読者に納得がいくようにする。それが普通の小説の世界ですが、人間の複雑な心理を正確に客観的に捉えるという同じ目的でマキャヴェリの『君主論』を読んだらとうていダメです。そうではなくて、君主はいかにすれば強力な国家を造りうるかという実践を教えている本だという風に読めば、見方がまるきり違ってくる。

私は『韓非子』も好きなのですが、あれもまた凄いことが書かれてある本なんですね。たとえば、国王が病に陥ったとき、王が平癒されるようにと人民が祈りを捧げました。王の病気が治ったとき、何事だと王は怒り狂いました。そのあげく平癒を祈った人民に二領の鎧の重税を課しました。どういうことかというと、人民に敬愛されるような王になったら、いつかは法が緩むであろう。法が緩んだらその国はいつか滅ぶことになる。従って人民は王を愛したりなどしてはいけない。王自らがそう言うのです。『韓非子』はこういう話が詰まっている世界です。日本の歴史にはこんな物語はありませんが、古代中国の物語にはこういう話がいっぱい出てきます。しかし今の中国の統治法、毛沢東から習近平までの政治をみると、酷薄なリアリズムそのもので、まさに似たような世界なんだとも思います。われわれのまったく知らない世界、普通の常識や、普通の近代市民的リアリズムなどとはかけはなれた世界があるということです。

つまり近代のリアリズム、正確に微細に人間の心の襞を客観的に描くというような行為が果たして、それだけが「人間を捉える」普遍的な方法になるのだろうか、というのが小林さん、福田さんがぶつかった、当時の大きな文芸評論家としての問題のひとつであっただろうと私は思うのです。

ここで小林さんの文章を読みます。

先日、僕は「大日本史」の列傳を讀みながら、こんな事をつくづく感じた。何故、こんな單純極まる敍述から、樣々な人々の群れが、こんなに生き生きと跳り出すのであらうか。何故、遠い昔の彼等の言ふこと爲す事が、僕にこんなによく合點出來るのであらう。何んと、彼等は、それぞれいかにも彼等らしく明瞭に振舞ひ、いかにも彼等らしい必要な事だけをはつきり言ひ、はつきりと死んでゐるか。それに引きかへ、現代の小說に月々新しく登場する何十人何百人の人間は、一體何處に行つて了ふのだらうか。作家等は、腕に縒りをかけて、心理描寫とか性格描寫とかをやつてゐるわけだ。而も、描き出される人達は、僕と同じ時代に生き、同じ時代の空氣を吸つてゐる人達なのだ。それが、どうして僕にあんなに解りにくいのか。彼等は、まさしく彼等らしいと思はせる樣な事を、はつきり言ひもしないし、爲もしない。彼等には、自分の星もなければ、運命もない樣に見える。若しもあゝいふ流儀が生きるといふ事なら、生きるといふ事は、何んと白晝の幻にも似た事だらう。だが、やがて、どんな死に方にせよ、はつきりと死なねばならぬ時は來る、眉に唾して。

前に、人の性格とか心理とかいふものは近代の頭腦の發明にかゝる幻だといふ事を、ちよつと申しましたが、僕は、幻に違ひないといふ事を、だんだんと信ずる樣になりました。少なくともそんなものを探つて人間の急所に到る事は出來ぬとはつきり信ずる樣になつた。無論、爲に近代小說といふものに對する興味は八割方減つて了つた。前にも言つた通り、極く少數の天才作家達がゐた。それが非常に辛い仕事をやつたのである。あとは何んでもない。幻に負けたのである。どうも、僕にはさういふ風に思はれます。誰が、自分の性格なぞを詮議する事によつて、自分の正體を摑んだでせうか。誰が、他人の心理狀態なぞを合點する事で、友を知つたでせうか。

（『歴史と文學』昭和十六年）

小林さんらしい言葉ですが、福田さんみたいなところもあると思いませんか。福田さんも確かにこういう感覚に近いと思います。

『大日本史』なんてたしかにそうですよ。紀伝体といい、その中の列伝には、歴代天皇や時の指導者の業績や失敗が長々と書いてある。相当過激な記述もありますが、そちらに人間の真実を感じれば、当然現代人のやることなすこと幻に見えます。

戦争をどう考えるか

解釈や歴史の話をしてきましたが、ここで福田さんに話を移しまして、皆さんがよく知っている、『言論の空しさ』の中の一文を読んでみます。小林さんとはまるきり違う文章です。小林さんのは昭和十六年の文章でしたが、これは昭和五十五年の文章です。対象は歴史でもなければ、小説でもありません。

「世の中は随分變つて來ましたね、二十五六年前、あなたが平和論の迷妄を批判した時と較べて……、」近頃よくさう言はれる、勿論、相手は平和論批判以來の私の仕事がその變化に多少の役割を演じた「功」を犒つてくれてゐるのである。さう言つてくれる好意はありがたいが、その「功」を私自身は一度も認めた事が無い。なるほど平和論批判の時、私の爲に援護射撃してくれる人は殆ど無く、私は村八分にされた、その頃に較べれば確かに世の中は變り、私の様な考へ方は「常識」になつたとさへ言へる。寧ろ左翼的な「進歩的文化人」の言論の方が村八分にされかねない世の中になつた。そして私は二十數年前と同様、厭な世の中だなと憮然としてゐる、その意味では、世の中は少しも變つてゐはしない。

私の平和論批判や安保騒動批判が正しかつたから、その論理の正しさによつて世の中が變つたのではない、世の中が變つたので、私の考へ方が正しかつたといふ事になつただけの話である。（中略）

防衛論の流行はソ聯のお蔭であつて、その論理の力によるものではないと言つたが、同じ事が戰後二十年間の進歩主義的平和論についても言へる。いや、戰争中の軍國主義についても同様である。當時、私は反戰ではなく厭戰であつたと書いた事があるが、それは反戰を進歩主義の象徴とする風潮に對する一種の厭味であつて、實はやはり反戰であつた。勿論、戰争を悪とするが如き單純な反戰ではなく、國家、國民の命運を賭けた戰に對する姿勢、態度の輕佻浮薄にへどが出るほどの反感を覺えたのである。「勝つてくるぞと勇しく」と高唱しながら街を往く應召兵の行列、愛國婦人會といふ名の有閑婦人會、實際には何の役にも立たぬ防空演習、すべてがお座なりの形式主義であり、本氣で戰争してゐる人間の姿も心も感じられなかつた。人〻が本氣になつたのは食ふ物が食へなくなつた戰争末期だけである。

それに引續き戰後の闇市時代だけ、人〻は本氣であつた。それからどうやら食へる様になり、それこそ雨後の筍の様に仙花紙の雑誌が氾濫し始め、人〻は言論の自由に醉ひ、平和だの民主主義だのといふ空疎な言葉を弄び出すに随ひ、敗戰は掠り傷に過ぎぬものとなり、誰も彼も輕佻浮薄に戰爭を否定し、日本の歴史を、卽ち日本人の心を抹殺して顧みなかつた。これもまた千篇一律の形式主義であり、本氣ではない、と言ふより戰後の日本人はつひに本氣といふものを喪失したとしか、私には思へなかつた。

その間、何でも西洋が優れてゐるといふ、これまた輕佻浮薄な拜外思想に振り廻され、それも本氣でなかつた證據に、國民總生產が世界第二位といふ「經濟大國」になると、再び輕佻浮薄な日本人論が歡迎され始めた。やはり千篇一律、本氣で書いたものは殆ど無いと言つていい。それまで大抵の本が外國人の引用で埋められたものだが、近頃は一夜漬けの日本古典、それも心學道話の類ひに至るまで有り難さうに引用される。いづれも流行であるが、後者の厭らしさは、戰爭中のブルーノ・タウトの亞流に過ぎず、いづれも外國人が日本を見る物珍しげな目附で日本の古典や日本人の意識をいぢくり廻してゐる事である。

すべてが流行、世相、風潮であり、外壓、相手のエラー待ちで右往左往するのみ、本氣になるのは戰爭末期、戰爭直後の食へぬ時代や「經濟大國」に生き甲斐を感じ、或はその崩壞に不安を覺える時だけである。防衞論のタブーが解けたと言つても、それはソ聯の「エラー」のお蔭であるが、何を防衞するのかと言へば、結局は豐かさの防衞に過ぎまい。

(『言論の空しさ』昭和五十五年六月)

福田さんらしい一文ですが、これは結局小林さんと同じことを言っています。「言葉の無力」「言論の空しさ」という大きなモチーフです。本気であることを示すのは言葉しかありません。しかし言葉は無力なのです。その矛盾ですね。言葉で自己を表現するのはどだい無理な話なのかもしれません。自己というのは当てにならない。だけど自己に対して正確であろうとする意志は何としても必要なのです。その意志が無いと言って怒っているのです。そして、どうしようもない日本人の現実。戦前も戦後も本当に腹を空かして右往左往するときだけ本気になるけれど、それは「動物として」本気になっているだけで、「人間として」本気になっているかどうかは分からない。

昭和が終った今だって全然本気になっていません。中国が尖閣を襲ってきたといっても本気にならないですね。もう早速、石原慎太郎が悪いんだとか野田元総理が悪いんだとか言っています。国有化と言い出しさえせずに、そっとしておけばよかったんだと。だけれど二〇一〇年にも襲って来たではありませんか。いや、もっと前から狙っていたんです。何とかして、というのが中国側の本気ですから。その中国側の本気は国有化して棚上げにする、という「棚上げ論」をとうの昔に廃棄して、尖閣は獲りに行くよと既に言っているのです。いよいよ本気になる時が来たということですが、そうなっても日本人はまだ本気にならないのです。

話は元に戻りますが、福田さんは、日本の現実は言葉の届かない世界で、そのことに絶望している。どうしようもない壁を感じている。

先の戦争だって本気じゃなかった。戦後になっても、物が食えなくなったら慌てたけど、少し経ったらすぐ忘れたと書いています。確かにそうで、『リンゴの唄』で慰められるていの悩みが、この国内にいた日本人です。戦争末期に一番辛かった日本人は、現地で武装解除された兵隊、戦地にいた民間人、外地から逃げて帰ってきた人、そして昭和天皇その人だったと思います。まさに責任というものの重圧を感じ、命を懸けた危機に見舞われていた人々です。日本にいた人は、食い物は無かったかもしれないけれど、すぐに日本が悪かったという話になって、昨日の自分を忘れたような言説があっという間に広がる。そして『リンゴの唄』で慰められ、映画『青い山脈』で騙される。

そういうレヴェルの話だったのではないかと私も思います。

いくらでも解釈できるような現実の認識ではダメで、どうやっても「動かないもの」がある、しかしなかなかそこに目がいかない。この章の冒頭で小林さんの、解釈を拒絶して動かないものの話をしました。でも、福田さんは「動かないもの」に気がついているのです。そして絶望しているのです。この国の現実は動かない。全然、何をやったって動かない。

そういう「動かないもの」に気がついているのです。次は文学論ですが、小林さんはどういうものを「動かない」と見ているのでしょうか。

嘗て「西部戰線異狀なし」といふ本が流行した時、ある作家が「大衆物も西洋のものは面白い」と言つた。私は讀んで決して大衆物だとは思はなかつた。（中略）レマルクは決して大衆と相談づくで小說は書いてはゐない。霞にかくれてゐる事實を、どうにかして人々に知らせたいと念じて書いてゐる。この念願が實によく出てゐて美しいと思つた箇所がある。

それは、主人公が休暇を得て戰線から家に歸つて來る處だ。あそこで、主人公は色々な人から戰爭の話をねだられるが、一切口を噤（つぐ）んで語らない。事實を知つた青年の眼には、事實を知らない人々の眼はとり附く島もない化物の眼であつた。私はその後、ドルジュレスの「木の十字架」を讀み、彼がその感動に充ちた小說の結末で、やはりこれと同じ、戰爭を知らぬ人々に取り圍まれた戰爭を知つた男の內心の苦痛を描き出してゐるのをみて興味を覺えた。

（『小說の問題　Ｉ』昭和七年）

「霞にかくれている事実」とは、霞に隠れた戦争の現実のことです。

私がこれと全く同じ感銘を受けたのは、フォークランド紛争を描いたテレビ映画でした。イギリスが作ったテレビ・ドキュメンタリーでしたが、私はこの話を何回か書いていて、またかと思われる方もいるかもしれません。

フォークランド紛争というのは、本当は心ならずして始まったような地域紛争でした。従って招集を受けたイギリスの青年たちも、はしゃいで戦地へ出て行く。最初カメラは、船の上で素っ裸になって水泳をしていたり、皆で西瓜を食べたりする画面を映すわけですね。そして戦場に行ったらいきなり弾丸が飛んできて、手が飛び、首が飛び、はらわたが剝き出しになり、飲めない水、泥水の中で何日もクリークに浸かるような戦争があっという間に始まる。

しかし画面はその戦場をそれ以上映さない。戦場の場面を映さないで、ドキュメンタリー作家は何を映したかというと、吃驚(びっくり)して呆然とする未亡人の表情と言葉を紹介します。「どうして死んだのか分からない……」これはもちろん反戦映画です。

そして次のシーンはアルゼンチン側の姿を映す。アルゼンチンはフォークランドから近いので、二週間毎に兵士は休暇で帰って来ます。何が起こったか。ブエノスアイレスに戻ってくると、町では子供は学校へ行き、公園で鳩が餌を食んでいる。老人が日向ぼっこをして、主婦が買い物をしている光景が見られる。兵は呆然として吐き気を催し、気が狂ったようになる。作品は青年の言葉を出して、終わっています。

戦場の場面を描くことは簡単です。何しろ映像には迫真力がありますから。戦場を凄まじく描くことに於いて、物の見事に出来るのが現代の映像技術ですが、そういうものを一切使わないだけに凄い迫真力をもって真実を示していると思って見ていました。

そしてふと続きを読むと、やはり小林さんは同じことを言っているんです。それは、言葉というものがすぐに物語を作ってしまう。つまらないイデオロギーを作ってしまう。現実や事実から目を逸らしてしまう。小林さんの文章の先を読みます。

私はよく知つてゐる、大震災當時、東京にゐた人々が皆通俗小說家になつた事を。世の中には劇はない。たゞ、出來事の重なりがあるだけだ。人々は劇といふ字を甚だ愛好するだけである。而も出來事が己れの姿を一番烈しく人々に見せつける時こそ、人々にとつてこれを勝手氣儘な劇に飜譯するのが又最も容易なのである。ましてや平常な事實に至つては、多くの人々に存在しないも同様であると言つて差支へない。

（『小說の問題　Ｉ』昭和七年）

言葉によっていろいろな話を作って、危機を逃れようとするので、後になるとその言葉が虚しくなり、それらは皆、散りぢりに消えてしまうのです。本当のことは何だったか分からない。私たちは第二次世界大戦を経験したのですが、じつはまだ終わっていないと思います。まだ本当の意味での言葉にはなっていないのではないでしょうか。戦争はまだ言葉になっていない。だからまだ語られてもいないのではないでしょうか。それ故に多くの人達が今でも口籠っています。迷っています。それはまた、大きな別の問題ですが。

以上、私が申し述べたことは、事実とは何かということに対する二人の文学者の非常に強い意志です。皆さんもそれをお感じになられたかと思います。

小林さんの場合、言葉の届かぬ世界というのが文芸を論じても非常に多く出てきます。福田さんはそうではありません。言葉が届かない世界というものを、何とかして言葉で表現しようとする足搔きを寧ろ堂々と表現するというようなところがあります。

戦争について、小林さんが「利口なやつはたんと反省すればいいさ。俺は反省なんかしないよ」と語ったという有名な言葉があります。これは座談会で言ったのですが、しっかりした論文の中にもそれに類することが書かれています。昭和二十六年の文章です。

マルクス主義文學運動の盛んだつた當時、淸算といふ言葉がよく使はれたが、私はあの言葉が大嫌ひであつた。その大嫌ひな言葉が、戰後又復活した。さういふともう放言めいて來るのが弱るのです。恐らく問題は大變微妙なのだ。前に「きけわだつみのこえ」に觸れましたが、あの本を讀んだ時、直ぐ氣付いた事があつた。が、言へば誤解されるだけだと考へて默つてゐた。

（『政治と文學』昭和二十六年）

この、「誤解されるだけだと考えて黙っていた」というのが小林さんですよね。ところがやはり福田さんは黙っていない。黙っていたところが、小林さんの長所でもあり弱点にもなることが後でだんだん分かってくるのです。

それは學生の手記に關してではない。編輯者達の文化觀の性質についての感想であつた。手記は、編輯者達の文化觀に從つて取捨選擇され、編輯者達によつてその理由が明らかにされてゐたからである。戰爭の不幸と無意味を言ひ、死に切れぬ想ひで死んだ學生の手記は採用されたが、戰爭を肯定し喜んで死に就いた學生の手記は捨てられた。その理由が解らぬなどと誰も言ひはしない。理由には條理が立つてゐるのである。たゞ私は、あの本に採用されなかつた様な愚かな息子を持つた兩親の悲しみを思つたのです。私は、さういふ親を知つてゐた。彼は息子を軍國主義者などと夢にも思つてゐなかつたし、彼自身も平和な人間であつた。戰犯が死刑になる世の中で、戰歿學生の手記が活字の上で裁かれるなど何の事でもない。それはよく解つてゐるが、そこに何の文化上の疑念も抱かないといふ事は間違つてゐると思ひます。（中略）

文化を論ずる事を好む人々が、ジャアナリズムの上で、申し合せでもした樣にやつて來た事は、私達みんなが體驗した大戰爭を、たゞ政治的事件として反省した事だ。これが五年間も續いては、異樣な感を抱くと言つても非常識とは申されまい。（中略）あれほど歴史の必然といふ言葉が好きだつた知識人達が、大戰爭は歴史の偶然だつた樣な口の利き方しか出來ないのである。日本人がもつと聰明だつたら、もつと勇氣があつたら、もつと文化的であつたら、あんな事は起らなかつたのだと言つてゐる。私達は、若しあゝであつたら、かうであつたであらうといふ樣な政治的失敗を經驗したのではない。正銘の悲劇を演じたのである。悲劇といふものを、私がどう考へてゐるかは既に述べました。悲劇の反省など誰にも不可能です。

（同）

そうではありませんか。戦争を反省してどうなるんだ、ということですよね（実際は反省は五年間どころじゃない、七十年続いてるじゃないですか）。これはたいへん決然とした覚悟のある言葉です。戦後、昭和二十六年ですから立派な言葉だと思います。「小林さんや福田さんが戦争中どうであったか」、ということも含めて大きく考えなければならないテーマです。

ここで福田さんの戦争中の文章を読んでみましょう。これも立派な文章です。昭和十九年五月です。

（乃木）將軍の運命とともに明治日本の國運が、遼東半島の尖端を一過したのである。將軍の純情とその生涯が、現在の僕たちの眼にことのほか美しく映ずるのはそのためである。
　それは明治の美しさであり、立派さでもあらうが、明治の精神のあらゆるいとなみは、つねにそのひたむきな姿勢にわが國運を背負つてゐた――むしろ自覺のないほど思ひつめたその求道のこころに。およそ運命とは、事の成否を問はず、方法の適否を考へぬぎりぎりの精神に、そのすがたを現すものである。僕は最近、滔天の「三十三年の夢」と花袋の「東京の三十年」とを併せ讀んで、明治の精神の純情にますます深く想ひをいたした。おなじ夢と幻滅と、しかもそれらを國運に沿つてになひながら、時代精神の美しさを身につける光榮に參じえたかれらの生涯は、はたして不幸であつたか幸福であつたか。
　方法論のそとで不可能と頑強に對決し、國運の波が自分の身體を流し運んでくれるのを待つてゐたかれらの心事のいさぎよさを想ふたびに、僕は現在――餘人は知らぬ、文化人とか文學者とかいはれるものの處世を願つて汲々たるすがたにみづから忸怩（ぢくぢ）たるものを覺えるのである。戰ひそのものも、また戰ひのもと文學のありかたといふやうな問題も、すでに現在は方法論の場で考へらるべきものではないはずである。僕たちは、もうこのうへは國運を信ずる以外に道はないと信じうるまでに、ぎりぎりの生活をいとなむべきであらう――運命といふものは、そのやうな窮極にまで身を沈めたときにこそ、はじめて現出するものであるから。

（『國運』昭和十九年五月）

昭和十九年はちょうど特攻が始まった頃です。小学生の私は将来、特攻隊員になるつもりでした。

あの頃の子供は皆そうです。必ず特攻隊に行くと思っていました。そう思ってはいたけれど、飛行機が落ちるときはどうなんだろうと考えたりして、恐怖で夜中に目が覚めるのです。母と別れるのだなと思い、枕を濡らすのですね。子供だからそればかりなのですね。母が「どうしたの、どうしたの」と揺さぶって起こしてくれたのを今でも憶えています。小学校三年生の時です。あの頃私は特攻隊に行くのだという自分の運命を疑っていませんでしたから。

ある時父が水戸の疎開先に来て、私を散歩に誘い出して線路端をずうっと歩いてくれて、何の話をするのかと思っていたら、「なぁ。将来、科学者になってもお国に奉公することが出来るんだよ」と。これは何を意味しているか分かりますね。父親の、親のエゴイズムです。だけども子供に特攻隊に行くななんて、そんなことを言ったら大変です。子供の心をねじ伏せることになりますからそうは言いません。科学者になれと、それがお前の行く道で、そっちの方が国のためになるのだよ、と言って翻意させたかったんでしょう。

日本はそういう戦いをしてたのですよ。ですから強かったのです。国民一丸となって戦っていましたから。これが国運ですよ、そしてまさに悲劇です。悲劇を反省したって仕様がない、というのはそのとおりです。起こってしまった目の前の現実なのですから。

芸術と批評の言葉

福田さんの同時代の文章でもう一つ良いものがあります。法隆寺が焼けたらどうするか。守るべきか否かという話から読んでみます。

法隆寺の完成せる美を基準として、現在の東京の街竝を粗雑なるものと輕侮するたぐひである。そのやうな美意識は祖先の名分に借りて、現在幾多同胞の血を流して戰つてゐる祖國に對して許しがたい侮辱を加へるものであらう。

僕はあらゆる冷たさといふものに對して猜疑（さいぎ）の眼を向けざるをえない。僕は粗雑であり、戰爭の重責に耐へ、受けた傷を祕め隱さうとしてゐる東京に限りない愛情を覺える。藝術を失ひ、美意識を忘れ、滿員電車に搖られながら毎朝職場に通ふその住民たちに深い信頼感を寄せてゐる。幾多の文化的な遺產と同列に、場末の廢業したそばや、裸にされた街路樹を愛惜する。それらは僕にとつて動かすべからざる同時代だからだ。全力を擧げて戰つてゐる同時代を叱咤（しった）する心は一體どんな心であらうか。祖先の遺產に對する敬慕と同時代に對する愛惜の念とは兩立しえぬとでもいふのであらうか。だが後者が前者のなかに溶けこんで生きるためには、僕たちの心のうちに兩者に對する愛情が何の矛盾もなく、しかも安易な妥協でなしに兩立してゐなければならぬはずである。いづれを基準として他を裁くことも許されぬ。いまこそ僕たちはそのやうな偏狹を棄て去らねばならぬときであらう。

（『同時代の意義』昭和二十年二月）

まったく高踏的ではないですよね。目線はもう高いところから見ていません。しっかり地べたから上を見ているんです。

街路樹という言葉が出てきましたが、当時は街路樹の下に四角い切り口がありまして、そこの土に野菜を植えたりしたものなんです。大豆を植えていた人もいたし、茄子を植えている人もいました。いろんな思い出がありますが、ここでは思い出に耽っていても仕方ありません。

小林さんと福田さんには決定的に違うところもまたあるのです。さきほどは余りに似ているところをお話ししましたが、お二人の決定的に違うところも挙げてゆきます。お二人は近い精神だということが互いに解って、同時に小林さんは福田さんを非常に評価していたということ、福田さんが小林さんを、比較を絶するほど尊敬していたということ、その事実は明らかなのですが、前章でふれた坂口安吾と小林さんとの対談で、坂口さんはこう言っています。

坂口　福田恆存に会った？　小林秀雄の跡取りは福田恆存という奴だ。これは偉いよ。

小林　福田恆存という人は一ぺん何かの用で家へ来たことがある。あんたという人は実に邪魔になる人だと言っていた。

坂口　あいつは立派だな、小林秀雄から脱出するのを、もっぱら心掛けたようだ。

小林　福田という人は瘦せた、鳥みたいな人でね、いい人相をしている。良心を持った鳥の様な感じだ。

坂口　あの野郎一人だ、批評が生き方だという人は。

（『傳統と反逆』昭和二十三年八月）

よく批評は生き方だ、批評は行為だ、文章を書くということは頭で書くことじゃないんだ、体で書くこと、行為なんだ、といいますが、坂口さんはずばりそのことを言っています。しかしそう簡単に言っても何かが不足していることが感じられませんか。この対談は良いですね。小林さんも福田さんを非常に評価していたことが分かります。

いっぽう福田さんの方は、いきなり「あんたという人は実に邪魔になる人だ」と言ったそうです。

そして、小林秀雄を一切読むまいと、自分の書棚から排除してしまうくらい忌避したことを書いています。それくらい対抗心が強かった、ということでもあります。

小林さんの人生と福田さんの人生の違い。その違いを明らかにするために、古希を過ぎた小林さんが若い学生の前で講演をした、あの筆録（一六九頁参照）をもう一度挙げてみたいと思います。若い学生から質問があって、「先生は若い頃から色んな仕事をなさってきて、どのような意志とお気持ちで自己の確固とした道筋を歩んで来られたのですか」と訊かれ、小林さんは答えました。

これは非常に簡単なことでしてね、自分の一生というものを振り返ってみますと、僕は計画が立たない男です。計画を立てて何かをしたということは、まずないんですよ。その場その場に解決していったものの積み重なりが、いつの間にか宣長さんにまで向いていったのです。／僕の仕事は、何か一つの感動とか、ある直覚とか、そんなものがいつでも先にあるのです。はじめに、漠然としたものかもしれないけれども、明瞭な感動があるんです。そういう感動に次、次、次とこう連なって出会ってきた。（中略）行き当たりばったり、というのが人生というものではないのかな。僕はそんなふうに思うんです。

（同）

よく「桜の大樹」ということを言いますが、そこに桜の大樹があるのを分かっていてはダメで、分かっていても桜の大樹を実際に見た時には感動するわけです。一冊の書物も、一曲の音楽も、一枚の絵画も、ドストエフスキーもモーツァルトもそしてゴッホも、小林さんにとって、パッと瞬間に見た時の桜の大樹の様な出会いであり、その時受けた感動というものをどう表現するかというのが仕事だったのです。こうも言っています。

ただ、感動から始めたということだけは間違いない。感動というのは、いつでも統一されているものです。分裂した感動なんてありません。感動する時には、世界はなくなるものです。感動した時には、どんな莫迦でも、いつも自分自身になるのです。（中略）僕の書くものはいつでも感動から始めました。だから、書いたものの中に自然と僕というものは出ているのでしょう。（中略）本当のイマジネーションというものは、すでに血肉化された精神のことではないですかね。〈イマージュ〉って、〈姿〉のことですよね。（中略）何かの姿を作り上げる時、それは必ず血肉化していますよ。

これは大事なことなのです。芸術というのは身体と関係しているということを言っているのです。小林さんは、文学や音楽や美術などとの出会いを次々と文字にしてきた。感動を文字にすることが仕事だった。例えば、ドストエフスキーの「アリョーシャを書きたい」。そんなことは出来っこありません。私も時々感じますが、「どうしても言葉が消える」ということをよくおっしゃいます。ドストエフスキーは『白痴』でムィシュキン公爵を描きますが、ムィシュキンは多く喋りませんね。周りの人物の喧騒の中で、彼の寡黙な行動と姿が語られる場面が少くありません。だから欠如体で書くということがすごく大事だというのです。

私のささやかな経験ではこんなことがあります。『ニーチェ』を完成したときにふと気がついたことがありました。多くの伝記が間違えている、と。彼が語ったことばかりを夢中になって書いているけれど、彼が自己表現していない部分に謎がある。例えば、ボン大学の学生の時に決闘をして、顔に刀傷を残しているのですが、それは普通の伝記に出てきません。それからテオグニスというギリシャの悲劇詩人のことを高等学校の卒業論文に書いています。テオグニスは貴族的な悲劇詩人で、貴族政治を礼賛して民衆をやや侮蔑するような型の詩人です。ところが卒業論文にはその詩人の残した詩の内容については一言も書いていないのです。つまり文献学的にテキストの中に詩句をどう配列するかという課題だけに夢中になっていて、ニーチェの書き残したテオグニス論は、詩の内容とか思想とかそういうことにじつは一切の関心を示していないのです。ところが大概の伝記には、逆のことが書かれてあります。ニーチェは若い時に、貴族主義的な悲劇詩人の悲劇観と専制君主を礼賛するような危険な思想をテオグニスから学んだ、というようなことさえ書かれている。そんな事実はないし、そんな馬鹿な事はあり得ません。彼の好みの詩人だったかもしれませんが、ただ文献学的な字句の並べ方だけに研究上の関心が向けられ、それ以外のことは彼は一切書いていない。

先に言ったように、言葉というのは及ばないものが常にあって、謎として残っているものが沢山あるので、本人が言っていないことや、言われていないこと、書かれていないところに目を付けるのはすごく大事なことですが、だからといって、そこにいかにもありげな言葉や自分の思想を持ち込んで埋めてしまうというのは一番問題なのです。

小林さんを見ていると、例えば『ゴッホの手紙』の最後の方になると、ゴッホからの引用ばかりになって終わってしまうところがありますね。ある段階で自己放棄してしまいます。それが小林さんのプラス面でもあると同時に大きな問題でもあるということが後年だんだん表面に出て来るのです。

小林さんは、常に感動というものをどう表すかということで、特に前半生五十代くらいまでは、そこに集中しすごくいい仕事をなされたと私は思います。感動が巧く表現されているとき、驚くような、何というのでしょうか、多くを語らない、言葉の及ばない部分というのを残す微妙さに味わいがあり、これが成功して詩人論や芸術論に頻繁に出てくるのです。

先ほど、戦争について多くを語らない姿にリアリティがあるという話をしましたが、そこのところはよく解るのですが、小林さんは芸術作品を、感動を語るものですから、ある段階で言葉を失ってしまって、いわば全てを留保してしまいます。書き尽くさないで、書かないことによって、沢山の内容を与えようという表現様式です。小林さんの成功した作品では、それが非常に良く比喩的に、印象強く与えられますが、読む者はそこに書かれてあること以上のものを読もうとするし、また書かれている以上のものが書かれているのですが、時にそこに書かれていることが、本来書かれるべき事柄よりも少ない、ということに読者が苛立つことがしばしば出て来るのです。

小林さんの作品にそういう経験をしたことはありませんか。だからいつも読者が突き当たるのは、「留保」「判断停止」「暗示」。小林さんは次々と問題を投げかけながらそれぞれの問いは必ずしも答えを要求しない。つまり解決というものは初めから無いので、問いは必ず次の問いを誘い、問題を投げかけて進むのです。そしてその言葉が途切れた瞬間、そこに光がさすという……。その時、もはや小林秀雄が語っているのではなくて、小林さんが対象としている世界が声を上げている、というような印象に襲われることが少なからずあります。つまりわれわれ読者は読むのを止めて、暫く放心するような思いに誘われる。これは特に『モオツァルト』がそうだし、ドストエフスキーの『「罪と罰」について』には典型的にそういう印象を持ったと私は記憶しております。これらが「解釈を拒絶して動じないものだけが美しい」という、一番成功したケースであるとも言えるわけですね。

だけれど逆に、今度はそのことが読者にとっての不満になってくる、という問題が現れるのです。

この点について、沢山の人が批判を述べています。例えばドイツ文学者の高橋義孝さんは、小林秀雄は昔から作品に「うま味」を出したいために「不可知論」を言うのだと批判します。「解釈を拒絶して……」などというのは、要するに文章の味を出すための洒落に過ぎない。それにイカレてる小林ファンは愚かだ、ということを言っています。

文芸評論家の中村光夫さんも、小林秀雄の文学においては、心の奥底の暗黒に何とかして光を当ててみたい、という欲求は最初から捨てられている。暗黒に触れようとしないで、ただその存在を文章で暗示するに常に留まっている。何だか食い足らない。そしてそういう書き方が齢と共にだんだん固定化したことが問題だと批判します。そして次のようなことまで言っています。

「『作家の思想は書くことによって育つ。』と氏はドストイェフスキィを論じて云いますが、そういうことが云えるのは、彼の思想が、これを奥底まで言葉に云い現わそうとする努力で、ゆさぶられ整理されることによってです。（小林）氏の場合は、その不可能への試みが最初から抛棄されている結果、思想が固定されたものになり、外面はいつも新しい対象にたいする新しい熱情に燃えているように見える氏の評論が結局思想的に云えば同じパターンの繰りかえした適用になるのです。／このことは（中略）彼が一生をかけて追求する問題は結局ひとつだということと少し違うので、いわば繰返しを極度に嫌う知性が、その構造の必然から、繰返しを強いられる地点に達したということです」。そして、その原因は、小林氏の「思想のパターンが、それ自身さまざまな事象に応用がきく性質のもの」だからだというのです。

これは凄まじい批評です。ある意味そう言われても仕様がないところがあるのは、あまりにも多くの天才を材料として扱い、それら多様な対象に「乱取り」というか、つまり歴史的な必然や研究意識を捨てて自分の巧みな表現と、「感動を伝える」と称して、その感動を伝える言葉が齢と共にだんだんワンパターンになってくる様なことから、こういう批判が出てきたと言えるでしょう。では福田さんがこの点についてどう言っていたかというのは、大変面白く、皆さんにお目にかけようと思いますが、今度は福田さんの小林批判です。これまた痛烈です。

かれの天才主義は、天才を祭壇から引きずりおろして背廣を著せようとする近代理智のけちくささを輕蔑してゐる。が、そこにはまた、天才を自己保證に借りてこようとする危險がないとはいへぬ。（中略）

かれは十九世紀小說や私小說のうちに、ほとんど救ひがたい近代自我の限界をみとめたのであるが、そこから二十世紀への血路を見いだすことができなかつた。現代の凡庸性のうちにではなく、過去の天才のうちに身をかくした。かれは自己の索引に天才を必要としたのだ。（中略）

小林秀雄は現在を棄てて、ヨーロッパの天才のうちに、そして日本の古典のうちに、身をかくした。その底部に、かれは不連續のもの、永遠に確乎不動のものを發見し、それに感動することを願つたのだ。

しかし、いかに病的であつてもこの二十世紀を、いかに低俗であつてもこの現代を通ぜずして、ぼくたちははたして歷史の底部にまで貫徹しえようか。見えすぎる眼がどうして現代のドラマを見ないのか、鋭い感受性がどうしてその苦悶に感動しないのか。それはくだらぬことかもしれぬ、まちがつてゐるかもしれぬ。が、たとへさうだとしても、ある時代がある時代に優つてゐたり劣つてゐたりするわけのものではない。現代の苦悶がもしくだらぬものならば、室町のそれも十九世紀のそれもくだらぬのだ。長篇ひとつに盛りこめるほどのドラマを密室に埋めてしまつた小林秀雄の眼に、なぜ現代の凡庸人の苦痛が尊く映じないのか。

（『小林秀雄』昭和二十四年四月）

これはつまり、政治にも現代社会にも発言をしない小林さんに対する苛立ちでもあり、怒りでもあるのですね。実際、ある時まで戦争のこととかを書いたけど、途中から殆んど書かなくなりました。そして、小林さんは福田さんにこう言ったそうです、「きみは政治について発言した方が良いんじゃないか」。これは福田さんから私が直に聞いたことです。

「私にそう言ったんだ。『君は才がある。君はそれをやれ』人をそそのかしておいて。で、会うたびに『お前は何てくだらないことをやってるんだ』って言うんだ……」

くだらないというのは例えば、福田さんはたくさん論争をしますが、小林さんは、それを「くだらないことをやってる」と喜んで、常に読んでいると。人をけしかけておきながら、自分はやらないと（笑）。

小林秀雄に處世術を見ることはできぬ。實情は、かれがたかをくくりすぎたことにある。かれがたかをくくりすぎた原因は、かれの眼があまりにみえすぎたといふことにほかならぬ。かれは物がみえすぎて法のつかぬ眼に、みづからたのみすぎたといふわけだ。心理家のおちいるわなである。（中略）

小林秀雄は女に懲り、人間にたかをくくる。かれは現實を白眼視し、自我に愛想をつかす。自我が橋を支へるにたりぬ、やくざなしろものとひとたび見きはめた以上、かれはもう懲り懲りしてしまつて、そこに橋をかけようとはしないのだ。たしかにむだと知りながら、懲りずになんどでも手をだすのは愚かであらう。が、物理的運動とはつねにさういふものなのだ。少さ深刻にいつてみれば、その愚かさが人間の宿命なのである。小林秀雄は聰明すぎるのだ。早熟であつたかれは、現實からあまりに早く足を洗ひすぎた。

（同）

これは当たってますね。小林さんが「たかをくくる」というのもそうかもしれない。文壇で小林さんは神様みたいな人になってしまったから。でもこの両雄の激しいぶつかり合いは凄まじい。面白いですね……。『小林秀雄』は昭和二十四年です。でもそうは言っても福田さんは『本居宣長』を大変評価しています。けれど私は、小林さんの一番の失敗作は『本居宣長』だと思っています。つまり、小林さんの欠点が全部出てしまった一冊だと考えています。そう思いませんか。あの本は退屈です。というのは、ここで言われていたことの大きな人生の錯覚のゆえに、穴に落っこちてしまったのです。あれだけの大著でありながら、全部小林さんのモノローグなのです。小林さんの独り言です。歴史とはそういうものではないでしょう。やはり大きな尺度でもって見なければダメでしょう。

小林さんは一切の比較を拒絶します。一切の見取り図を拒絶します。歴史の中に対象を置こうとしません。だからあの大著に書かれていることは何時代だかよく分からないのです。江戸時代だろうけれど、江戸時代がどういう時代なのかも分からない。当時の世界がどうだったのかも書いてない。要するに小林さんは、一切外の知識を書かないわけです。それでモーツァルトは書けるかもしれない。短いから。『実朝』も『平家物語』もうんと短い。みんなポエムです。でも『本居宣長』はポエムではありません。

私の『江戸のダイナミズム』は『本居宣長』に対する秘かな挑戦なのです。気がつきませんでしたか。なぜか。私は思い切って地図を広げたからです。西洋と中国と日本の江戸時代とを全部比較したのです。この非才の身で。そんなことは普通してはいけないし、出来ない話です。西洋古典文献学と清朝考証学と江戸の儒学・国学を全部ひっくるめて、大きな射程の中に置いて本居宣長と荻生徂徠を論じたのです。こんなことが出来るのか？　やったのです。出来ていないかもしれませんが、やろうとした。すべて小林さんに対するアンチテーゼです。どうせ風呂敷を広げるのならば、うんと大きくやろう。比較をするのならそれしかない。

だいいち江戸時代、徂徠・宣長の生きていた時代というのは、イギリスがオーストラリアを占領して、インドを支配し、刻々とアジアは侵略されている時代なのです。そういう激しい時代の中に何があったのか。そのことについて小林さんは一切書いていません。書かなくてもいいが、空気すら伝わってきません。

宣長は江戸時代という時代に相当自信がありました。それは当然なのです。日本は稲穂の国で中国の社会などどうしようもない。とにかくあの時代日本は、最も豊かな国であって、江戸は世界に冠たる大都会だった。パリよりも、一面遥かに立派な都市でもありました。そういう宣長の自信というものが滲み出ているのですが、それをはっきり分からせるには、やはり比較という方法を使わなければ書けません。十七‐十九世紀は世界中いたるところで「神」の位置が大きく揺れはじめた時代で、宣長の探求は地球全体の構図の中で何であったかが示されねばなりません。やはり「比較」は避けて通れません。ただのモノローグでは書けないでしょう。宣長に対する愛情の告白記では、宣長の客観視は出来ないではないですか。それが私の小林さんに対する唯一の不満で、私はとどめを刺したつもりでいます。というのは冗談としておいて。

「自己」の扱い

小林さんが果敢に、人生を内に籠って生きたのはなぜでしょうか。一方なぜ福田さんが外に向かって果敢に生きられたかというと、福田さんは実行家なのです。劇作家として実作者なのです。それから劇団の経営者として社会人なのです。つまり文壇の主ではなかった。社会的に生きた人だったのです。だから日本の政治にも我慢出来なかったのですね。現実と渡り合って戦った人だからです。福田さんのその理由が何かは後で述べます。

小林さんの自我について、なぜ小林さんがそうなったのか。身体（からだ）ということを言っていましたね。批評家で身体と言ってもどうしようもありません。福田さんは行動家でしたし、三島由紀夫も身体ということが大きな問題でしたね。ですから最期は本当に身体というところに行ってしまった。小林さんは非行動家でありながら身体ということを言います。それは「意識」というものに対してどう考えていたかということでもありますが、小林さんの思想の根幹には意識というものは最も無力で二次的なものだという自覚があります。意識から寧ろ失錯が生じる。人間は意識を所有していると思うために、ある意味では努力をほとんどしなくなったりして、本能の働きが失われてしまったりするのです。彼の言語観の根幹にこれがあります。

小林さんに『スランプ』という面白いエッセイがあります。プロ野球の豊田泰光選手との対話が題材です。野球が下手なうちなら意識的な努力があるけれど、上手になった頃にスランプという始末に悪い病気に襲われる。肉体というものが自分の物でありながら、自分のいう事を聞かない。人から指摘される欠陥はよく分かっているし、自分でもいろいろやってみるのだがどうしようもない。

やむなくそこで立ち停ってしまう。で、あとは待つだけだと。そこで小林さんは相槌を打った。これは他人事ではあるまい。職業には職業の馴れというのがあるので、意識の整備のために精神を集中するというのはさして難儀ではないが。さりとて、批評家としても、物書きとしても、そういうことが出来た後には何をすればよいか。ただ待つのである。何処かしらから着想が顕れ、それが言葉を整え、私の意識に何かを命ずる。

これは「言葉と身体」の微妙な関係をよく論じています。意識によって得られるものには限界がある。だから何かを追求するとか、意思するとか、見るとかいう意識を逆に追求しない。そして意識を抑える。見ない。努力しない。自分を放棄する。その方へ働く心を鍛錬するという志が小林さんの中にはありますよね。これは彼のそういう意思や考えと強く関係があると思います。

私も思うのですが、人生の大部分は、意識されること無しに営まれているものです。私たちの生で、私たちが意識するのは「表面」です。そしてそういう意識が大きくなることは危険でもあり、ある意味では病気でもあります。自己意識というものが自己表現を生んで……、だから大概が病気になってしまう。われわれはあらゆる生物、動物と同じように大概のことは知らないで生きているのです。それでいいのですが、人間だけは考えるということをする。そこに間違いの生じるきわどさがある。そういう人間の在り方みたいなものを乗り越えるには、名人芸が必要だということは、よく言われることとですが、小林さんの文章でもう一つ『私の人生観』から読みます。

武藏は、見るといふ事について、觀見二つの見樣があるといふ事を言つてゐる。細川忠利の爲に書いた覺書のなかに、目付之事といふのがあつて、立會ひの際、相手方に目を付ける場合、觀の目強く、見の目弱く見るべし、と言つてをります。見の目とは、彼に言はせれば常の目、普通の目の働き方である。敵の動きがあゝだとかかうだとか分析的に知的に合點する目であるが、もう一つ相手の存在を全體的に直覺する目がある。「目の玉を動かさず、うらやかに見る」目がある、さういふ目は、「敵合近づくとも、いか程も遠く見る目」だと言ふのです。「意は目に付き、心は付かざるもの也」、常の目は見ようとするが、見ようとしない心にも目はあるのである。言はば心眼です。見ようとする意が目を曇らせる。だから見の目を弱く觀の眼を強くせよと言ふ。

今日、史觀とか歴史觀とかいふ言葉が、しきりに使はれてゐるが、武藏流に言ふと、どうもこれは觀といふより見と言つた方がよろしい様だ。歴史觀といふ言葉は、或る立場からする歴史の批判或は解釋といふ意味に專ら使はれてゐるが、觀といふ言葉には、もともと或る立場に立つて、或る立場に賴つて物を見るといふ事を強く否定する意味合ひがある、現實の一切のカテゴリカルな限定を否定して、現實そのものと共鳴共感するといふ意味合ひがある、といふ事は既にお話しした通りです。

(『私の人生觀』昭和二十三年講演、二十四年刊行)

つまり、意識というものを放棄するということがものに悟達する道だということです。深く熱く語っておられますが、それが小林さんの自己の扱いの一つであることは明らかで、これは本章のテーマでもあります。

では福田さんはどうだったのか。小林さんの様な自我の扱い方をしなかった人だと私は思います。やはり自己は問うているのです。小林さんと同じです。自己表現の不可能というものをどちらも絶えず自覚している方々です。違うのは、福田さんの方が、小林さんよりも自己を断念する意思が激しいのではないかということです。私は若い頃この関係を逆に考えていました。しかし時間が経つにつれ、福田さんの方が禁欲の感覚が鮮烈ではないか、と寧ろ思うようになりました。自己と他者との関係の断絶。伝達の根源的な不可能。そもそも相手には伝達できないという不可能の自覚。福田さんの文章にそういう悲劇性をつねに強く感じませんか。

自己表現に潜む他者支配への欲望の救い難さ。どんな人も自己表現を持っていますが、それがじつは他者を支配するという欲望と切り離せない関係にあるということを、文学者や社会科学者の中に見ている。政治家も企業家も芸術家も教育者も、皆それぞれ何らかの行為につながる自己表現を行っています。文学者は言葉をもって自己表現をしますが、それ故に自己欺瞞を最も犯しやすい存在です。

文学者が自己表現をするためには、自分を超えた何かを持つことが必要である。神であれ歴史であれ、何かを信じていることが必要です。小林さんも同じです。

自我ではなくて自己。或いは自分を超えたもの。それは身体を超えている何か、身体を支えてくれている何か或るものであって、自我と自己とは別なのです。自我というのは主観的なものですが、ここで言う自己というのは主観でも客観でもなく、主観・客観を超えて自分を動かしてくれる大きなものです。黙っていても、目を瞑っていても自分が動いてゆくものが自己です。しかしわれわれが意識している世界は自我です。そういうものは小林さんも追求するのですが、福田さんはその場合、考え方は同じなのですが、小林さんにはそういう自己表現に、表現者の権力意識・意思を読むという発想はありませんでした。

それは福田さんがロレンスの『アポカリプス論』を潜り抜けて、エゴティズムの悲劇というものを知っていて、キリスト教の主題に接近し、小林さんよりも西洋的であり、倫理的であり、かつ論理的であった、ということと関係があるのではないかと思います。ですから政治や国際問題を論じる言論人の自己表現に対しても、福田さんはしばしば自己欺瞞を見抜いています。特に言論人や社会科学者が、客観的公正を装ってものを書きながら、実は主観的欲望を表現しているだけではないか、というようなところに着眼する目のつけ方は鋭かったし、数とムードに頼って自分を隠蔽する言論人の修辞、自己表現のレトリック、そういうものに対しても非常に厳しかったし、自己弁明であることに気がつかない自己正当化、そういう論理にも厳しかったのです。

福田さんも小林さんも、人は何かのために自分を捨てていかなければならない、そういう断念への意思が常にありましたが、福田さんは敢えて政治発言にそれが向かっていったのは明らかです。政治発言にあっても福田さんの場合は、そうした倫理というものが時代主潮に対する秘かな怒りとなって燃え上っていたと私には思えてなりません。

福田さんに『西欧精神について』という文章があります。そこに福田さんの真骨頂があると思うのですが、ポイントだけ一寸ご紹介しておきます。平生私たちが用いている言葉というのは西欧産のものであって、キリスト教の精神というものが背後にあるのだが、それに気がつかないだけだと。それについて自分は書きたいと言って、西欧の精神を書いています。

私たち日本人には、絶對性といふ觀念がない。したがつて、絶對神など、馬鹿馬鹿しいと思ふ。神だの絶對性などといふことは、照れくさくて口にだせないのです。超自然といふのも、お化け以外にはありはしない。そのお化けも、實は大いに實在的です。(中略)
同様に、絶對といふのも、元來、超自然のものであります。なぜなら、自然界のもの、この世のものは、すべて相對的であります。黑があれば、かならず白がある。自我があれば、他我がある。生があれば、死がある。空間的に見れば、あらゆるものは部分であり、不完全であり、したがつて、すべてではない。時間的に見れば、始めあり、終りあり、變化流動してやまず、したがつて、永遠ではない。それが相對の世界といふことですが、絶對といふのは、その相對の世界にあらざるもの、すべてであり、永遠であるもの、つまり、この世には在りえないものであります。ですから、スターリン主義を絶對主義といふのは、元來、この世に無い絶對的性格を、この世に在る相對的存在たるスターリンに賦與したといふことです。絶對そのものが惡いのではない。相對的なものを絶對としたことが惡いのです。（中略）

　さて、日本において、超自然や絶對の人氣が惡く、それがもつぱら誤用や轉用においてしか通用してゐないといふのは、私たちにその觀念がないからでありますが、だからといつて、私たちにその要求がないとはいへない。絶對にたいする要求があればこそ、しかも、その絶對がないために、しかたなく相對的なもののうちに絶對者を見いださうとするのではないか。その好例が江戸時代における公方様（くばうさま）であり、また全日本史を通じての天皇の存在であります。

　日本の歴史學者には公式的な考へかたが支配的ですので、「天皇制」といふことも、あるいは明治の爲政者が自己を權威づけるためにでつちあげたものだとか、あるいは長いあひだ日本人にしみついた封建的性格のためだとか、あるいは神道がいけないとか、いろいろに説明をしてをります。が、それだけで、説明はつきますまい。絶對神のない日本では、つねに相對の世界のなかで具體的な人格に絶對者を求めようとする心理があるのではないか。その慾求は、おさへてもおさへても、隙をねらつて盛り上つてくるでせう。

　私自身はもちろん「天皇制」には反對です。が、その理由は、天皇のために人民が戰場で死んだからといふことではありません。私と同じ人間を絶對なるものとして認めることができないからです。だからといつて、天皇を絶對視する「愚衆」を、私は單純に輕蔑しきれません。少くとも、絶對主義を否定し、相對の世界だけで事足れりとしてゐる唯物的な知識階級よりは、たとへ相對の世界にでも絶對的なものを求めようとしてゐる「愚衆」のはうが信賴できます。

いや、絶對主義を嫌ふ知識階級そのものが、はたして額面どほり相對主義者かどうか。かれらには絶對への要求がまつたくないのだらうか。そこが疑問であります。金が絶對になつてゐはしないか。金といふと聽えがわるいが、物質が、よりよき生活が絶對になつてゐはしないか。知識や眞理が絶對になつてゐはしないか。藝術が絶對になつてゐはしないか。勞働が絶對になつてゐはしないか。もし、さういふものを絶對とする要求があるとすれば、天皇を絶對とする人たちを否定することができなくなります。

（『西歐精神について』昭和三十二年一月）

結局福田さんは、ロレンスあるいはニーチェなのです。これは、「神様はいない」と言っているのです。神がいない世界で神を求める、つまり全て相対的だから、何か相対的なものを絶対化する。これはハイデッガーが『ニーチェの言葉「神は死せり」』の中で、神が死んだあと、結局人類は万民のための幸福とか技術とか或いは進歩とか、物質生活、そういったものを神としているではないか。いろんな観念を神にしているではないか。と言っていますが、同じ方向ですね。

非常に難しい大きな問題に入りますが、福田さんの場合はロレンスなのでしょうけれど、ロレンスとニーチェは親戚みたいなものです。ロレンスの『アポカリプス論』は、ニーチェの『アンチクリスト』から発した思想で、『アンチクリスト』がキリスト教そのものの否定、聖パウロ以下を全部否定しているのに対して『アポカリプス論』は、黙示録を書いたヨハネだけを否定しているという、信仰に対する考え方に微妙な違いはありますが、根幹は似ていて、非常に強くキリスト教に対しての懐疑があります。懐疑があるけれど、同時に非常に西洋的でもあるのです。神の不在に対する立ち上がり方、ドラマが福田さんにもあります。

　では小林さんにあるかといえば、ありませんね。小林さんにこういうドラマは無いと思います。天皇の事についてもこんな事を言ったことはありませんし、神道や日本の文化や言語、そういう世界や文学を深く強く信じています。信じ過ぎていることにかえって別の問題があるのではないかという風に考えてみたことはありませんか。

　しかし福田さんは文学の世界を信じていないのではないか、と思うときがあります。福田さんにとっては全てがフィクションです。国家もフィクション、文化もフィクションです。人間の世界で創られた世界、というのが福田さんの根幹にあります。そのことを示す言葉が、『批評家の手帖』に出てきます。言語論です。ここで「神が無い」ということを言っています。本章は言葉の問題から始まりましたが、最後はここに辿り着いています。三百くらいの短章を並べたものの中から選びました。

五十七

私たちが言葉を與へてゐるもの、言葉を與へて名づけうるもの、それらはすべて存在しないものである。存在するのは、ただ言葉だけなのだ。名づけられて言葉をもつてゐるもの、それらの事物はすべて言葉によつて初めて存在せしめられたものである。それなら、言葉の助けを借りずに存在しうるものはないのだらうか。それは在る。在るはずだ。それが在ると信じてゐればこそ、私たちはあらゆる事物が言葉の助けなしには存在しえないことを知つたのである。

言葉の助けを借りずに存在しうるものは確かにある。だが、それはただ單に言葉の助けを必要としないのみか、言葉に助けを求めてはならぬものなのである。それは名づけられぬものであり、名づけてはならぬものなのである。それは「存在」そのものである。

五十八

さう言ひおいて、私たちはただちにその言葉を廢棄してしまはなければならない。さもないと、それはふたたび「存在」といふ言葉の虜（とりこ）になり、その助けなくしては存在しえないものに、すなはち言葉だけしか存在しないものに成りさがるであらう。かつての「神」がそのいい見せしめである。

五十九

「神」も「存在」も、私たちにとつては認識しえぬものである。認識するに最も値するものにたいして、認識は全く無力である。言葉を最も必要とする領域にたいして、言葉は全く無力である。

六十九

人間は生れると同時に、それぞれの國語が形造つてゐるそれぞれに異つた世界に登場する。私たち日本人は自然のなかに住む前に、日本語といふお伽話（とぎばなし）の世界の住人なのである。私たちは登場人物であつて、作者ではない。言葉を操るものではなくて、言葉に操られるものなのである。そして、言葉はつひに言葉だけのものでしかなく、實體のないものであるとすれば、また自然は言葉をもたぬものであるとすれば、私たちは終始言葉のなかにだけ住み、言葉が織りなす劇の登場人物に過ぎぬのであつて、この舞臺を去つて裸のまま裸の自然の中に出て行くことは出來ぬのである。

（『批評家の手帖』昭和三十四年一月〜十二月）

日本というフィクションの中にわれわれは生きている。日本と日本語というフィクションの中に日本人が生きている。これは本当にそうですよ。私たちは日本語という世界に閉じ込められて生きているのであって、私たちの意識や感性や考え方も全て日本語という中にあるのです。これは外国で暮らし、外国の世界を見聞したら直ぐに分かることです。例えば外国語を知らなくても、台湾に行ってごらんなさい。中国語が飛び交っていますね。飛行機に乗ると中国語のアナウンスが聞こえてきます。そうすると、中国語の音というのは、あの漢文の漢字の並び方なんですよ。すべてはあの音とあの漢語の世界として存在しているのです。人間もその言語の内部にあるのです。私たち日本人とは全く違う懐の中に生きているのです。

そしてこの日本語という言語は使用人口が世界で十番に入る大きい言語で、決して小さな言語ではありません。そしてその言語伝統というのを福田さんも信じている。伝統というものを信じていますが、信じながら否定していますね。信じていない面もある。小林さんは完璧に信じていますね。日本語というか日本文化というものを小林さんは心から信じている。そしてその中で、ある程度心の静かな安らかさを感受している賢者として生きた人だと思います。

しかし、福田さんはもっと不幸で、もっと問題意識的であって、もっと闘う人であって、もっと現実と張り合った人であり、従って政治にも我慢できなかったということが言えると思います。でも福田さんと小林さんの間には深い信頼関係があって、しかも福田さんは最後に小林さんに脱帽していますね。それは私がさっき否定した、小林さんの『本居宣長』にぞっこん惚れ込んでいて、『本居宣長』について最後に二編くらい文章を書いていて、もう本当に私のために書いてくれた本だなどと言っている。そこまで惚れ込んでいるのです。私はそんな風にはとても思えませんが。

小林秀雄と戦争、福田恆存と戦争

最後に戦争の話を。私は、小林・福田両氏に不満であるということ、特に新しい現実の物の見方ということにおいて、不満であるという事をお話ししておきたいと思います。

戦前に生まれ、戦後に通用してきた保守思想家の代表が小林・福田です。私も戦前に生まれ戦後に育ちましたが、やはり世代が違う。両名の他にも同じ世代の思想家はいて、彼らはとかく戦後の考え方を批判してきました。そして否定してきました。しかし、戦後的価値観で戦後を批判する域を出なかったのではないか、ということに常々疑問を持っています。

戦争責任について小林さんは「反省なんかしないよ」と言いました。福田さんも戦争責任なんて無いと言いました。その通りだと思います。でもそれは戦後の話ではないですか。戦争に立ち至った時の日本の運命、国家の選択が正当であったか、正当でなかったか。果たしてこの両名は問いましたか。自己責任を持って世界を見ていたあの時代の「一等国民」の認識をもう一度吟味しようとなさいましたか。これをもう一回やらなければ、米中の狭間に立ち竦む現在の日本の立ち位置は危ういことになるのですよ。

それは勿論、戦前の思想の全てを無差別に正しいとすることと同じではありません。しかしそこが難しい。決して戦前が正しくて、戦後が間違っているというようなことではありません。その逆も同様です。もう戦前と戦後の対立や区分けを止めて、全部一繋がりに切れ目の無いものとして歴史を見る時期が来ているのではないでしょうか。

例えば大川周明の『日本二千六百年史』（昭和十四年刊）は鎌倉時代の成立を革新として捉えたために「不敬の書」であるとして、蓑田胸喜（みのだむねき）らの批判を浴びて東京刑事地方裁判所検事局思想部に摘発されました。鎌倉時代は武家が活躍し、皇室への反逆の時代であるが故に低く見られて、しかしそれが一世を風靡していた歴史観だったのに、大川周明は、武家の時代であるが故にこれを高く評価したので不敬だという信じられないような価値観が支配していました。

戦争の時代には戦争の時代特有の歴史の見方があり、論争があったのです。ベストセラーもあれば激しい議論もあったのです。歴史論争もあったのです。神勅によって確定された天壌無窮（てんじょうむきゅう）の皇統を仰ぎ奉り、ひたすらそれに忠義の心さえ唱えればいいというのが、文部省刊の『國體の本義』の思想でした。これは国民の主体性や個人としての役割などは求めなくてもよい、という思想だったのです。

それに対して、例えば大川周明は批判的だったし、『國體の本義』では総力戦も戦えないと多くの知識人が反論していました。軍人たちの精神涵養さえ出来ないじゃないかと。我が国体は何らの理由無しに尊いのではなくて、国民の個々人の主体性、意思により、関与があって初めて成立するものであって、臣民たる分際を静かに守っていればそれで良しという、静的な日本人観ではダメだと。それでは武人の存立を、自立を尊重する日本人観は育たないと。そういう反論が巻き起こって、激しい論争がありました。山田孝雄（よしお）や平泉澄（きよし）たちも、こういう論争に参加しておりました。

小林・福田両氏はこの議論を知っていたはずです。しかも先ほど紹介した小林著『歴史と文学』

は昭和十六年に出ているのですが、これはまさにこの時に盛んに行われていた論争です。小林さんは唯物史観だけを批判していますが、この大きな論争に全く一言も触れていないのです。賛成・反対も言っていない。福田さんも同様です。福田さんは確かに齢が少し若かったのかなとも思いますが、どうも齢だけの問題ではないのではないでしょうか。

つまり、歴史は敗戦で切れていない。繋がっているということです。もう一つ言えば、私たちは、戦争は悪であったという前提で戦後史を支配されていて、その前提の上に小林・福田の思想は成り立っています。戦争は悪であった、それ故に一切沈黙することで小林・福田は守られてきました。そうではないでしょうか。佐藤松男さんの紹介された『朝日ジャーナル』の福田さんの発言(註)はそれへのかすかな疑問の始まりだったと思います。だからもう、その時代は終わったのですね。

あの戦争は悪だったとか言う前に、あの戦争は成功か失敗かの何れかを問わずに、避けることのできない国民の必然であったとするならば、善も悪もありません。その時我が国民が戦争に参加し、合理的な選択をしたか、しなかったか、ということ。誰が一番合理的な判断をしたのか。戦争が悪だったから、戦時中、戦争に協力した人は全部悪だったのでしょうか。そうじゃないでしょう。陸軍・海軍に協力した知識人、言論人も必死に生きていたはずです。結果として戦争は悪とされたけど、彼らは善悪を超えて生きていたはずです。そして今になってみれば、「善でも悪でもない」のですから、何が一番合理的な、あの時の日本人の、たとえそれが失敗で敗北だったとしても、誰が一番あの時、国民のために生きて、合理的な道を選ぼうとしていたかを判断するのが、これからの課題ではないかと、またそうであるべきだと思います。

小林さんも福田さんも、戦争責任だとか、反省だとかいうことを否定しました。そして反省して歴史を変えられると思っている戦後の多くの愚論を戒めてきました。それに対しては確かに峻厳だったのですが、そこから先が無いのです。それ以前も無い。「それ以前」とは、戦時中、我が国の選択は何が正しかったのかを問い詰めるべきということですが、それを問うことをしていないではないですか。それを問うことが無いと、「今」何が正しいかも本当は分からないはずです。反省とか戦争責任論の虚妄を突いていることは良いのですが、そこで止まっています。

あの時代の日本の選択、開戦に至る必然性。戦争指導の理想的あり方が他にあったのか、無かったのか。全部悪だったのか、全部失敗だったのか、そうじゃないでしょう。他に可能性があったんじゃないか。

例えば、私が追究している仲小路彰(なかしょうじあきら)は、東條内閣より協力を要請されましたが、後に東條に憎まれて危険を感じ山中湖畔に遁れました。彼は昭和十二年(一九三七年)に退役した元海軍大将、末次信正と組んで、インド洋に打って出て、米軍の攻撃を避ける具体案を提言しました。昭和十三、十四年までは、アメリカとイギリスは別の外交政策をもつ別の国と思われていました。「米英可分」で分けて考えられていました。実際に昭和十四年くらいまでギリギリそうでした。その段階でアメリカの難を避けるためには、インド洋に打って出て中東で南下してくるドイツ軍と手を結んで、アメリカのソ連への物資援助を絶つという戦略は合理的だったのではないですか。アメリカは中東へ出た日本軍を背後から襲う根拠はありません。それは出来ません。そうなのです。あの時、ルーズヴェルトは戦争をしてはいけないというアメリカ国民の全反対を背負っていたのですから。

しかし日本は結局ルーズヴェルトの罠に嵌まったというのは愚かな話で、何で太平洋に出て行ったのかということです。インド洋に出ていけという声があって、これは大本営の中でも大きな流れだったのですが、あっという間に真珠湾攻撃になってしまったではありませんか。この愚行への流れがどうして決定的になったのかという歴史の解明はまだなされていません。

日本にどういう選択の道があったのか。陸軍や海軍に協力した知識人の思想は、全部悪だったのか。そんなことはないでしょう。善もあれば悪もあるでしょう。何が正しかったかなんて簡単には分からないのですから。一所懸命努力した人たちのその物の見方というものは、今日に生かすべき多くの輝きを持っていると私は思うのですが、そのことを問うことは戦後一切されていません。そのことをあえて問うことをせず、すべての戦争を悪であった、という風に一方的にレッテル貼りした大衆市民社会の中で保護されてきた保守思想家が小林・福田の両氏なのですよ。そう私は思います。いかがでしょうか。

（註）佐藤松男氏（現代文化会議代表）が『福田恆存、知られざる「日米安保」批判』（「正論」平成二十五年三月号）で、福田氏の「アメリカ仮想敵国」論を紹介している。福田氏がたびたび語った言論の中にはなかったが、氏の名誉のために落とせない言葉、記録に値する発言であると考えてここに収録する。

「私は最大の仮想敵国はアメリカだと思っている。アメリカは日本を国家と見ていない。アメリカの一州程度にしか考えていないし、いざとなれば一州ほどにもカバーしてくれない。日本人はアメリカと仲良くし、向こうの言うとおりにすればアメリカが喜ぶと思っている。防衛費を何パーセント増やしました、とかいう。こんな事はくだらない。アメリカは、日本が強大になる事を望んでいない。無駄金を使わせようとしているのだ。ライシャワーなど知日派にしても、みんなそうだ。そういうアメリカであることを頭に入れて、原則をきちっとさせてから日米安保も考えるべきではないか。安保はアメリカに手ごめにされてできたものだ。安保を考え直すなら、まず現在の安保をなくす。その上で日本の体制をきちっとさせ、日本の自主性を明確にしてアメリカと話し合う。そうしてこそ対等な関係になる。もちろん『仮想敵国』アメリカをなだめる形にしなきゃあいけないだろうが。」（福田恆存談話「文筆業者は一人で責任をとる」昭和五十七年四月、『朝日ジャーナル』）

第Ⅲ部

「日本」という名のイデオロギー
――一九七〇年代の日本人論はどのようにしてイデオロギーになったか

一、

私はまだ若い留学時代に、バート・アイブリングという南ドイツの小さな町で、会話の研修のために数十人の外国人たちと一つの教室に一ヵ月ほど滞在したことがあります。日本人は五人おり、どの国の人が日本贔屓だとか、何処の誰は人種的偏見がないとか、他の外国人の噂話を言うときにまるでパターンが決まったかのように、日本あるいは日本人という「類概念」で判断を下すことが多かったのを思い出します。

それと同時にそこに集まる各国人の「類型」を常に意識していたのもわれわれ日本人に顕著でした。例えばイラン人はこうだとかインド人はああだとか、いかにも日本的反応だということを言っているのです。最近は外国経験が普通になって日本人もの慣れし、こういうことはもう起こらないかもしれませんが、当時（一九六〇年代）は一ドル三六〇円の固定相場はもとより、二万円以上の日本円の現金持ち出しが禁じられていた時代で、ヨーロッパの街角に日本人を見かけるのは珍しい光景でした。

それからしばらくの後、そこのブラウン校長と食卓で同席したときに、彼はこう言いました。

「私は十年この仕事をしており、色々な国の人を見ているとその性格が手に取るようにわかります。

しかし、どうしてもわからないのは日本人です。日本人は二ヵ月ごとに必ず数人ずつ来ますが、どのグループも決まって同じ調子です。一人ひとりの区別がつかない。特別剽軽な人もいなければ、特別ずうずうしいという人もいません。皆仮面をかぶっているみたいです」

さらにブラウン校長は続けます。

「日本人ははめをはずしてお互いにわめき合い抱き合うような大騒ぎをすることはないのですか。お国でもあなたがたはいつもあのように静かなのですか。日本人はどうしてあのように自己抑制に長けているのですか」と。

自己抑制に Selbstbeherrschung という言葉が使われたことさえ憶えています。東日本大震災の際にみせた日本人の謙虚さが世界の人を驚かせたというのとどこか繫がるような話です。

このように「日本人」という種別で私たちが自分を自覚すると同時に、自覚させられる、そのような場面を私だけではなくて、恐らく外国に出かけた日本人は皆同様に色々な形で経験されてきたと思います。

人間は、自分というものが自分でないものに出会ったときに初めて自分というものがなんであるか自覚するのですが、だからこそ外国体験はその意味で自分を知る良い契機になります。しかしもうすでにこの場合の「知る」は「日本人」というグループで物を言っている範疇に入るわけですから、このような対応はすでに「個人」ではないということではないのでしょうか。

「日本人」というものがあると想定されており、また私たちも「日本人」というものを意識するのが前提です。それは個人ではなく、日本民族であるとか、日本人の血統とか地理風土とか、列島人とか、歴史をずっと流れてきた先祖伝来のなにかあるものというのが、私たちに自らをいま新たに意識させている根拠であるに違いありません。

つまり、個人以前にあるものとの繋がり、関係が問題だということを認めざるを得ないのです。われわれはアジア人とは必ずしも言いません。では、他国の人たちはどうでしょうか。それはさて置きまして、「日本人」とわれわれが自覚するとき、やはりそれは何かそのようなものがあると思わざるを得ないし、それは特殊なものとして日本を意識するときによく言うことです。私は太宰府に行ってそこの小さな博物館に入ったことがあります。その時の記憶ですが、平安貴族の食べ物の雛形が置いてありました。もちろん模型といいますか、発掘とかそのようなことで調べた研究結果でしょうが、どのようなものがあったかというと、白いご飯があって、干し魚があって、青菜があって、芋があって、それからお汁があった。それを見て、今のわれわれの食生活とあまり変わらないなと思いました。ずっとこうだったんだなァと。これは打ち消すことのできない何かで、食べ物ほど継続的なものはありませんから。

ところがドイツにいましたら、ドイツがナチスとか政治の関係からドイツ人であることを何とかして打ち消してしまおうという意向があること、ドイツ人であることを超えようとするというような心の働きや観念が非常に強いことに気がつきました。日本人にもそのようなことを言う人もいますし、それに似た政治感覚もあるわけですが、しかしドイツ人はヨーロッパ人であることを超えることはないし、そういうことは言いません。彼らは常にヨーロッパというものを意識するんです。決して「われわれ、人間は」とは言いません。

つまり、「われわれ、ヨーロッパ人は」という言い方は、彼らが口に出しても出さなくても、無言のうちに前提とする言い方になってきているのです。

先程のブラウン校長が私たちに「日本人はいつも同じようだ」と言うときには、ヨーロッパ人はそうではなく、多様であるとか、普遍的であるとか、それぞれが個性的であるとか、つまり特殊ではないという前提で言っているのは明らかですが、どうも最近は、ヨーロッパ人というものがまた一つの括弧で括られた自意識を彼らに与えているし、昔と違って相応に他と対立する集合意識というものに発展して来ているような感じがします。

つまり、私が留学した最初の頃にはヨーロッパは閉ざされているという認識をあまり感じなかったのですが、あるいは、そのようなことを考えずにいたのですが、時間が経つうちに、私もだんだんヨーロッパで生活経験をして、色々と考えているうちに、ヨーロッパを閉鎖文化圏と考えだすようになってきました。そのうちEU統合やユーロというものの話題が出てくる。これはずっと後の話でありますが。

さて、以上は前置きであり、これから本題に入るわけです。日本という国は長いこと、近代以前の国だという自己認識でいたことを、ご年配の方はご記憶かと思います。若い人は近代国家としての日本が当たり前だと思っているかもしれませんが、あの当時は全然そのようには思えないばかりか、日本が近代だなどと言えば袋叩きにあうような空気さえありました。

それには色々な理由があったと思います。戦争に至った日本の過去の歩みは「近代化」の不足だったと断罪する。封建主義が戦争を引き起こしたのだと。したがって、日本がすでに「近代」を所有しているという肯定的なことを率直に言うことが憚られるような空気があった時代を経験されている人は今では少なくなっているのではないかと思います。

その時、戦争の問題だけではなく、ありとあらゆる点で、我が国は世界の先進国の中でおよびもつかない低い段階を生きていました。例えば自動車の生産は早くから行われていましたが、自動車を大量に輸出するなどということは考えられなかった。フランスの大統領のジスカール・デスタンが日本の自動車が並んでいる展示会で、日本人が自動車を作れるのかね、フンと言って立ち去ったという話があります。

それから数年経て日本の自動車生産台数は世界一になります。前回の東京オリンピック(一九六四年)の頃は日本のテレビが海外に輸出されるなどということもまだ考えられなかった。あの時日本が唯一誇りにしていたのはカメラです。それは産業の問題ですが、学芸から音楽から芸術からありとあらゆる分野において日本が西洋に追いつかなければならないというういわゆる「立ち遅れ」の自己認識がありました。

例えばドイツの哲学者カール・レーヴィットが昭和十一年に東北帝国大学に赴任して、その当時、日本の大学において文学部のカリキュラムがドイツの大学のカリキュラムとほとんど同じであることに気がつきました。講座の題目です。法学部でも文学部でも経済学部でもそうです。このことにカール・レーヴィットはびっくりしたのです。これほどまでに世界的なことを日本人は一生懸命勉強しているのに、世界つまりヨーロッパの大学は日本の研究など何もしていない。ところが彼はそれをヨーロッパへの反省として言っているのではなく、日本は変な国だなと認識したのです。

日本人が西洋そっくりに生きようとしていた時代です。それが精神文化のあらゆる部門において西洋と同じでなければならないという強迫観念になって、痛ましいほど、切ないほどに追い詰められた日本人の自己認識になっていました。

これを例外的なことだと思ってもらっては困ります。日本人には永い間そのような強い不安と欲求がありました。西洋化というのは、近代化と同じであって、まだ日本は近代ではないので近代化しなければならない、と。西洋化を目指して近代化するのですから近代化とはつまりは西洋化と一つなんだと、そのような激しい観念があった。

私が留学する頃までそうでした。ぼつぼつそうではなくなるということを私は『ヨーロッパ像の転換』と『ヨーロッパの個人主義』で書いているんです。ライシャワー駐日大使が西洋化と近代化は別だということを言い出して広範囲の波紋を呼びました。それが昭和三十八年（一九六三年）です。私がドイツへ留学したのが、一九六五年から六七年です。

私は『ヨーロッパ像の転換』の第八章でこのように書いています。

「なぜなら高度に『近代化』したアメリカもまた、日本とは違った意味ではあるが、『西洋化』をなし得なかった国だからである。あるいは、もはや、『西洋化』は必ずしも必要ではない、という自信が自分の側にあり、その上で、すでに『近代化』した日本人を勇気づけ、日米両国の反ヨーロッパ共同作戦の継続をうながしているのかもしれない、と私は読んだからである」

つまり、そのときには戦争に至った日本の歩みは近代化が遅れたからだと左翼が言って日本の論壇がひどく捩じれていたのに対して、ライシャワーが、日本はすでに近代で、アメリカもそういうレヴェルじゃないかと言った。西洋、ヨーロッパはもう必要ない。日米は共にヨーロッパとは別の世界ではないかという。だから近代化と西洋化は別の話だと。そう言っただけで、論壇は大騒ぎです。ライシャワーはもちろん、ライシャワーに同調した日本人は袋叩きに遭い、「ライシャワー路線」という言葉が共産党筋から出てくるんです。いかにも馬鹿馬鹿しいのですが、そのような時代でございました。

それくらい西洋化というものが文明の先進を示す模範であり、精神のあらゆる分野において、ヨーロッパが優越していたことが当然視されていました。それは産業だけではなかった。

二、

次に文学の近代化ということを考えてみるとどのようなことがあったのか。実は戦前から文学の近代化は焦眉の急であり、森鷗外、二葉亭四迷、夏目漱石と、みな同様の西洋近代文学の洗礼を受けて、『舞姫』から近代文学がはじまる等々、文学史でみなさんが経験しているとおりの話でありますが、あの日本の自然主義文学、明治四十年（一九〇七年）頃に田山花袋、島崎藤村、国木田独歩、岩野泡鳴、徳田秋声、正宗白鳥等々これらの名にし負う人々が意図して求めたものは、実は思ってもみないことです。今であれば自然主義文学は極めて日本的な文学だと思うのですが、あれはみな西洋的な自我の探求の結果でした。

ゾラやモーパッサン、フロベールを自分たちの文学の先達として、モデルとして仰ぎ見た結果なんです。人生の真実を追究しようとしたのが自然主義文学ですから、モデルというか理想は西洋化だった。日本の文学、小説の世界が西洋的な小説でなければならない、そのような要望が戦前から強くあった現われです。

ところがいつまでたってもダメなので、戦後になって、なんとしても西洋に追いつかなければならない、西洋的な精神が足りない日本人は自分で自分を追い詰めて、自虐的に苦しめていました。日本の知識人、作家たちはこれを何とか乗り切らなければならない。

戦後昭和二十五年（一九五〇年）に中村光夫の『風俗小説論』という大変影響を与えた評論がありました。私の学生時代には盛んに読まれたものです。中村さんには『笑いの喪失』という評論もありまして、これも昭和二十三年です。俊敏な大変優れた評論でありますが、次のようなことを冒頭に記しています。フロベールのような小説を書かなければならないというのは、まず近代化を求められている我が国の文学の要請でしたが、それはどういうことか。フロベールは『ボヴァリー夫人』の冒頭をいきなり、喜劇的な場面ではじめます。田舎から出て来た新入生のボヴァリーを迎えた中学校の教室風景が描かれる。彼は奇妙な格好をした帽子を被ってきたので、先生や生徒たちからなぶりものにされる。その最初のシーンで、主人公の無力な善良さが、作者によって嘲笑されている。コミックの効果を狙っているわけではなく、自然にです。

なぜそのようなことができるかというと、主人公というのは明らかに作者とは別の存在として扱われていると中村氏は指摘します。西洋の小説の主人公はみな作者と別の人物なんだと。作者と同じ人間が描かれているのではない。主人公は劇の登場人物のように客観的に描写された世界でなければならない。それが文学の立体感を生み出す。

通俗小説は我が国でも概ね客観小説で書かれているわけですが、ドストエフスキーでもトルストイでも、バルザックでもスタンダールでも、あのような一流の世界の文学というものをわれわれは求めて、そのようなものを作らなければならないという強迫観念からはじまっていた当時の文壇に全体小説、本格小説という言葉がありました。なかには、西洋の本格小説というのは知識人のよく作った通俗小説に過ぎないと、逆のことを言い出し、話の筋立てがおもしろすぎるといった反論も日本の文壇から飛び出てくる始末で、それほどに人間と社会の描き方に戸惑いが広がっていた時代でもありました。

それで中村さんはこう書いているんです。

「文学作品における滑稽の有無ということは、単なる技法やものの見方ではなくもっと深い問題に触れて来るのが明かになります。／すなわちそれは作者と作中人物との距離、もっとつきつめて行けば作者の自我の問題になります。作者がその制作にあたってどこまで自分を批評しているか、作品を書く自我がそこに書かれた自我をどこまで超えているかという問題にぶつかります。そしておそらくすべての小説の持つ幅と奥行きはこの一点にかかるのです」

つまり、距離というもの、主人公と作者が距離を持っていて、作者は高いところから、きちんと作品全体を立体的に見ているというようなこと、そのようなことは徐々に西洋でも疑われてきて壊れてくるんですが、少なくとも当初は作家の自我を越えた全体者の存在が予感されていた。近代文学が行きつくところは壊れていく、作られた全体的な視点というものを壊していくのが結局、西洋の文学の行き着く先なのですが、その自己崩壊劇はともかくとして、そもそも最初の十九世紀の本格小説と言われたものは、そのように意図して作られたことは間違いありません。距離があるのです。作者は主人公を静かな目で客観視しているから批評があるのだと。自己を批評しているから笑いがある、そこに自ずと滑稽味が出てきたりする。

ところが、日本の文学はどれもみなそうではないのではないかと中村さんは言い立てる。田山花袋の『蒲団』も近松秋江の『黒髪』も、それらの作品はみな、主人公が小説家その人であって、作者と作中人物の間に距離がない。そしてただひたすらに告白する。自分の告白の真実を訴えればそれが文学になると思い込んでいる。距離をとるためには自己批評が、作者の自己客観化ということが必要であり、それこそが科学の精神であるのに、日本の文学にはそこが欠けているというのが、中村光夫さんをはじめとする戦後の批評家たちの文壇文学への集中攻撃のテーマだったわけであります。

考えてみるとこのことは、西洋の精神というものが、いってみれば日本がどうしても追いつけない西洋の精神というものが日本の精神には相容れない別の存在であることを示唆していたのかもしれません。西洋の精神を一生懸命求めるというと、それは神様の視点というものがどこかにあるため、西洋の精神はそれなりに充実する。それに対して、日本人は元来そうではないのではないかというのが新たに論じられだした観点であります。結局これはないものねだりではないか。そして日本の文学は、結果として優れた文学であればあるほど私小説として残っている作品が圧倒的に多くて、つまり主人公と作者がぴったり一つであって、身辺雑記小説といっていいのですが、日本の作家があえて冒険して、西洋的な客観小説の形をとると通俗小説になり易い。

私も概ね私小説が好きで皆さん名前を覚えているでしょうか。川崎長太郎、上林曉、外村繁、牧野信一、瀧井孝作、戦後でいえば、庄野潤三、色川武大、三浦哲郎、阿部昭、いまは車谷長吉などいろいろと出てきていますが、自分の身辺をドラマにする私小説は作品として良いんです。結局、随筆文学かなと思うけれども、日本文学の中では随筆文学が一番良いのかもしれない。しかし、これは決して意図して出て来たものではない。意図したのは、ゾラやモーパッサンやフロベールだったんです。

それを一生懸命求めた結果、空振りに終わったわけです。意図した結果というより、そのようなものとは思いもかけない、似て非なるものが出てきてしまった。これが日本の精神のドラマの最も面白い点で、文学だけではなく、他のあらゆる分野もそうなのかもしれません。だけどそれは一生懸命西洋を学ぼうとしたことが、ムダではないんです。ムダではないのですが、企図は裏切られ、結果として出てきたものが似て非なる世界だったというだけです。しかも、期せずして良いものがおおむねみなそうである。そのような私小説の中にこそ巧まざる表現の妙というのか、まるでわれわれ日本人の自然な呼吸のような、自分の出し方があった。

例えば私は上田三四二（みよじ）という歌人の私小説が好きなのですが、この人の小説は、病院生活を主に書いているのです。病床の周りの話を書いているだけなんです。自分の今の病気の話も含めて、桜の話かなにかをＮＨＫラジオで頼まれて話をしに行った。そしてラジオで話をした内容の、それをそのまま書くだけなんです。それが小説として文芸雑誌に載っていました。綴り方の延長線上にあるのかもしれません。そこに作者と主人公の距離といったものを問題視する人はいないでしょう。

そのようないきさつを考えたときに、いったい西洋化と近代化はやはり別だったんだと気がつかざるを得ません。

三、

ここで少し話が変わりますが、いまのことを念頭においてください。私の西洋体験はいま思うと前世代と少し違っていたのかもしれない、ということを次に考えます。私が『ヨーロッパ像の転換』の第一章からすぐに、西洋人の我の強さにぶつかって辟易する話をいっぱい書いています。「ドイツ風の秩序感覚」という題が第一章に出てきます。

バスに乗って深夜ベルリンを走っていると、お釣りがないからすぐに降りろと言われる話からはじまって、八百屋へ行ったら、サービスがぜんぜん出来ていなくて、まるで「売ってやる」という調子で、私が腹を立てる話や、公園に行くと、子供が使うブランコに「危険に対しては自分で責任を負って御利用下さい」と書かれている。いったいこれはなんだろうと思いました。

レストランに入ると、コートかけに、「当店は、このコートかけをなんら保証していないことを予告して置きます」と書いてある。なんという世界だろうと思います。そのような話から始まって、私が助手の友人に招待されて酒を酌み交わしながら議論しているうちにミュンヘンで見た芝居の話になって、感想を聞かれた私が、作品よりも俳優が素晴らしいと言うと、「あの作品をどう思うかと聞いているんだ、お前は俳優を見に行くのか、作品を見に行くのか」という開き直った議論になって、だんだん私を問い詰めて、畳みかけるように有無を言わせぬほど論理的に追い込むわけです。最後には、この作家は存在するに値しない、とまで言い出す始末です。それが最初から言いたかったことだったのかもしれません。

ゼミに行きますと、ゼミの討論でも私が呆気にとられる場面に次々と出合います。一人の発表者をみんなで総イジメするのです。ところが、終わるとケロッとして、肩を組みながら全員連れ立って仲良く出ていく。そのような世界を見て、日本との違い、人間関係の風土の違いを痛感しました。大学教授はよくしゃべるし、むなしいばかりです。果てしなくしゃべりまくって、耳が慣れ言葉がわかり出すと、大したことを言っていないことに気がつくんです。しゃべることでしか人間と人間の中間の空間を埋められないというぐらい、つまらないことをしゃべり立てる。言葉抜きで行われる伝達というのが、日本人の社会にはあり、幅もずっと広い。

それに対して西洋にはそれがない、というか、言葉を使わない伝達の可能性が欠けているということが、ヨーロッパで得た最初の認識でした。雄弁術も詭弁術も日本では発達しようがないのは当然です。私たちは相手の気持ちを忖度し過ぎるし、良かれ悪しかれ、神経が細かくて、繊細で過敏で、言いたいことをあからさまに剥きだしにすることを嫌う。

私の評論しか知らない人は私がめっぽう気の強い男と思っているかもしれませんが、これでも外国人のなかに入るとまさに平均的日本人で、話がたちまち追い込まれてしまって、ちゃんと物が言えなくなる。自分が悪いとすぐに思ってしまうからです。

たとえばドイツ人と話をしていて、私は現地に到着直後には、自分のドイツ語が下手なせいではないかとすぐ考えてしまうんですね。言いなおそうと別の表現を一生懸命探すわけですが、相手のドイツ人は「私の言っていることがわかる？」と念を押してくるんです。最初のうちは私に気を配ってくれて親切心で聞いてくれるのかと思っていたんですが、ある時私と同じ時期にやってきたアラブ人が、めちゃくちゃなドイツ語で相手のドイツ人に居丈高に「俺の言っていることわかるか！」と言っている。それを見て、私もあのように言わなければダメなんだ、つまり自分の下手なドイツ語は棚に上げて、わからなかったら相手のドイツ人が悪いんだ、ときめつけるくらいの覚悟でいかなくてはいけないんだ。俺の下手なドイツ語が悪いわけではない。そのアラブ人が気が強いわけではなく、世界中みんなそうで、ついに日本人だけが極めて特殊なんだと思わざるを得ませんでした。

たしかにそうですね。中国人も似たようなものです。したたかであつかましく、しゃべり出したらきりがない。韓国人もそうです。日本人だけはちょっと違うのかなと思ったりするのですが皆様はいかがでしょう。このようなことを痛切に感じたのが若い頃の私の体験のひとつで、書店の店頭に怒濤のごとく日本人論が出てくるのは七〇年代なんです。私の『ヨーロッパの個人主義』はその走りをなしていたといっていいでしょう。

築島謙三さんという方がいて、日本人論を纏めてくれた方で、当時出た沢山の日本人論を整理して一冊の本（『「日本人論」の中の日本人』）にしているんです。私の『ヨーロッパの個人主義』は非常に早い時期に分類されていました。

『ヨーロッパの個人主義』という題名からして、日本人論とは直接思わなかったのでしょう。しかし、これは日本人論の走りだと言っているのです。私が体験したことから何か日本が変わり出したということでしょうか。あるいは日本が違った世界の層にぶつかったと、大げさになるかもしれませんが、そのような位置付けをしてみたらどうか。

西洋化と近代化。日本人は西洋化を目指す、目的とする、一生懸命それを理想としてきました。目的だった西洋化、個人主義、個人とは何か？……しかし、ここでよく考えてください。神様がなければ個人は成り立たない。個人主義も成り立ちません。日本の場合、個人主義はどこにあるかというと、置き場がないのです。個人を超えるものがないからです。個人主義は個人を超えるものがなければ成り立たない。しかし、個人の置き場がどこにあるか。日本はおそらく世間や近隣といったところに個人の置き場を置いているのでしょう。神様という高い地点に置き場があるのか、ないのかといったところに、先程のフロベールなどの小説の世界と関係が出てくるのです。

自己客観化ができる、客観精神、小説の世界が神様の視点に立って、自分を他人のように描き出すことができるというそのような自己批評力、自己劇化の精神、「社会」の設定。身辺雑記ではない、綴り方ではない、随筆ではない小説、客観的な文学が成立するためには、自我というものがどこか遠いところで掬われていなければなりません。それを日本人は目的としてきたのですが、どうもうまくいかない。日本人には神さまがいないからでしょうか。ささやかな体験から始まって、私には七〇年代に入って色々なことが新たに考えられるようになってきました。

江沢建之助さんという私より少し年上の、五十年以上ドイツに住み続けドイツ人と結婚して、ドイツ語学の分野でドイツの大学で教授をして研究活動をしてきた方がおられます。自著『ドイツ人の現実』の中で次のように書いています。

人と争うことはドイツでは悪いことではなく、それどころか、人と争えない人間はドイツでは生きていかれない。「争い文化」(Streitkultur)という言葉があるくらいで、人間はそれぞれ堂々と争えなければならないという通念があるのである。

そして争いに勝つと、相手から憎まれたり敬遠されたりするどころか、むしろはじめて尊敬され、その後はその人とあまり争わなくても済むようになる。

しかし、こういうことが可能なためには、それに応じた争い方があり、単にお互いの感情を荒立てることが争いではない。声はどんなに大きくしてもよいが、個人としての相手には絶対に触れず、論拠を挙げて自分の意思をはっきり表明し、決して譲らないのである。

つまり論拠という刃を戦わせ、生身には絶対に触れないのである。むろん相手もその論拠を出して抗戦するが、両方がそれぞれ論拠を出して譲らないので、大てい時間とか外見とか損得といった外面的事情が作用して結局争いが終るのである。

審判者のいない判定勝ちである。それは一種のスポーツであって、まず相手がそもそものスポーツができるかどうかが試され、あとは成り行き次第である。

前に家を建てた時のエピソードとして話した水道会社との争いもそうで、私の論拠が正しくても、相手はそれにはあえて立ち入らずに別のことを強調し、私が私の主張を諦めるのを待っていたのである。

しかし私が諦めないので先方は最後に示談を持ち出したが、それでも先方はそれまでの主張を最後まで譲らなかった。


示談を持ち出したということは金銭的な解決策を持ち出したわけですが、自分が正しいということは譲らなかったと。

先方はむしろそういう成り行きをはじめから考えていて、こちらの出方を単に見ようとしていたのではないかと思う。それによって一万マルクが六千マルクになれば先方にはそれだけの意味があり、争いとは所詮そういうものだと思っているのである。／争いは見苦しいが、声を張り上げ、手紙の銃弾をかわしても、血が流れずに済むのだから、それは文明人のやる一種の高級スポーツと考えてもよいのではないかと思う。人ときちんと争いのできない日本は悲しい。

私はこのスポーツを身につけ、今では大抵の争いには勝つようになった。ドイツ人にもそれがわかるらしく、一度私と争った人間は大抵二度とそれを試みなくなる。それを私はまた意図しているのである。

このような話は、日本人だからここまで懇切丁寧に体験記として書いているわけですが、普通は自明のこととしてあの世界には説明抜きで存在している。したがって、あの国に行ってしばらく暮らしていると、私のように二年くらいの滞在でも驚くような出来事に限りなく出合いました。でも私は留学生でした。私は何か仕事をしてお金を稼いでいたわけではありません。大学の研究室ではお客様でしたし、その意味では最初から甘ったれた外国経験なんですが、それでも生活の中で若干はそのような目に遭っていたのです。

四、

ウィーンの日本人学校の英語の先生として現地採用された中島義道さんという哲学者がいます。カントの研究者です。三十三歳で留学しました。『ウィーン愛憎』という体験記を書いています。その日本人学校では彼は給料をもらっていたので、いわば職場でした。私とは違って生身の戦いをしたのですから偉いのです。

そこにミセス・ケレハーというイギリス人女性が英語を教えていた。ある日を境にして彼と彼女は衝突するのです。ミセス・ケレハーは中学生の息子ジミーが創作した英語劇のシナリオを先生方に配って日本の生徒たちにそれを上演させようという計画を出した。中島さんは中学生には難しすぎるし、どうも意味がはっきりしないところがある作品だと、批判した。すると、ミセス・ケレハさせようとした。

ーはたちまちにして血相を変え、冷静に反論し始め、作品がいかに完璧であるかということを認めさせようとした。

それでも中島さんは主張を曲げなかった。生徒たちは不満だと言っていますよ、と言うと、彼女は早速に生徒たちを呼び集めて「お前たちは不満なのか」と問い糺す。そして、職員室にまた現われて、日本人の先生たちを前にいかに自分の言っていることが正しいかを英語で滔々とまくし立てる。その剣幕に圧倒されて日本の先生たちは黙っている。日本人の中から中島さんを擁護する人が誰も出てこない。これが日本人の一番ダメなところなんです。本当にダメなところです。

他方、欧米人は他人から間違いや不正を指摘されると、黒を白と言いくるめてでもあらゆる手段を用いて抵抗してくる。しかもそれが冷静かつ完璧なんです。

ミセス・ケレハーは中島さんに「あなたは英語ができないのだから、ジミーを批判する資格はない」と言い捨てた。ジミーはその学校の生徒でもないのにです。そのジミーを堂々と主役にして英語劇は実行されるのですが、そこには何のためらいも遠慮もなく、公私混同という日本人側からの批難を突き立ててみても理解されるはずがない。しかし、日本の若き学究はここで負けてはいなかった。場所はウィーン、日本人学校である。英語が幅を利かす場所ではないではないか。彼の日頃の鬱憤は一気に噴き出た。「あなたは日本人を、日本の英語教育を、当然のごとくいつも批判していいます。考えてみればここはウィーンの日本人学校で、あなたが英語で当然のごとく挨拶をするのも本当はおかしいことだ」そう言った。英語の授業以外ではここではイギリス人であってもせめて挨拶ぐらいは日本語かドイツ語でせよと。これは正論です。

ところが、これを聞いたミセス・ケレハーは「アーユーマッド?(あんた正気か?)」という叫び声を上げげた。こんな奴に出会ってしまったらたまったものではありません。この中島さんのウィーンでの出来事の場面は、次のような印象深い描写で終わっています。

私は（中略）ミセス・ケレハーを引きとめ、「あなたは日本人学校に勤めながら、われわれ日本人の風俗習慣をまるで理解しようとはしないではないか。生徒たちが何をどのように考えているのか、まったく学ぼうとしないではないか」と言ってみた。そして、返ってきた彼女の答えに、突如私は啓示に打たれたようにヨーロッパ人との喧嘩のしかたを学んだのである。私のネチネチした追及がいかに効を奏しないかが、突然わかったのである。彼女は次のようにはっきりと言った。「私は日本人の風俗習慣を完璧に理解している」と。（中略）私は、彼女に「あなたは英語ができないのだから、ジミーを批判する資格はない」と言われた瞬間に、はっきり「ノー」と言わねばならなかったのである。そして「私の英語は完璧である。あなたがいま言ったことは完全な誤りである」と言わねばならなかったのである。さらにしたたかに喧嘩のルールを承知している人なら、イギリス人のミセス・ケレハーに向かって、「あなたの英語力はきわめて貧弱である、私はあなたよりずっと英語の実力がある」とまで真顔で言えることであろう。

つまり、攻撃された瞬間に真実に取りすがってはならないのであり、相手に自分の弱みを一切見せてはならないのである。（中略）タテマエをどこまでも大真面目に、相手に一分の隙も与えずに貫くとき、私は勝利はしないかもしれないがけっして敗北はしない。屈辱感に身を震わすこともない。

私にはこれほどのドラマはなかったですし、これだけの咄嗟の言葉も出てこなかったと思います。

しかし似たような体験は沢山しました。
例えば、ヒースロー空港でお土産にスカーフを二枚買ったのですが、店員が包んだ後、三枚分の値段を請求されたんです。おかしいのではないかと言った私に対して、店員は三枚入っていると言い張るんです。私は二枚と言ったんだと、三枚は要らないと。

ところが、いや、あなたは三枚と言ったと聞かないのです。そこで押し問答が始まるわけですが、普通ならお店の人が出てきてわかりましたと言って取り替えるか、さもなければ、別の人に交代するでしょう。ここでは店長が出てきたんですが、彼は見ているだけで、仕事は彼女に与えられた独自固有の世界だから知らん顔しているのです。

それでいつまでたっても解決しないので私は結局三枚分払いました。飛行機の時間にも間に合わなくなってしまうからです。いかにも日本人的解決法です。すると彼女はつかつかと私の前に来て「私の言ったことがいかに正しかったかわかったでしょ」と言うのですね。じつに憎々しいのです。
このようなことは皆さんも外国で経験されていることでしょう。

観光レベルの話だからまだよいのですが、外交交渉の場で似たようなことが現実に行われていると思います。外交交渉の場で、悪いのは自分のほうだと少しでも思ったらお終いです。悪いとか悪くないといったことは関係なく、自分のほうが正しいと言い張らなければならない。そして実害が出たら顔色一つ変えずに今までの立場を平然と撤回する。そのために最後のギリギリの場面、最後どこまで行ったら後退するかのラインを決めておいて、いざとなったらパッとひっこめる。最初から負けるような議論をしていたらダメなんです。

自己主張はどこまでもフィクションに過ぎません。フィクションだからいい加減なのではないんです。むしろ逆です。どこまでもフィクションが勝負の成否を決めるのですから、真実よりも真実なんです。そのようなことを私たちは言葉で言わなければならない。しかも、咄嗟でなければならない。

シドニーオリンピックの柔道のことを覚えているでしょうか。篠原選手のあの件は今では大変に有名になった。篠原さんの明らかな見事な一本勝ちだった。ところが、アナウンサーが「ランプが相手方のフランスの選手にポイントとなって点灯しています」と言うのです。試合はそのまま続行され、その間もアナウンサーは頻りに「誤審ですね。記録係の間違いではないでしょうか。だからランプが相手選手側に点灯しているのではないでしょうか。日本側のコーチは早く注意しに行ってほしいですね」と言うのです。

ところが試合はどんどん進んでしまう。篠原選手が一本勝ちしたと思ったあの瞬間に、フランスのコーチは右手をサッと横に伸ばして技ありの表示をジェスチャーで示した。フランス側に技ありと。一本勝ちを認めたくないためにそれをやっていたんです。せめて篠原選手のポイントになるのならまだ理解できるんですが、それすらならず、ひっくり返った判定のまま進行して篠原選手は敗北、銀メダルで終わったんです。

なんと驚くべきことに国際柔道連盟が後日、日本側の提訴を受け入れて、篠原選手の勝利は認めなかったものの、あの場の決め手は日本側にポイントを与えるべきだったという誤審を正式に認めたんです。しかし一旦決めた勝敗は覆らなかった。

試合が終わった後、篠原選手は自分が敗北したまでです、それを素直に認めます、と言いました。日本人にはそれは奥ゆかしいことです。スポーツマンらしい美しい行為と認められる向きがあるかもしれませんし、新聞はそのように報じました。しかしこれは世界には通用しません。全選手団が引き上げるぐらいの抗議をしなければいけない場面だったんですよ。

このようなことができないとなると、日本人は生きられない世界を生きているということになります。この手の話は近頃ではいたるところで聞くと思いますし、かなり一般化してきていると思います。実は私の『ヨーロッパの個人主義』の時代ぐらいからぼつぼつ活字になって出てくるようになりました。日本人の主張とその頼りなさが文章化された言葉で認識されるようになったのはあの辺りからなんです。それ以前にも西洋と、あるいは世界との正面きった闘いの現実はあったと思うのですが、認識された言葉としてははっきり出てこなかった。ということはそれ以前は事実上なかったんです。そのことが私の『ヨーロッパの個人主義』が走りだったといわれる所以です。前の世代とは違った体験をしたと思っています。

五、

ドナルド・キーンさんが二〇一二年、日本国籍を得ました。そこで次のような表現があります。キーン氏は日本にいると一番落ち着く。アメリカが嫌いなわけではないが、ニューヨークに帰ってくるとショックを受ける。ものを買ってもありがとうとも言われない。今日も医者に診てもらったが、ワイシャツを脱げ、といった調子だ。それに比べて日本の医者は丁寧なことといったらない。人間と動物の一番の違いは礼儀なんです。私自身、自然に日本の礼儀を守るようになった。もちろん知らないこともあったが、一旦覚えるとそれを実践してきた。

だいたいそういうことを仰有った。日本文学をやる欧米人は女性型の人、やさしい人が多いんです。つまり、むこうの社会でまともに生きられない人ととかく重なる。ドナルド・キーンさんの例がそうだといっているわけではないのですが、ドイツ人に沢山そのような例を見てきました。

キーンさんは続けて次のように言います。

「日本人は家族に不幸があっても泣いたりしない。自分の気持ちを隠して人に接するのが日本人なんです。一方アメリカはワーと話し出す。以前ハワイ出身のお相撲さんが負けたとき、とても悲しそうな顔をしたが、日本のお相撲さんは表情を見せない。外国人が日本で暮らすと、日本人はなぜ悲しいのに笑うのかと、驚く」

笑っているけど日本人は心で泣いて顔で笑っているんです。自分の感情を殺しているときです。それだけ哀しみが深いとも言えるんです。大野晋さんの『日本語の年輪』の中では日本語特有の表現として、愛の表現のなかにかなしいという言葉が入ると書かれている。美の表現のなかにさびしいという言葉が入る。これは独特な日本的心情を表していると言うんです。また大言海にも「かなし」という言葉は、「身ニ染ミテ、切ニ思フ意」をいう言葉で、「イトホシ。イトシ。」（愛おし、愛し）であると。愛するという意味と繋がるわけです。そのような日本の心というのは極めて独自のものであります。

私は日本人のテーマを主にした文章の中で、芥川龍之介の『手巾』という小説を例として取り上げたことがあります。あらすじを簡単に言うと、夏の日、ある大学の先生が読書をしていると、そこへ中年の婦人が訪ねてくる。婦人の息子が先生の教え子なんです。息子が病気をしていることを先生は知っているので何気なく容態を聞くと、婦人はつつましく両手を膝の上に重ね、静かにこう言ったのです。——実は、今日も倅の事で上ったのでございますが、あれもとうとう、いけませんでございました。在生中は、いろいろ先生に御厄介になりまして……と。

淡々とした会話が続いて、先生は意外な事実に気がつくのです。先生がふと持っていた団扇を落として拾おうとかがんだとき、婦人の膝の上にあった手が激しく震えていること、手巾を裂かんばかりにかたく握っていることに。しわくちゃになった絹の手巾がしなやかな指の間でさながら微風にでも吹かれているように動いていることも。婦人は顔でこそ笑っていたが実はさっきから全身で泣いていたのである――。

これが日本人の悲しみに対する対処の仕方だと思います。中国語には「哭泣」という言葉があり儒教でもよく使います。ところが、江戸時代に日本にも儒教が入ってきましたが、サムライがそんなことできるかとなりました。いかに大陸と違っていたかということです。

いかに日本人には独自のモラルと生き方があるかということがわかります。

先程申し上げた中島さんが「近・現代史を知る五〇〇の良書」というアンケートに応えて戦後に出版された印象に残った本を五冊上げていて、一冊目が会田雄次『アーロン収容所』、二冊目が『森有正エッセー集成』、三冊目が遠藤周作の『留学』、四冊目が私の『ヨーロッパの個人主義』、五冊目が自分の『ウィーン愛憎』だと書いているのですが、なかなか面白い選び方なんです。

実はそれ以前の文学者や思想家にはなかった体験がこの五冊からはじまっているというのです。『アーロン収容所』は留学体験ではありませんが、イギリス人の残酷さというものを肌身をもって体験した従軍記であり、遠藤さんの『留学』、私の『ヨーロッパの個人主義』、森有正の『エッセー集成』、考えてみるとそのような体験からヨーロッパ人と対決していくにはどうするかという日本対西洋、内と外という対決のドラマが生まれた典型的な五冊なんです。これ以降沢山同じような問題が出てくるのですが、たしかにそのように言えるでしょう。この五冊から、西洋文化の今までと異なる層にぶつかった日本人の対決的認識が始まったといっていいでしょう。

そして、これは小林秀雄、福田恆存、三島由紀夫が知らなかった問題なんですね。この三者は私が心の中でひそかに先達と仰いでいる人達でした。そして、私の全集の第2巻『悲劇人の姿勢』は小林、福田、三島に関する論文を集めています。

しみじみこの三者はいま私が挙げたような認識やテーマを知らなかったこと、『アーロン収容所』から『ヨーロッパの個人主義』、『ウィーン愛憎』に至って、それ以降の、世界対日本という認識の始まる闘いの相に見る知識人の新たな問題意識がまだ誕生していなかったということが、思い合わされてならないのです。

それ以前の知識人や思想界、文学界にはなかった視点です。西洋はむしろ理想化される一方だった。遠い西洋にいかに近づくか、西洋化が目的、規範だったんですね。いつか近づけば自分もそうなると考えれば、異質とは思わないでしょう。

しかし、はじめて近づくのではなく、日本はすでに近代化したどころか経済的にこの時代というのは、日本が西洋と互角になっていく時代だった。私の時代から、つまり一九六五年から以降、どんどん日本は高度経済成長期に入っていって、局面が世界のなかで変わってくる時代でした。局面が変わるということは、いつか追いつけば西洋のようになるという話ではなく、そもそも文明が別なんだという認識がまずそこで強く生まれた。違う文明なんだと。われわれは西洋と別であり、目的を共にしてはいないんだと。別個の世界であるという自覚がおそらく『アーロン収容所』をも、私の『ヨーロッパの個人主義』をも貫いていて、そのような自覚の新たな発見の書であるととりあえず理解して頂きたい。そして、それは私が全集の第2巻で取り上げている小林秀雄、福田恆存、三島由紀夫の世界にはまだまったくなかったテーマだったということを、むしろひとつの新しい問題意識として考えて頂きたい。

では小林さんはどうだったのか、対立思考はなかったのかといえばそんなことはない。しかし、小林さんは西洋対日本という対立思考を持たなかったわけではないのですが、洋の東西を問わぬ、様々な対象に直接ぶつかっていったのが小林さんの人生でした。ゴッホもあれば、平家物語もある。

ドストエフスキーもあれば、実朝もある。つまり小林さんは西洋とか日本といった対立を概念化して考えることをしなかった。むしろしてはならなかった。西洋と日本を対決、闘いの相において考えるという体験も持たなかった。と同時にそのようなことを自分の人生のなかで取り扱うとき、対決関係に概念化して当たるのではなく、それこそピカソを論じた翌日には福沢諭吉を論じているようなやり方だった。そして、それでよかったのです。

私にもそのような面があります。誰にでもあります。これは当然のことです。しかし、小林さんはすべてがそうであったわけで、絶対に「西洋と日本」という対立の相で見る文明論上の概念思考があの人にはなかった。

福田先生はどうか。やはりそのような概念思考はありませんでした。福田恆存は、徹底した西洋主義者といっても過言ではありません。西洋をもっと根源的に学ばなければダメだという立場でした。ロレンスとシェイクスピアを突き抜けて、そのようなことを、日本的な曖昧さというものをきっぱりと拒絶して、西洋的な論理を貫徹した人だったと思います。私は次のように書いています。

福田氏は西洋教養文化主義派、大正文化主義派の最後に登場した西洋派であり、教養主義者をいわば死刑台に送り込んだ西洋派であり、この点では小林秀雄より徹底していたと思います。

（『西尾幹二全集』第2巻）

小林さんはどこか大正教養主義のしっぽが付いて回っています。ただ、これはなにも良いとか悪いとか言っているわけではない。小林さんの歴史ですから。そのような時代だったんです。私たちは違う世代だということを今申し上げているにすぎません。

福田さんはこうも書いています。

西洋文明を受け入れることは、同時に西洋文化を受け入れることを意味します。和魂をもつて洋才を取入れるなどといふ、そんな巾著切のやうな器用なまねが出來ようはずはない。和魂をもつて洋魂をとらへようとして、初めて日本の近代化は軌道に乗りうると言へるのです。

（「傳統にたいする心構」昭和三十五年七月）

徹底した西洋主義派なんです。それも中途半端な西洋主義ではダメだと言ったわけです。つまり、日本主義という砦のなかに立てこもろうとしなかった方です。

一方、逆に日本主義という砦に立てこもるという人も当然出てくるわけです。もちろんそれは、言うまでもなく沢山おられます。例えば保田與重郎（やすだよじゅうろう）、鈴木大拙（だいせつ）、柳田國男（やなぎたくにお）……一種の日本主義の砦に立てこもるという言い方はそれほど酷な表現の仕方ではないでしょう。

福田さんなどからは痛烈な柳田國男や京都学派などへの懐疑の意識があったのは当然なのです。あまりはっきりは打ち出されていませんが、要するに彼らは日本のなかでの西洋化できないものを拾って、それを概念化しているんだというような批判があったと思う。その前に日本はもっと徹底的に西洋化しなければダメなんだと言外に語っていた立場でした。西洋化しなければダメだと言った福田さんが見ていた洋魂というものの核心は何であったか。この洋魂のなかのものすごい荒々しいもの、つまり先程、中島義道さんが体験したような果てしない闇、他を討伐しなければ治まりきらないような激しいもの、それを見て体験したかといえば小林さんも福田さんもしていない。やっと私たちの世代からそれがはじまったということを申しあげているのです。

おそらくそれは日本が戦争を強いられたことの歴史の見方に関係がある。過去の人には戦争に対する見方に甘さがあったと私は思っています。何をアメリカがやったかということは、はっきりしていて、日本はめちゃくちゃなことをやられたわけですから。旧敵国の不正、理不尽が最近はっきり言えるようになったということに関係があります。つまり先程のミセス・ケレハーですよ、あれはルーズヴェルトです。めちゃくちゃな論理をがんがんとやって日本に向ってきたということではないかと思うんです。

六、

一九七〇年代は、「日本人論」がいっせいに流行しました。七〇年代はソ連が破竹の勢いで世界中に手を伸ばし、八〇年代はそれが挫折した時代です。共産主義の最後の断末魔が聞こえてきた歳月と言っていいと思います。ブレジネフが亡くなるのが八二年。八五年にはついにゴルバチョフが登場します。それに先立つ七〇年代はベトナム戦争の勝利を含む共産主義の勢いにより、西側が恐怖を感じる歳月でした。そして六〇年代後半から七〇年代へかけては、我が国の高度経済成長が大きな出来事として、西側にも相並び、次いで目立つ出来事として、世界的な青年の反乱が、大学紛争の名において、パリでは五月革命、ベルリンでも、メキシコでも、もちろん日本でも、いたるところで火を噴きました。

あの時代、西洋との文明の同時代感覚というようなことが急に言われ出しました。これは政治現象面で地球上において同じようなこと、似たようなことが同時並行的に起こりつつあるということを表していて、いままで追いつき追い越せということで見ていた世界に対する日本人の認識も、なにか世界は同じことをやっている、という感覚へと広がった時代でもあるのです。

そして、日本の経済だけは急成長を遂げていきます。そのために、追いつき追い越せではなくて、異質であった日本の文化は、それなりの正当性と独自性、しかるべき文明史的な位置を持つのが当然であるという認識に変わります。

したがって日本文化は特殊ではなく、特殊がひとつの普遍だという主張をだんだんとしてみたくなる欲求が高まります。日本人が持っている今までの弱点、弱みと思われていたことは、それは素晴らしいことなのではないか。否定面はひっくり返せばそのまま肯定面になるのではないか。それが一斉に日本人論という名において登場する。自己礼賛のケースもあったし、非常に科学的で緻密な言語論もあれば、心理的な病理学論もあるし、社会学的な大型研究もありました。

『ヨーロッパの個人主義』はその範疇ではないのですが、そのような読まれ方も一方ではされました。日本人論の一連の流れをなしたのが、イザヤ・ベンダサン（山本七平）の『日本人とユダヤ人』、『日本教について』、中根千枝さんの『タテ社会の人間関係』、土居健郎さんの『甘えの構造』、会田雄次さんの『日本人の意識構造』等々、このような書籍が巷に溢れるほど、日本人論が何百冊とありました。外国人も青い目から見た日本人論など、多くの書籍を発刊したのを皆さんもご記憶かと思います。

その時期の面白いことは和辻哲郎の復活です。和辻は自らの体験を人と人との関係で捉えたのが倫理学で、日本における人間と人間の「間柄の倫理」ということを言っていました。一方、人と自然との関係は「風土」ということで表わし、ヨーロッパと日本との風土の違いを強調し、新しい時代に符合して、あらためて再認識されます。

私が書いてきたこととも深く関わるのですが、私のヨーロッパ論のなかにも、都市論もあれば自然論もあり、風土論も入っています。実は私のヨーロッパ論はここで終わっているのではなく、この後、全集のずっと続く後の巻のなかで色々なかたちで新しいテーマが加えられていきます。

たとえば私はある時期、教育論を展開しました。これは『ヨーロッパ像の転換』のなかの第七章「ヨーロッパ不平等論」という、学校教育における平等と競争のパラドキシカルな関係を一瞥したモチーフを大きく展開し直したものです。つまり日本がすでに高等学校進学率が七割を超えているときに、ドイツでは義務教育でおわる人が六割弱だった。その数字上の落差の大きさに衝撃を受けて、そのことを柱にして私の教育論がはじまるのです。

七、

ここでひとこと申し添えておきたいのは、一九七〇年代の終りごろから八〇年代の初めごろにかけてでしたが、比較文学、比較思想、比較文化といった方向の、人文系学問において流行となっていた「比較」という方法について私が批判的発言をしたことです。そして同学会の各方面に一大波紋を投げかけるという出来事があったことを思い出します。

切っ掛けは比較思想学会の研究誌に「ヘーゲルと空海」という題の論文が出たのを見て、いくら両思想家に似ている面があるからといって、時代も文化伝統も歴史的背景も余りに異なる二つの思想をいきなり任意に取り上げ、「比較」するのは不正確になりかねず、乱暴ではないかという趣旨のことを言い出した点です。これは当時、賛否両論の激しい渦を巻き起こしました。

背景には、先に題を挙げていた『日本人とユダヤ人』や『タテ社会の人間関係』や『甘えの構造』等々のいわゆる日本人論ブームへの疑問もこめられていました。何となく納得させられても知的に気の利いた面白さの目立つ日本人論には落し穴があります。

さらにこうした一般書だけでなく、比較文化や比較文学は大学の学科の新設などに当り、文教政策の中では受けが良く、当時人気を高め易いタームでした。「比較」は学問的に陥りがちな間違いを矯正し、問題を哲学的に問い詰めれば、内容もどんどん深まっていくテーマでもあります。

哲学誌『理想』が東大の故今道友信氏と私との対談「比較研究の陥穽—その反省と展望」（一九七八年四月号）を掲げました。これが長大かつ深刻な内容を孕んでいたので、「比較」方面の人文系学者たちを大いに刺激しました。一九八一年に東京大学比較文学研究室（司会・芳賀徹氏）が、そして翌八二年に東京工業大学比較文化研究会（司会・江藤淳氏）が、それぞれ私を招いて、長時間にわたるシンポジウムを開催しました。いずれも活字となって残っています。西尾幹二全集第3巻「懐疑の精神」に、まず今道氏との対談の全文が復刻されています。さらに二つの大学のシンポジウムは分量が多いので、私の発言部分だけを切り離して、全文をそれぞれ掲示しております。全集版で六十四ページにも及び、相当量になります。これは初期の私の仕事の中で、目立ちませんけれども忘れられない重要業績と信じていますので（全集はこういうものを拾い上げておく意味があります）、この際強調しておきます。

そもそも「比較」は学問の方法論に対する呼び名であって、「演繹」とか「帰納」とか「実証」とかいうのと同じで、これ自体は学問の対象にはなり得ません。世界にギリシャ文化やアメリカ文化はあっても「比較文化」はありません。フランス文学や日本文学はあっても「比較文学」はあり得ません。それなのにいつの間にか「比較文学の歴史」とか「比較学の開祖」とかいうことが七〇年代以降しきりに言われるようになりました。

比較という方法がにわかに注目を浴びるに至った理由はもちろんすでに申し上げて来た通り、「日本の近代化＝西洋化」の歴史が立ち至った必然の流れに帰着します。日本人が「比較」という方法をいま自分の文明の位置を知るために必要としているのには必然性があります。「比較」の正しい方法を確立しようと競い合うことは大切です。しかしながら、方法を固定化すると、とかく発生し易いのは正確さではなく、正確さの名をかたったイデオロギーです。かの七〇年代の日本人論は、それ以後すこしずつ「日本」あるいは「日本人」を擁護し賞讃するイデオロギーになり代わりました。私はそのことを二つのシンポジウムや今道氏との対談で予言し、警告していました。そのいきさつを見ていきましょう。

簡単にポイントだけしかお伝え出来ませんが、「比較」が生きた方法として役立つのは未知の文明に出合い、今まで聞いたこともない異風に触れ〝驚き〟を覚えるような瞬間です。イスラム教徒の一夫多妻制はキリスト教徒には衝撃でしたでしょうし、私の場合はドイツの中高等教育への進学率の低さが衝撃でした。ドイツ人が釣り銭を渡すときに決して引き算をしない、などというのも不思議に思えて仕方のない事実でした。

目を見張らせるような〝驚き〟に出合ったとき人の心は震えていて、文明や歴史を動かす原理上の「発見」が起こり得ます。そういうとき人はイデオロギーに陥りません。現実は複数であることを認めているからです。やがて震えが止まり、解釈が始まり、一つの現実を残して他の現実を消してしまう選択の開始とともに、イデオロギーが登場します。

イデオロギーは大抵の場合、良いこと、有利なこと、利得になることと結びつきます。遠い過去に起った出来事や見知らぬ異文明で目撃した風習などには必ずしも明確な年代の確定は必要ではありません。例えば縄文時代のうちに日本人の心の原型を見届ける、などということが果してどこまでなし得るのかその点疑問ですが、土器や土偶に古代の日本人の素朴な心の原型を求める等は、あまり厳密に考えずに通念となっています。しかし日本の武士とヨーロッパの騎士を「比較」するようなことは果して可能でしょうか。鎌倉時代と江戸時代では武士の心のあり方に違いがあることは分かっていますが、「武士」と「騎士」を比較するときには「類型化」が行われ歴史を輪切りにして、東西の歴史上の同一の相を割り出してから比較する「脱歴史」が普通になってしまうでしょう。鎌倉と江戸の「武士」の違いを問い詰めず、日本の「武士」を定義した上で「騎士」との比較を試みることになるのです。大雑把な比較しかできません。だからこういうテーマに学問的に取り組む人はあまりいません。しかし話題になった「タテ社会」も「甘えの構造」も「日本教」も、あるいはまた「ユダヤ人」との比較も、〝脱歴史〟を当然のことのように前提にしているのではないでしょうか。そして、それが日本人の特性や企業の利益に結びつくといっせいにフィーバーするのは、イデオロギー化ということの基本的性格です。

よく考えてみてください。「タテ社会」は日本のいつの時代の話だったのでしょうか。日本及び日本人は歴史のどこを輪切りにしてもタテ社会で、永遠に不変だといわんばかりでした。

もうひとつ考えておきたいことは、〝系統〟が同一のものは比較の対象になり得ますが、系統を著しく逸れたものは正確に比較できません。ところがいわゆる「比較研究」ではその点の弁別が難しいので、まやかしがはびこりがちになるのです。今道氏との対話でも笑い話のように出たのですが、お茶と紅茶は比較できるが、お茶とウォトカは比較できません。この点の弁別を間違える人はいませんが、例の「ヘーゲルと空海」あるいは「道元とハイデッガー」「漱石とカフカ」等はいったい「お茶と紅茶」の違いといっていいのか、それとも「お茶とウォトカ」の類にすでに入るのか否かは、取り扱う論者自身の能力と見識に関わってきます。怖くて手を出せないというテーマも無数にあるのに、イデオロギーに堕するか否かの厳しい自己検証を欠いているようなケースもいくらも散見されるのがわが国の人文社会科学方面の実態だといっても恐らく過言ではないでしょう。

何かに触れ〝驚き〟を覚えたり、何かに戦いを挑まれて必死に自らを守ろうとしている最初の瞬間に、人は新鮮な生命力に溢れた自己を現出させています。そういうときにイデオロギーには踊らされません。日本の近代化が西洋化の路線から一歩踏み越えて新しい軌道に迷い込んだかに見えた一九七〇年代に、日本人は経済的上昇に夢中になり、史上初の繁栄にうつつを抜かしたかに見えました。問題が始まったのはそれから後のことなのです。

八、

一九七九年に著名な社会科学者の村上泰亮、公文俊平、佐藤誠三郎の三氏による共同研究ともいうべき一冊の本『文明としてのイエ社会』が中央公論社から出されました。ご覧の通り部厚い一巻本です。

日本の産業社会が成功するにつれて、とりわけ社会学的な研究の中に、近代化＝西洋化から日本人の価値観における路線の変更、ストレートな日本肯定論に路線を転じるケースがあちこちで見られるようになりました。この本はその代表例といってもいいでしょう。大型共同研究で、いわゆる「日本型経営」を歴史的に広げようという発想の下に書かれた一書のようです。

ある程度単純化して概説すると、律令国家を頂点として、わが国は十五、六世紀まで氏社会であり、東北武士が登場してから鎌倉時代より後もずっとそうであって、現代の企業の産業社会までを〝イエ社会〟という言葉でひと括りにすることが出来ると見ているようです。日本の現代企業は大名家や封建領主たちの持っていたのと同じ社会構造を基本にしている、と。

これはまさに〝脱歴史〟の象徴例であります。日本人とはこういう存在なのだ、日本社会はいつもこのように同一の構造だったのだ、ということを言うために、いつの時代も、古代の日本人から現代の日本人まで、同一不変だった点を強調するのですから、歴史の変化をできるだけ無視することになるので、脱歴史、あるいは非歴史主義とならざるを得ないのです。概略的に申し上げるので、この書籍に対して失礼かもしれないのですが、ヨーロッパと日本に共通して見られるのは、適当な規模の自立的な中間集団が作られていたことです。で、日本国内では十六世紀まで常に内戦の危機があった。イエ型集団は軍事機能の効率性を常に維持していた。しかしそれをやがて克服する。そして、そのイエ型集団が日本的経営と言われる政府機関、あるいは各種の法人組織に受け継がれてきている。日本がいかに近代工業社会にうまく歴史を結合させ、高度経済成長を達成したかという説明に日本型「イエ社会」がいかに寄与したかということを強調しています。

そして、そこから先が重要なんです。『文明としてのイエ社会』は実はいかに今の日本が強いかということをいうために、あのころ盛んに強調された「日本型経営」をむしろモデルに見立て歴史をすべてそこから見ている研究です。それがむしろ欠点なんですが、気がついていません。

あの頃盛んに言われた「日本型経営」というのを皆さんも覚えておられると思います。根回しや、会社の中で物事を決めるときに上意下達ではない、トップダウンではなくボトムアップだとか、中間管理職がいて、物事をそこで相談して決めると非常に合理的にうまく決められるという日本型経営の強さというものが盛んに指摘されました。トヨタ自動車のカンバン方式を世界の自動車会社が真似をするという騒ぎになったことも記憶に新しいところですが、それはどこにあるかというと、けっして文化的に片寄った特殊なものではなく、日本の歴史の内部から素直に必然的に出て来たのだと言いたい訳です。

そこで、普通には欧米の経営理論が見本とされることに反対します。欧米の近代的な経営理論では、階級制における上下関係というものがあって、上のものは絶対的なものであり、下位のものは抵抗できない。上のものの恣意に抵抗できない。上と下との間には断絶があって、両者は異質であると。それが西洋型、あるいは近代化された企業体というか組織のつねであるといわれてきた。ところが、日本の封建制度、一族、御家人、老中、これらは互いに浸透し合っていて、さりとて中国型の専制国家体制でもなく、構造が合議制的であった。日本のイエ型集団においては合議というものが強い慣行を成していて、織田信長などは少数の例外に過ぎなかったというのです。無理があるのですが、いわゆる稟議という形をとって、関係者多数の間で合議をして、最終案は回覧して検討して決定される。

これは昔の武家集団から今の会社の運営の仕方まで共通するのだそうです。みんなで合議してうまく決定される。報告と命令が区別されていない。下から報告されることと、上から命令されることはひとつだったと。日本型は西洋型のトップダウン方式ではないが、そうかといって、トップが意思決定権をもたないのではなく、トップダウンとボトムアップがお互いに浸透し合っている。日本の企業や官庁では中間層が意思決定をしているとよく言われますが、そして欧米の企業に比べて中間層は発言権が相対的に強いことも否定できませんが、上位者は必ずしも常に名目化しているわけではなく、上位と中間と下位の間がお互いに浸透しあっているということが正確な理解であるということも書かれてあります。

いってみれば盛んに賞讃された日本型の経営が一千年の経緯を通じて、いま蘇っている。このような意思決定方式が日本の社会のなかで次第に強化され定着してきたものであるということを言っている。それは先程から私が色々な例を挙げていた攻撃型の西洋の世界とは違って、日本型の和の社会、優しく繊細でお互いに目と目を見合った仲間同士で理解し合ったら、それが一番強い合議の形態となるような社会に適応し、歴史的に発展してきた。そこでは例えばもはや紙切れを重んじない。西洋ではドイツあたりでもそうですが、何でも紙でとにかく紙がものを言う。書いたものや証拠書類は絶対になくしてはならない。これは世界的にみなそうでしょうけれども、日本もだんだんそうなってきていますが、そのような理解に立つ人間の運営の仕方ではなく、目と目を見合わせて伝達されたことをより深い理解とする方式を企業は基本に置く。

で、このような厚い書籍を書いて、実はこの本は当時あまり評価されなかったと私は記憶しているのですが、著者の方々はみな優秀な方ではあったし、読んでみると日本的経営のよさはたしかにわかります。その特質はわかりますが、それを全歴史に適応するというようなことには無理があるのではないでしょうか。それを面白いから評論的に言う分にはいいのですが、このような学問的な大著を作って、こうだこうだと言っても無理があるので、ご苦労様でしたという本なのです（笑）。

私が言いたかったのは、イエとかムラとか、タテとかヨコとか、カタカナで書く当時の日本人論は、日本が高度経済成長期で、なぜ日本はかくも成功したかという自己説明をする必要に急に迫られて、しかも「追いつき追い越せ」ではもはやない、という段階に達したときの日本人の自己説明というものの必要からにわかに発想され、相次いで出されたものではないでしょうか。結果としてイエとかタテとかカタカナで書くことは、一種の中立化を装うためで、新しい科学タームを装うための詐術なんです。

ところが、結果としてこれは日本主義であり、日本擁護論であり、そして日本の歴史を利用して自分を守るという議論になるわけで、一連の日本肯定のイデオロギーになったと見なさざるを得ません。標題をカタカナにしてあえて脱イデオロギーを狙った中立含みの企てが結果としてイデオロギーに与したという皮肉な話でもあるのです。

九、

この本はご存知でしょうか。増田悦佐氏が書かれた『マネジメントの日米逆転が始まる』という経済評論の本です。帯を見ると「二〇一三年、日本企業は生き残りアメリカの大企業は倒れる！　アメリカ流の経営は『奴隷の管理』にすぎない！　日本的経営のほんとうの強さが明らかに。『無為の為、無策の策、無能の能』で勝つ日本」という調子です。

この本は私に言わせると、七〇年代の日本人論で喧伝されたイエ社会とかタテ社会といっていた内容がまっすぐここにきているんです。この手の本が相次いでたくさん書店に並びました。どのようなことを言っているかというと、簡単に紹介します。

まず欧米のＣＥＯがいかに高収入を得ているかという話があります。格差社会がどんどん広がっており、必ず潰れるに決まっている。円高にも拘わらず日本がなぜ強いかというふうなことが本の基調なんです。

日本と違って欧米の企業は軍事主義的帝国を創る論理で築かれてきており、それは戦場の論理であり、軍隊の論理であり、宣教師の論理だというのです。指揮命令系統が一本化していると、先程申上げたようにトップダウン方式です。帝国の論理でうまくいっている国で成長した企業は巨大化すればするほど、マーケットの論理ではなく戦場の論理に基づいて経営されるようになると言うんです。それがだんだんダメになると。ガリバー型寡占企業ということをいいます。そのひとつの良い例として戦後の製鉄業を見てみますと、アメリカはＵＳスチールが大手六社の間の企業規模において圧倒的な格差があるんです。一社独占企業のようになってしまう。

ところが、日本の場合は富士と八幡が合併して新日鉄に、それがのちに住友金属と統合して日本製鉄にはなったけれども、川崎と日本鋼管が統合してＪＦＥスチールに、神戸製鋼等など、いくつもの峰になって、いまだひとつの峰にならない。ＵＳスチールがガリバーとしてのさばるアメリカの鉄鋼業界と違って、日本の鉄鋼業界は常に数社がなんらかの技術革新で先陣争いをする活気ある業界であり続けたというのです。

つまり、独裁しないで必ず競争が起きる。自動車もそうです。家電もそうです。それが世界一のエネルギー効率を達成しているというのが一つの主張です。アメリカは日本が系列取引や非課税障壁で不公正なことをやっているということで批判しましたが、そのようなものでは全くないというのが日本の強さであったということを言っており、これは一面、当たっていたでしょう。（二〇一七年、神戸製鋼に「アルミや銅製品等の品質データ改竄」という、これを裏切る大不正事件があったことが発覚しましたが）

さらにもうひとつは、ここからがまさに日本人論なんですが、円高で日本の製造業は本当に空洞化するのかとの提起に、いやそんなことはないんだと、実は手強いんだと、日本は。

ここでは、日本企業は約四十年にわたる円高にもかかわらず一貫して日本を拠点として活動し続け、きちんとした利益を上げ続けている、その最大の理由はなんだろうか、と問うています。それは日本企業が自己修正的な共同体なので、時代の変遷において、融通無碍に主力製品ばかりか主力産業分野まで変えてしまうことであると。

ひとつの例でいえば日本水産の水産部門の利益は今や半分になってしまって、ファインケミカルで営業利益の十％以上を稼いでいる。つまりファインケミカルと日本水産はぜんぜん別の業種なんですが、日本水産はいつの間にかファインケミカルを作るうえで欠かせない会社になってしまっている。こんな変わり身の早い柔軟さは日本企業の特徴で他のいろいろな企業も例にあがっています。

そのなかで特に凄いのが神戸製鋼です。本書の出た二〇一二年、神戸製鋼の鉄鋼部門の利益は四分の一にとどまり、稼ぎ頭は建設機械部門に変わってしまっている。これは日本の融通無碍の素晴らしさだと。私もそれはそうだと思います。日本は自己修正的な共同体で、故国アメリカより日本にいるほうが心休まるといったアメリカ人哲学者、N・P・ジェイコブソンが言った概念は以下の通りだと。

「言語や行動の孵化器である何千という自閉的・自己中心的・孤立文化社会は崩壊されてしまった。……ナルシスは死んだ。そして、新しいタイプの人間が誕生した。生活のコントロールと指針は、確立した文化社会から拘束を持たない自己修正的様式と境目のない自己修正的共同体の支配へと変わりつつある。交流は、地球全体に学ぶことへの関心をもたせ、また、他国民の思考形式を取得しようとする新しい関心を呼び起こしている。……現在、この方法は歴史を形づくっており、超工業化時代の巨大な力として……」

そしてそのモデルが日本だというのです。

「自己修正的な共同体とはどんな共同体か。世界が変化するのに合わせて、自分たちも不断に変わらなければいけないと思っている共同体だ。環境の変化に即応して自分たちも変わりつづけるには、つねに身のまわりで起きていることを学ぶ姿勢が不可欠だ。そしてジェイコブソンは日本人こそ自然に自己修正的な共同体を形成できる人間集団だと確信していたのだ」といって、グラフで実例を明示します。

まさにこの通りです。これがやはり、攻撃的自我、ガリバー型寡占企業、トップダウン方式のような命令型社会から攻撃されている我が国の持っている柔軟な人間社会というものが、ひとつの価値として自分を守ることが出来る大切な価値であると考えると、ちょうど一九七〇年代の日本人論の受け売りというか、そのような中立的な相対化された価値がむしろ世界のなかの価値そのものであるという議論になってくるわけです。

しかし、この価値は裏返せば病理にもなるんです。そのことを見落してはならない。どのような病理か。それは「原子力ムラ」を見ればわかるではないですか。企業のトップだけでなく経済産業省、政治家も含めて学者と官僚とみんな東大原子力工学科出身者が集まっていて何をやっていたんだと言いたい。

これがしかし西洋型社会では責任をきちんとするということがあるから避けられる。性悪説に立脚した人事が行われるからです。性善説ではないんです。それはいつか私が申し上げていますが、「同一学内招聘禁止法」Hausberufungsverbotといって、大学の先生が人事を執り行うときに、自分の出た学校の教授にはなれない。それから准教授から教授になるときもそれぞれ別の大学に応募しなければ上の地位に上がれない。これがドイツのシステムなんです。馴れ合いと相互の認め合いを排除して性悪説に立脚している考え方です。それが個人主義なんです。個人主義の基本は性悪説ですから。

それと同時に個人主義は個人主義を超えるものがなければ成り立たないんです。西洋の場合は神様というものがありますが、神様がなくなったときのヨーロッパは一段と悲惨になります。ドイツ銀行はじめいまの金融がおかしくなっているのはそれです。神様などなくなってしまっているからです、いまのヨーロッパは。それでも我が儘勝手の構造だけは残っているんですからあのようにおかしなことになっている。その点日本はたしかにみんなが手を取り合って仲良くやっていく社会なのであのように南ヨーロッパと北ヨーロッパが対立する状態にはならないかもしれません。でもその裏には全体が泥沼にはまったら一人だけ、あるいは一社だけ簡単には抜け出られない救い難い弱さがあります。

人は何かに触れて〝驚き〟を心中にかかえて全身で身震いしているようなときにイデオロギーに

偏することはありません。複数の矛盾する現実にも目を開き、現実を知ろうとして必死だからです。日本人は「近代化＝西洋化」を超えて次のステージに入ったと信じ始めていますが、新しい変化に〝驚く〟心を忘れ、今までとは別の現実の護持のために〝闘う〟意思を失っていいということには決してなりません。

十、

ドイツの話からはじまったので、最後もドイツの話で終わりたいと思います。

川口マーン惠美さんの『サービスできないドイツ人、主張できない日本人』という書物があります。ここに本日、私が申し上げたドイツ人の正体が語られている。ヨーロッパ人の正体といった方がいいかもしれません。

ドイツのギムナジウムを見ていて感じるのは勉強の目的は知識の量を増やすことではなく、後々まで使える底力のような能力を培うことに重点が置かれている。日本とドイツの高校生の学力を比べたなら知識なら日本人の生徒の方が断然多い。またはじめて教わることを理解するのも日本人のほうが早いかもしれない。ただ日本の生徒の知識はほとんど受け身の知識なので、能動的に使うことができない。学校はドイツでは生徒が独自の意見を形成し、それを戦わせる議論の場となる。何を聞いても何を読んでもそのまま鵜呑みにするのではない。すべてを本当に正しいのか、なぜ正しいのか、と疑ってかかる。彼らは教わっている最中でさえ受け身ではない。自分の意見はなんだろうといつも考えている。そして考えたことをためらわずに主張する。ドイツ人はおそらく日本人の十倍ぐらい疑い深く、日本人の十倍ぐらい主張の強い人だ。

それに比べて私たちはもともと人を疑ってかかるより信頼に基づいて暮らしてきた民族だ。人間が二人寄ると相手の立場を理解し、相手の気持ちを考えてまずなるべく仲良くしてやろうというベクトルが自然に働く。懐疑的批判的な能力はそれほど必要なかったし、教育の場においてもそれはいまだにあまり重要視されていない。他人を理屈でねじ伏せる訓練は受けておらず闘争のＤＮＡはあまりない。日本では素直であることが美徳であり、相手を理解する能力が重要なのだ。

それはその通りでありますが、問題は彼女が紹介している、ギムナジウムの試験のスタイルです。こんなことやられたら私だって受かりません。

試験のテーマは五つ用意されており、どれを選択してもよい。カフカの『審判』、娘はそれを選んだ。『審判』から一ページほどの文章が抜粋されており、これに関連して設問がある。

問1ａ　抜粋部分を、語り口と言語様式の観点から考察せよ。

問1ｂ　この抜粋部分はどの程度小説全体のキャラクターを反映しているかを考察せよ。

問2　Ｋの裁判に対する態度と『ミヒャエル・コールハウス』の主人公の心情と態度を比較し、考察せよ。

ただこれだけである。こんな抽象的な質問いったいどうやって答えればいいのか。これを五時間半かけて書く。最後にまるで纏まらなくなる可能性もけっこう高いし、プレッシャーも甚だしい。生徒は構成の骨子を作り終えると、ペンでがんがん書いて行く。メモは鉛筆でもよいが答案は鉛筆では許されない。つまり消しゴムは使えないから書きだすときはかなりの筋立てが出来ていなければ支離滅裂になってしまう。文章も一文一文頭のなかで作ってから書かなければ答案用紙がぐちゃぐちゃで読めなくなる恐れがある。運悪く大幅な修正が必要になったときなどは「ここにAを挿入」などと書きいれ、挿入部分は他のページに作ってなるべく分かり易くすることは許されている。娘はこの試験のときは五時間半ぎりぎりかかって大学ノート十六ページの論文を仕上げ、息も絶え絶えになって帰宅した。持って行ったサンドイッチを食べる暇もなかった。

とにかくすごい試験なわけですが、人生のある瞬間にこのようなことをやるのはとても大事なことであると思います。しかし、ここで言っていることで半分反論すると、「学校は……生徒が独自の意見を形成し、それを戦わせる議論の場」などと書かれていますが、私は実際にドイツの高校の最高学年の宗教の時間を見に行ったことがあるんです。やっていることはただ生徒に勝手なことをしゃべらせているだけなんです。デュルケームを題材にしていましたが、それならフランス語の勉強をさせてデュルケームを原書で読ませろと、そっちのほうが先だと思いました。

というのも勝手なことをしゃべらせて身につく生徒は身につきますが、つかない生徒はおしゃべりを覚えるだけです。あんなものはナンセンスだと冷ややかに見ていました。つまり高校生に大学のゼミナールの真似をさせるな、と言いたい。日本の大学のゼミも全くダメですね。もう先生が過剰なくらい知識を与えなければダメなんですが、好きなことをやらせて意見を述べさせるようなことばかりやっているんです。

さて、マーンさんが言いたかったことは教育だけでなく、ドイツの政治です。このような教育とこのような人間観を培っていけば結果はこのようになるということです。二〇〇九年九月一日、ポーランドで、ポーランド政府主催の第二次世界大戦七十周年記念式典が行われた。

敗戦後、ポーランドに住んでいたドイツ人は資産を奪われ、着の身着のままで故郷を追われた。そしてドイツへ辿り着く前に多くの人が命を落とした。チェコ、ハンガリー、ソ連からの引揚者を含むと犠牲者は二百十一万人にのぼる。

ドイツの悲劇なんです。敗戦国は滅茶苦茶にされるんですが、ドイツの場合はナチスの悪があったため何も言えないんです。いまもそうです。ですから鬱積がたまっている。ドイツが軍事力で強くなったらポーランドあたりは必ずまたやられる。十年ぐらい前からぽつぽつと国内で論文は出てくるようになったのですが、ポーランドは一言そのようなことをドイツの政治家が言うと、ちょうど韓国がぎゃあぎゃあ騒ぐようになる。しかし、メルケル首相はポーランドの抗議に屈せず、この日のスピーチで「われわれの果たすべき歴史的責任においてなにひとつ書きかえることなどしません。つまりドイツのした歴史に対してはなにひとつ書きかえることはしません」。そこまでポーランドに配慮している。その上で「責任はすべての基盤であり、それをしっかりと自覚することによってのみわれわれはいま、かつての戦争のために故郷を失ったドイツ人のことをも思うことができるからであります」。この一行を付け加えることを決して忘れていないのです。自国の見解と自国民への擁護をしっかりする。

従軍慰安婦問題でおたおたする安倍首相は驚くべきことにブッシュ・アメリカ大統領の前に行って謝罪したんです。あとで「そんなことはなかった、大統領が誤解して口走っただけだ、自分は言っていない」と産経新聞に書いていましたが、なかったと言ってももう間に合いません。政治家なんだから。「あんなものはなかった」と直後にがんがん言わなければならないんです。

ところが、アメリカ大統領の前で謝罪したままです。これは筋違いでした。私はすぐ二十万人いた戦後の日本人慰安婦を思い出しました。当時はパンパンといったんです。米兵相手です。アメリカ大統領からはこちらが謝罪の言葉をもらうべき立場なんです。

自国の国益を主張できない国は、けっして信用されない。経済援助ばかりでは他国を思いやり、紛争の仲介役と指導力を発揮できる国にはなれない。いまの日本にはこの能力が一番欠けている。まったくその通りです。

本書のこの項はドイツを中心にして展開しましたが、最後に二重性の宿命と現実、つまり企業の成功と政治の挫折は同時現象なんだということを申し上げたい。企業は成功するかもしれないが、政治が挫折する。

この日本の内と外の関係をどのようにして克服するかというのが、我が国の課題ではないかと思います。矛盾する課題ですから大変難しい。少なくともエリート教育はドイツ的にやるべきなんです。心からそう思います。

昭和の連続性——歴史に戦前と戦後の区別はない

一、

二〇一八年の年頭に、わが国が北朝鮮の脅威という「戦後最大の危機」を抱えたまま幸運にも新年を迎えた、云々という記事を読みましたが、この書き方にはほとんど抵抗を覚えませんでした。ですが、六月の台風襲来は「戦後初めてだった」とか、ある農作物の作付面積は「戦後二番目の大きさにあたる」とか、ある事柄の人口統計上の男女比は「戦後最大になった」とかいう言い方に対し私は久しく疑問を覚えて来ました。軍事危機に対しては確かに「戦後」云々はまだ使えるでしょう。けれども他の分野については先の大戦の終結を「紀元」とするのはすでにおかしいのではないでしょうか。

二〇一八年は明治維新から百五十年を経ました。「明治百五十年」という言い方にも記憶のあるためという意味があります。同様に「戦後七十年」という言い方にも念を押す意味があり、首相は談話まで出しました。けれども「明治百五十一年……百五十二年……」と数え立てる人がもはやいないと同様に、「戦後七十一年……七十二年……」と言い立てる人ももうありますまい。ということは、「戦後七十年」あたりで打ち止めで、これから後の記憶上の目盛りは「戦後百年」という以外にはあり得ないことになるでしょう。けれども、「戦後百年」はなんとなく不自然で、可笑しくはないですか。

となると、軍事以外の文教、農林水産業、鉱工業、金融、交通、医療、保険、国土開発、科学技術、司法行政その他のありとあらゆる分野にわたって「戦後」がさながら「紀元」であるかのように統計等の基準として用いられることを見ていますが、これはもはやあってはならないことに属するのではないでしょうか。

紀元は歴史上の年数を数えるときの基準となる最初の年を指します。軍事はたしかに昭和二十年（一九四五年）をもっていったん断ち切られています。ですが、今とりあげたような、他のあらゆる分野における日本人の社会生活は戦前と戦後の間に切れ目はなく、深くつながっています。もちろん軍事においても、決して全面的に切れているわけではありません。歴史はひとつながりの連続体です。大戦争の敗北という日本人にとって否定面を多く具えた日付をもって「紀元」とすることは、歴史がいつまでも負の記号でもって呪縛されつづける危険な可能性を孕んでいます。現にそのような呪縛がえんえんと続いているではありませんか。「戦後百年」という世界の他の国に例のない目じるしが近づいている滑稽さにも気がつかず、「戦後」を「紀元」とするメディアや役所や企業の安易な表記法は跡を絶ちそうにありません。

まずは「戦後最大の」とか「戦後最初の」とかいうものの言い方そのものを止めようではありませんか。

二、

私は若いころ文芸評論家を以て任じていました。作家論を書くつとめなどが厭で次第に遠ざかりましたが、文学の歴史に戦前と戦後の区別は元来あってはならず、昭和文学は連続体であります。そんなことは自明の前提とされるべきなのに実態は必ずしもそうではありませんでした。その理由は、戦前と戦後という政治史上の区別から思想史上の区別を解放して自由にする努力が、文芸の批評活動の中で十分ではなかったせいではないかという苦い記憶があるからです。

私は本書においては文芸の思想家として小林秀雄と福田恆存の二人をひいきにし、主題として取り上げて来ました。当然ながら彼らを今度は批判と吟味の俎上に載せざるを得ません。

ただし、この展開は私においては自然に無理なく行われました。私の内部に変化への欲求がありました。いつ頃でしたでしょうか、多分私が四十五歳あたりを過ぎてからだと思いますが、亀鑑として仰いだ先達を読まないように自制し始めました。読むと若いときのように未熟な自分が脅かされるからではありません。今の自分の欲求に何となく添わないもの、しっくりこないものを感じ始めて久しいのです。それはうまく言葉でいえませんが、先の大戦の歴史を思うときに、私の目に彼らとは違った光景が見え始めてきたと言ったら近いかもしれません。

少しゆっくり検証してみましょう。小林の最も明確な戦後批判は「政治と文学」(昭和二十六年)の中にあります。彼は『きけわだつみのこえ』に触れて、「戦争の不幸と無意味を言ひ、死に切れぬ想ひで死んだ學生の手記は採用されたが、戰爭を肯定し喜んで死に就いた學生の手記は捨てられた」。そこには編集者たちの文化観に依る取捨選択があった、と述べ、「その理由が解らぬなどと誰も言ひはしない。……たゞ私は、あの本に採用されなかつた様な愚かな息子を持つた兩親の悲しみを思つたのです。私は、さういふ親を知つてゐた。彼は息子を軍國主義者などと夢にも思つてゐなかつたし、彼自身も平和な人間であつた。戰犯が死刑になる世の中で、戰歿學生の手記が活字の上で裁かれるなど何の事でもない。それはよく解つてゐるが、そこに何の文化上の疑念も抱かないといふ事は間違つてゐると思ひます」。

静かだが、断固たる口調です。しかし精一杯の抵抗ともみえなくはない。もっと奥底をつかんだ言葉があったっていい。もっと激しいほとばしりがあったっていい。そう思いました。何となく言いよどんでいる所も感じられる。猜疑の目はジャーナリズムの知識人にも向けられました。

知識人達が……日本人がもつと聰明だつたら、もつと勇氣があつたら、もつと文化的であつたら、あんな事は起らなかつたのだと言つてゐる。私達は、若しあゝであつたら、かうであつたであらうといふ様な政治的失敗を經驗したのではない。正銘の悲劇を演じたのである。……悲劇の反省など誰にも不可能です。悲劇は心の痛手を殘して行くだけだ。

小林が別の座談の場で、利口な奴はたんと反省すればいいさ、俺は反省なんかしないよ、と言ったとかいう台詞は有名になりましたが、意を尽くしているのは「政治と文学」の中の右の箇所なのです。

これはこれで勿論いい。日本人が周章てている戦後の早い時期に、こういうことをピシッと言っておいてくれて有難いが、戦争をめぐってはこれ以上の言葉は小林にはありません。そこが物足りない。一体どうなっているのでしょう。こんな程度の言葉で済む話なのでしょうか。

当時は戦争責任という言葉が吹き荒れていました。日本人は夢にも考えていなかった概念ですが、戦勝国から怒濤のごとく押し寄せて来て、それをきっぱり拒絶する自覚が日本人にはありませんでした。それどころか、悪乗りして、この語を担ぎ回って、ばかげた論争をくりひろげる人が跡を絶ちませんでした。日本人は互いに傷つけ合い、ジャーナリズムは大騒ぎになっていました。

福田恆存は「戦争責任といふこと」（昭和三十一年）で次のように言っています。

「戦争責任」といふものはあるかもしれぬが、「戦争責任」論などといふものは、元來、成りたたぬものなのです。在るには在つても、論じられぬものといふものがある。「戦争責任」などといふものはさういふものだ。

これも正論であります。メディアの欺瞞を正確に撃っているが、小林とほぼ同じ認識に留まっていると言ってもいいでしょう。「反省」して歴史を変えられると思っている人の愚を戒めることにおいて両氏は峻厳でありますが、そこに止まっていて、そこから先がありません。あるいはそれ以前がない、と言い換えてもいいでしょう。

福田は「論じられぬものというものがある」と言うばかりで、口ごもっていますが、戦争責任は戦勝国アメリカにもあった、とは決して言いません。

福田恆存に関しては、最晩年に、アメリカの戦後政策の善意を疑い出す自己認識の訂正が非公式に行われたようです。この件は『正論』二〇一三年三月号の佐藤松男氏の報告「福田恆存、知られざる『日米安保』批判」を見ていただきたいと思います。(第Ⅱ部二四二頁の「註」を参照)

戦後一世を風靡した戦前生まれの保守思想家はご両名の他にもいますが、彼らにもおしなべて何かが足りない。間違った内容を語っていたのではないのですが、あと一歩というところで口を噤んでいる。平板な敗北的平和主義は見事に彼らによって否定されてはきました。論壇の内部において年を追うごとに舌鋒は鋭くなり、量的にも圧倒的強さを示すようになってきました。それなのに何かが不足しているのです。

一口でいえば、戦後から戦後を批判する制限枠内に留まり、アメリカ占領軍の袋の中に閉ざされたままであるという印象を否応なく受けざるを得ません。

三、

非常にはっきりしていることは、戦後において左翼はもとより、保守もまた戦前の日本を現実としてありのままに是認していないことです。過去はどんなにいやな過去でも幻とはならない。過去が今の自分を作っている。過去と現在は連続している。ドイツはナチスの支配した歳月を無かったことにして、戦後のドイツはナチスから「解放」されたのだというばかばかしい虚言に生きていますが（基本法すなわち憲法においてすらそう謳っていますが）、日本はそんなことをする必要はありませんでした。

具体的に見ていきましょう。戦後の保守は、戦時中軍部に積極的に協力した知識人に対しおおむね否定的でした。竹山道雄なども彼らを嫌っていたか、ないしは批判的だった。さもなければ、戦後の保守は戦中の保守に対し総じて沈黙で報いるのが一般的でした。小林や福田や竹山が大川周明や平泉澄や山田孝雄や徳富蘇峰や仲小路彰等を好意的に取り上げたという例を見たことがありません。用心深く言及を避けていた趣きすらあります。

戦時中の国策への思想的協力者にもヴァラエティがあり、当然、役割や果たした実績、不首尾に終わったとしても今から顧みてのリアリティの程度において、高い人もいるし、そうでない人ももちろんいます。誰が本物のリアリストで、誰が贋物の付和雷同者であったかの弁別が今のわれわれの判断でなされなくてはいけないはずです。戦争に負けたのだから協力者はすべて悪である、とレッテルを貼るのだとしたら、それは、戦勝国の論理であって、敗戦国がそんな粗雑さで自国の歴史への参画者を簡単に裁いていいはずはありません。戦争に協力した者は戦争が悪なのだから等（ひと）し並（な）みに悪である、としてしまうのは、硬直した一本調子である点において、左翼による思想検閲と同じことになりはしないでしょうか。これでは保守の名が泣くのではないか。

その結果、決定的にまずいことが生じました。たしかに戦争には負けたかもしれないが、あの時代の日本には数多くの選択の道があって、最後には開戦に追いこまれました。協力者の中で誰が今から見て妥当であったか。知識人としての戦争参加の理想は誰が担っていたか。それを知ることはとりもなおさず、あの時代の日本の運命を、善悪の道徳基準によってではなく、国家を襲った歴史の必然性の基準によってどう評価するかという貴重な判定を下すことになります。

戦後七十年にわたり保守、左翼を問わず、歴史的知性はそれをするのを怠ってきました。あの時代の日本の運命に、あの時代に身を置いて、直面することを避けつづけて来ました。それが今こそ必要なのではないでしょうか。

四、

『正論』平成二十七年（二〇一五年）七月号が「戦後70年企画」として「戦後思潮を考える」と題し、日本のための五冊の選択を提案し、私にも五冊の選択とその意義の解明を求めて来ました。私はあえて戦前の思想家と目される人を五人選んで、解題を記しました。以下そのときの記録を元として今の話のつづきを展開したいと思います。

■『第二次大戦前夜史一九三六』『同一九三七』仲小路彰（国書刊行会）

例えば、私がいくたびも紹介解説してきた仲小路彰は、東條内閣に協力した知識人の一人ですが、退役した海軍大将末次信正や海軍大佐富岡定俊（昭和十五年に軍令部作戦課長に就任）とタイアップして、米軍との太平洋戦を避けようとし、インド洋から中東へ海軍を動かし、南下するドイツ軍と提携して、米国からソ連への補給路を断ち、米軍参戦への口実を封じることを具体的に提案していました。ルーズヴェルトが不戦の国内世論にまだぐずぐず縛られていた時期です。すべてを台無しにしたのは山本五十六の独走でした。内閣の背後でにわかに今は知り得ない何かが動いていたことは間違いありません。仲小路は危険を知って東京を去り、山中湖畔に蟄居しました。最も近い同志（小島威彦（たけひこ））は東條によって投獄されてしまいました。

仲小路は中学三年でドイツ語でキルケゴールを読んだ哲学的秀才ですが、大正教養主義の甘さに毒されず、「戦争」という国家の運命から逃げないで、戦争が不可避ならどう合理的に戦うかの課題に知力を尽くして応えようとした思想家でした。

彼は人文系学者でしたが、膨大な軍事的歴史知識を擁し、国際政治学、あるいは軍事史学の先駆といっていいでしょう。「世界興廃大戦史」全百二十一巻という、ひとりで世界の戦争の歴史を展望する壮大な著述計画を立て、うち四十三巻を昭和十八年までに完成させました。彼の才能にいち早く気がつき、出版資金の労をとったのは石原莞爾でした。才能は才能を見抜くのです。この中の『太平洋侵略史』1〜6と『第二次大戦前夜史一九三六』及び『同一九三七』は、国書刊行会より復刻刊行されています。

戦後七十年もの間、日本の保守は、戦争たけなわの折に身を賭して国家の命運を救おうとした思想的知性を大勢順応の卑劣漢のごとくに扱い、戦後思想とのつながりを切ってきました。徳富蘇峰や大川周明や平泉澄に対しても同様でした。しかしそんな時期はそろそろ終わりにしなければならないのではないですか。彼らの歴史的省察は、戦後の諸家の歴史叙述には見られない、今の時代にむしろ必要と考えられるリアリティを見せ始めているからです。

仲小路の『太平洋侵略史』は一種の幕末維新史ですが、地球規模の出来事を視野に入れて、グローバルな俯瞰的な歴史の見方を展開しています。例えば、幕藩政治はイギリスによるオーストラリアの囚徒植民地政策と重ね合わせて叙述されています。ジェームス・クックがロシアのコサックを利用した日本侵略計画を準備していたことなどを取り上げています。吉田松陰を米国側がどう見ていたかにも触れています。阿部正弘と水戸斉昭の論争を語る筆は、一方でダーウィンの航海記を見落としません。

戦後の日本史家の書く明治維新がいかに〝鎖国的〟で狭かったか。戦前の仲小路の叙述がいかに相対化された広角レンズで繰り広げられていたか。これは逆説でもなんでもありません。戦前戦中の日本人が真に責任ある世界政策に立って生き、戦後の日本人が〝マッカーサー鎖国〟に閉ざされ、知的に衰弱しているからにほかなりません。

二十世紀はすでに世界が一つになって歴史を展開していく時代になっていました。欧州戦争と支那事変と日米戦争は一体化していました。ことに中国大陸における日本の戦争は第一次世界大戦後の欧州政局に動かされる要因が大きく、そこに孤立主義の米国がゆっくり関与し、正体を露わにしたのでした。日本と中国はともに必ずしも戦争の主役ではなかったのです。

しかるに、わが国でいま出版される大陸での戦争史は、日本国内の政党政治史であったり、米国との外交交渉史であったり、一方、欧州の戦争は、欧州の専門家が東アジアとは切り離した別世界の歴史として描き出すので、日本の戦争の歴史につながってきません。そのため、世界全体の中で日本人がどう鼓動し、どう発奮してついに第二次大戦に立ち至ったかがわれわれには未だはっきり見えてこないのが現状です。

仲小路の『第二次大戦前夜史一九三六』『同一九三七』はきわめて重要な時期の二年で、これもやはり例の広角レンズで叙述されています。スペイン内乱でソ連と独伊は決定的に対立します。そこに日独防共協定が成立し、日本の反ソが明確になるのです。が、驚くべきことに英国は、中国大陸でぜんぜん反ソ的な動きをしていません。英米系ユダヤ工作によってコミンテルンと秘密協定が結ばれ、英仏とソ連が手を組むという欧州戦線の構図が、西安事件から支那事変への怪しげな背景の中に見え隠れしたのが一九三六、三七年でした。

このような視野拡大の歴史こそが今求められているわれわれの歴史ではないでしょうか。戦後七十年間の歴史意識よりも、戦前・戦中のそれのほうが、はるかに今のわれわれに近いのです。

私が『正論』誌に断続的に連載した「戦争史観の転換」は、及ばずながら同様な広角レンズの試みで、二十世紀の戦争の入り口まで書きたい意図だったのですが、ご存じのとおり難航しています。仲小路のように古今東西の戦史を取り扱うなどは夢にも考えられません。ただ五百年遡及の世界史の観点はいかにしても必要だと考えています。なぜなら西欧世界と南北アメリカ大陸とが蠢動(しゅんどう)し始めたのは十五世紀末ですが、この十五-十六世紀からの世界史と近代日本の運命は、切り離せない関係にあると思うからです。

私なりにそうずっと思索してきたのは、『国民の歴史』や『江戸のダイナミズム』もやはり広角レンズで書かれたもので、ただの大風呂敷だと悪口も言われているかもしれませんが、専門家の閉ざされた歴史に対する嫌悪と否定感情が私には強くあるためです。

■『大川周明全集第五巻』大川周明（岩崎書店）

この観点に立つと大川周明の世界はぐんと分り易くなります。

大川周明全集第五巻（昭和三十八年）を繙いたとき私はあっと驚きました。『近世欧羅巴植民史』㈠㈡は、九七二頁に及びます。私が意図していた方向でヨーロッパ近世の植民地拡大の歴史を徹底して論じているのです。早手回しにここまでやっている人がすでにいたのだということに驚いたのでした。

㈠はポルトガルの国内情勢から始まり、エンリケ王子の事業、ヴァスコ・ダ・ガマのインド航路発見、インドとブラジルにおけるポルトガルの植民地政策の実態、そしてコロンブスの新世界発見、スペインのメキシコ及び中米・南米征服の次第、さらにフィリピン征服及び統治等のくわしい事情が語られています。以上で十二章になります。

十三章―十五章がオランダの、十六―十八章がイギリスの、十九―二十三章がフランスの各植民地建設の動機といきさつ、現地の実態と初期植民者の活動状況が究明されています。

これは翻訳書ではありません。多数の文献を引例している独自の研究著作です。

㈡がさらに浩瀚かつ重厚であります。オランダの東インド会社による台湾、爪哇との関係、「蘭領東印度」における強制栽培制度やイギリスとの争い、カナダの覇権をめぐるイギリスとフランスの相剋、イギリスの植民政策の終焉、アメリカの独立、イギリスのアフリカ植民と奴隷売買、「英領西印度」の黒奴廃止、アジアにおける英帝国すなわちインド、並びに濠洲における英帝国、フランスの植民地獲得の努力、すなわちマダガスカル、フランス革命、ナポレオン三世の植民政策、すなわちアフリカ・インド・ニューカレドニア・タヒチ等々。ドイツ最初の海外領土トーゴー・カメルン・カロリン及びマーシャル諸島。さらにロシア帝国の末路についても付記されています。

大川の時代には個別の参考文献が西洋でも多数出されていたのだと思います。けれども大川はそれに負けてはいませんでした。しかるに最近の西洋史家はフェルナン・ブローデルやイマニュエル・ウォーラスティンなど欧米文化優越の叙述に身を任せていて、日本史家もそれに影響され、大川が描いたような西欧各国の「地球侵略」の実際の姿の総合的叙述は、戦後の欧米でも日本でも、打ち出されていません。私に言わせれば、白人が地球の東半分を踏み荒らした歴史と重ね合わせるようにして江戸時代以降の日本を見ていかない限り、近代日本の出現も、その健気さも、栄光も孤独も、悲劇も理想もおそらく正しく言葉にすることは出来ないでしょう。

大川周明は何よりも学者だったのです。該博な知識と抜群の語学力の持主であったことは申すまでもありませんが、それだけでなく、宗教を軸に文明を総合的に把握することのできる稀有な学者でした。基本は朱子学にあったといわれますが、『回教概論』（中公文庫、ちくま学芸文庫）はイスラム研究の立場から見ても、今日なお学術的価値を持っているとされます。

彼がイスラム教を重要視し、コーランを単独訳したのは、西洋化を文明開化の目標としていた当時の日本において、孤独な開拓ではありましたが、今日の世界を予見していた例外的洞察力であったともいえるでしょう。筑摩書房の『近代日本思想大系21』（昭和五十年）に「大川周明集」がすでにあり、戦後いち早く復活した思想家とみていいでしょうが、今後も業績の評価は高まると想定されます。

■『中世に於ける精神生活』平泉澄（錦正社）

平泉澄といえば皇国史観を代表する名前で、皇国史観といえば天壌無窮の神勅を尊び、神話や神代に格別の思い入れがあるはずと誰でも考えるでしょうが、不思議なことに、平泉は若い頃の学問の手始めにおいても、その後においても、神代に強い関心を示すことはなかったようです。

彼は福井県の平泉寺白山神社の第三代宮司でした。その出自からして神話と歴史を融合させる、当時の代表的な思考のパターンに傾きそうだと思われるのですが、実際には人知の及び難い起源にさかのぼって学問することを彼は選びませんでした。彼が選んだのは中世史でした。『中世に於ける精神生活』という魅力的な学問上の処女作があり、史料比較の手さばきも堅実で、行き届いた実証的な作品です。

平泉はどこまでも歴史家であったと考えるべきでしょう。そう考えれば謎は解けるのではないか。彼にとって歴史は文字で書かれた世界、文化と人格の存在する世界でなくてはなりません。神武天皇より遡った神代は彼にとっては「歴史」ではないのです。戦後の歴史の扱いとある意味でつながっているのが面白い。というのも、久米邦武や津田左右吉によって、すでに歴史家たる者は神代と歴史を区別すべきことが一応広く認識されていた時代でした。そういう時代感情を彼も潜っていたのです。勿論それをも越えて、神話と歴史の神秘的接点を彼が思想家として、あるいは宗教家として意識しなかったはずは勿論ないでしょう。ただ彼は西洋化された思考に大変に長けた人で、学問と信仰とを区別していたに相違ありません。ドイツ語も良く出来たし、処女作の題に付けた「精神生活」は、ルードルフ・オイケンの Geistesleben から来ていて、和語としては当時まだ馴染みのない表現だったのにこの字が用いられています。

というようなことから私が言いたいのは、『中世に於ける精神生活』（一九二六年刊、復刊二〇〇六年）はヨハン・ホイジンガの『中世の秋』（一九一九年）とほぼ同時代の作品であって、文学性が高い歴史書である点でも似ていることです。なぜこの時代に日欧で中世に目が向けられたのか。教育の現場における僧侶の質の悪さに関する平泉の指摘、数々の興味深いエピソード。あの時代の暗闇の恐ろしさ、屋敷の庭先で犬が死人の頭や片手をくわえて歩むような時代に「穢の思想」が一段と人の心を捉えた、等が語られています。印象深い叙述の深い掘り下げは無数にあります。

平泉の政治行動に恨みがましい歴史学会の声はまだまだ耳にしますが、七十年経ったのだからもうそろそろつまらぬことは止めて、思い切ってホイジンガと比較するくらいのことをやってみたらどうでしょうか。

■『日本歌学の源流』山田孝雄（日本書院）

平泉と違って山田孝雄は「天壌無窮」を徹底的に言いつづけた人でした。昭和八年に『國體の本義』を著し（文部省は同名の本を昭和十二年に出している）、その中で神話や神代に自らの歴史意識を重ねることになんら躊躇せず、万世一系の天皇を戴く我が国は世界無比の国体を有すると明言してやみませんでした。

平泉は東京帝大の教授で、戦前の学会を牛耳っていたのに反し、山田には学歴がなく、最終学歴は尋常中学一年修了です。ただし苦学者だったのではなく、藩校の流れを汲む家庭で独自の教育を受けていたと言われています。いい時代だったのです。その山田は四十九歳で東北帝大の講師に採用され、国語学の講座を持ち、東京帝大から学位も授与され、やがて教授にもなりました。それは全部戦前の話です。そして敗戦とともに公職追放となったのですが、平泉と違って学会から罵倒されることもなく（山田の国粋主義は橋本進吉などからは煙たがられはしたらしいのですが）、追放解除になると間もなく、昭和二十八年に文化功労者、同三十二年に文化勲章を賜りました。今度はすべて戦後の出来事でした。功績は国語学者としての活動と著述によるものに限られていました。

戦後宝文館から山田孝雄著作選として二十二冊の主要著作が復刊され、戦前のほぼすべての業績は蘇っていますが、その中に例の『國體の本義』は入っていません。山田には国学者の面と国語学者の面があり、前者にもっぱら国粋主義的言説が現れ、敗戦とともに後者だけが前者と切り離して評価されたのでした。

しかしこれはおかしい。人間は一体のものです。前者が基本で、後者はその中から生まれたものだとも考えられます。滝浦真人『山田孝雄——共同体の国学の夢』が次のように書いているのは正しい判断といえるでしょう。

> 山田が初めから国学者を志したこと、国学者であろうとしたからこそ国語学者山田があり得たのであって、逆ではなく、そのいみでは国語学者山田は国学者山田の一部と見なければならない（略）。

両面を具えていた本居宣長の存在がやはり大きいと思います。両面といま言いましたが、そもそも二つに分けるのがおかしい。戦前における山田は全体としての一つの存在でした。戦後になって二つに分けられ、自分の一方が否定され、他方が高く評価されたことに良心的な彼は納得がいかなかったことでしょう。

政治論としてではなく、国語論として、「國體」の観念がどう関わっていたかを追究することが、たとえ至難の作業であっても、必要不可欠の課題と思われます。

■『和辻哲郎全集第十七巻』和辻哲郎（岩波書店）

戦前の悪、戦後の善という風に、時代や思想を二つに区分けすることがそもそもおかしいのです。戦前も戦後もひとつながりに、切れずに連続していると考えるのが常識です。戦前のものでも間違っているものは間違っている。戦後のものでも、戦後だから正しいということにはならない。当然です。日本の歴史はいろいろなものが混じり合って連続して今日に至っているという常識に何度でも立ち還るべきと私は考えています。それを鉈（なた）で断ち切るように物理的に分断してはならないのです。

和辻哲郎に『日本の臣道・アメリカの国民性』という二講演を一回にまとめた小冊子が、昭和十九年七月に筑摩書房から刊行されています。戦時国民文庫の一冊としてです。現代世界に通じるリアルな内容の講演なのですが、紙幅のつごうでここでは簡単に述べておきます。

白人の植民者が北アメリカの「土人」（インディアンのこと）にラム酒を飲ませて、乱酔の騒ぎの中で土地譲渡の契約書にサインをさせる。契約書の何たるかを知らない「土人」は、狩りの許可を与えただけのつもりでいると、土地をことごとく奪われてしまう。怒って白人に暴行を加えると、待ってましたとばかりに銃砲火器が襲いかかってくる。和辻は、世界の平和のための軍縮と称されたワシントン条約以後の流れは同じような瞞しの手口だったと言っています。

依然として平和の提議である。しかし実質は日本の軍備を戦い得ざる程度に制限することであった。

和辻の仕事の中ではこの二講演だけが戦後占領軍（ＧＨＱ）による没収本の対象となりました。ただし岩波の戦後の和辻全集には収録されています。だから彼がこの二つだけを切り離して隠したわけではありません。このとき和辻はアメリカの世界制覇の野望を「アジア数億の人間の運命をアメリカ土人のそれと同じく蹂躙し去ろうとする（中略）人倫の破壊」と言っています。しかし戦後の彼の著述にはこの認識は消えてしまいます。福田恆存が戦争責任はアメリカにもあった、とは決して言わなかったのと同じように。

私たち日本人は、ある種の不正直をつづけているといっていい。なにもアメリカにいまさら真実を突きつけようというのではありません。ただ私たちの歴史からは、戦前に私たちが見抜いた一つの真実、抜き差しならぬ一つの現実を消してしまうことはもはやできないのです。どんなに目を向けまいとしても、夢魔に魅入られたかのごとく、歴史に記された現実は後から必ず追い駆けてきて、私たちは追いつかれてしまうことを知っていなくてはならないでしょう。

「昭和のダイナミズム」考
——思想の地下水脈を外国にふさがれたままでいいのか

過日、戦後七十年首相談話というのがあり、ひと騒動が起こりました。私は内容に不満で、直ぐに「安倍総理へ、『戦後七十五年談話』を要望します」という論文を『正論』二〇一五年十一月号に出しました。首相談話を用意する政府審議会の座長代理に左派の北岡伸一氏が座り、中西輝政氏が委員を退くきわどい局面でした。『正論』は保守系メディアの中心的存在です。官邸が目を光らせています。論文の内容は徹底的な安倍の歴史認識批判でした。私の反安倍論文は尋常な方法では『正論』に載りません。タイトルに工夫して、編集長が私を支持していても、掲載が一ヵ月延びました。「七十五年」というのは痛烈な皮肉のつもりでした。「総理、どうかどうか今のお立場を長く続けてくださいね」という挑発の言葉であると同時に、「あんな談話ではダメですよ、もう一回やり直してくださいね」という催促の意味もこめられていたからです。

しかし今はその話をするわけではありません。「七十年」ということのことを考えてみたいのです。戦後の七十年は、さしたる起伏も無くあっという間に過ぎ去ったというのが私個人の印象です。

私は小学校四年生で終戦を迎えたので、今年（この講演は二〇一五年）はちょうど八十歳になります。したがって七十年というのは私にとっても節目でありますが、日本という国家の歴史も、私同様にあっという間に過ぎてしまった思いがします。七十年のうちのおおよそ六十年くらいは僅か三年半の戦争の思い出、反省、記憶の呼び戻し、歴史論争などに明け暮れて来ました。小説もテレビも、教育も学問も戦争にうつつを抜かしてきたわけですが、生命が安全だった戦後のこの長い時間よりも、生命が脅かされていた三年半の時間の体験に、ひたすら生命感を覚えていたという逆説的な歳月を日本人は過ごしてきました。つまりそれくらいこの七十年は長閑な時代であり、須臾（しゅゆ）にして過ぎ去った感も強いのであります。

もし私が明治維新の時に十歳であったとしたなら、そしていま八十歳を迎えたとしたらどうだっただろうか。明治維新後の七十年、一八六八年プラス七十は一九三八年です。これは早くも開戦前夜ですね。私の経た七十年と、この架空の人物の経た一九三八年になっても生き延びていたある翁、未知の一人の老人。その人にとっての時間は、私が経た時間とまるきり違った時間であって、大変動、大変化を潜り抜けて生き抜いた時代ということになります。なんという大きな違いでしょう。一九三八年は国家総動員法が公布された年であり、東京オリンピックが返上された年でもあります。そして、近衛首相が「国民政府（蔣介石）を対手とせず」と言い切ったあの年です。それからあっという間に日米戦争が始まります。

私たちは時間の錯覚の中を生きているのです。同じ七十年と言っても、私の七十年間はとても同じ時間ではありません。人は為すことなくダラダラと怠惰に過ごした時間、退屈でたまらない時間は、ちょうどその中に居るときには長く感じるものですけれど、そういう時間帯はずっと後になって思い出してみると如何にも短く、あっけなく感じられるものです。例えば生まれて初めて一ヵ月間の海外旅行をした人を考えてみてください。その一ヵ月はあっと言う間に過ぎ、何と短く感じられることでしょう。しかし帰国して、再び平凡な毎日の生活を過ごすようになると、海外旅行をした歳月を含むその前後の時間が何となく長く感じられるでしょう。個人の生活にとっても、また国民の歴史感覚に於いても、同じことが言えます。

私は十歳から八十歳のこの戦後七十年を、明治維新で十歳だった人が八十歳を迎えたのと「同じ時間」を送ったなどとはとても思えないと申しました。明治、大正、昭和を七十年生きた翁はきわめて数も少なく、貴重な人生を歩んだ人と見られるでしょう。時間の長さ、厚みだけでなく、同時に目まぐるしく変わった慌ただしさは比較を絶していました。日本の国家もまた、そして日本という文明もまた同じ体験をしたのです。

試みに、遊び心で明治維新から更に七十年前を考えてみます。これは一七九八年ということになり、松平定信の寛政の改革から五年後ということになります。

次の表を見てください。

二〇一五年　平成二十七年　戦後七十年
一九三八年　昭和十三年　　維新七十年
一七九八年　寛政十年　　　維新より七十年前

同じ時間ではありません。再び言います。私たちは時間の錯覚の中を生きている。

ロシアの船が北辺に姿を見せ始めてきた時代です。もちろんペリーなどが到来するよりもまだ半世紀も前の話です。世界史を見ると、フランス革命からナポレオン戦争を経て、アメリカが独立を果たした時代でありますから、怒濤の変革の時代になるわけです。僅かな歳月、私の生きた時代を三倍にしただけでそういうことになるのだと気がつくと、アアッとなり、私たちは如何に不思議な時間の感覚の中を生きているのだろう、とあらためて感慨を深めざるを得ません。

だとしたら、私たちの体験したこの平穏だった七十年、幸福というべきか痴鈍（ちどん）というべきか、何も起こらなかったが故に短く感じられる時代は余りに無内容で、これをどう考えたら良いか吟味すべきではないのでしょうか。つまり私が言いたいのは、日本の近代史が外来文明にあまりにも短期間のうちに襲われ、今の私たちには想像もつかない激震があったのだということです。平和だった、のんびり過ごしていた江戸時代。そしてこの私たちが体験した七十年。この二つを比較してみたとき、真ん中に挟まれている七十年とか百年という歳月は、過度の激震に襲われた歳月であったことは疑いを得ません。それに向かって「ご苦労さん」という気持ちもあるけれども、文明上の当然の欠点というか、弱点というものもあったはずです。慌ただしいが故に間違えたことも沢山あったでしょう。認識の間違いもあれば判断、選択の間違いもあったはずです。

だとしたら、のんびり過ごしているこの七十年、われわれの近い経験を単純に遠い時代を裁く物指しとすべきではないでしょう。もう一回歴史感覚を磨き直してみる必要があるのではないか。そうすればものの見方も変わってくるのではないか。鎖国していた江戸時代において成熟した日本人の価値観。それに比べれば維新とか敗戦といった激動期の価値観はあまりにも未成熟で、不完全で千慮の一失の観を免れないわけですが、そうではなくて、ゆったり成熟した時間の中に獲得した価値観あるいは考え方、生き方というものを再評価して、明治以降の歴史や戦後の歴史をもう一回見直すということが寧ろ求められるのではないか、ということも言い添えたいのであります。

雑誌『正論』の十八回が終わった連載（平成二十八年十一月時点）で、私はなかなか前へ進まず度々休んでは別の論文を書いたりなどして、読者にもたいへんご無礼だし編集者にもご迷惑をかけているのですが、そこで近世ヨーロッパをあれこれ考えてまいりまして、五百年歴史を遡ってみたらどう考えられるかという、思い切って自由な歴史エッセイを綴っております。先ほど言った慌ただしい短い期間の明治という時代に起こった出来事は、先立つ西洋の長くどよめくような歴史とぶつかった一つの帰結ですから、私は自分が綴ってきた歴史経験を基に今のテーマを振り当ててみると、どういうことが考えられるかを引きつづき少し述べます。

中世および近世ヨーロッパは三つの要素から成り立っていたと思っております。一つは信仰です。頑なな、盲目的な、メシアに伏するがごとき信仰です。二番目は暴力です。暴力はヨーロッパの内にあり、そして外にも出ていきます。そして三番目は科学です。この科学によってヨーロッパは広がりを持つことが出来たのであって、信仰と暴力だけだったら、とうの昔に自滅的になっていたでしょう。しかし科学というものが出現したおかげで、ヨーロッパは信仰にも余裕が生まれ、文明の香りを添えるようになり、大きな覇を唱えることに成功しているのです。

日本は西洋を目指したといわれますが、西洋は本当に目指すに値する世界だったのでしょうか。説明のできないあの暗い闇を抱えた、自らは先々何処に行くかも分からなかった信仰と暴力が、果たして明治の日本人に見えていたのでしょうか。西洋の正体を誤認していたのではないか。「明治の偉大さ」とよく言われます。日本人はそういう言葉が好きですが、明治は本当に偉大な時代だったのでしょうか。見方を変えれば激震に喘いでいた維新からの七十年はそんなに偉大な思想や精神が成熟した時代だったとは必ずしも言えない。そんな余裕があったとは思えません。暮らしの中にどこか無理があったのは当然です。

私は考慮すべき明治の思想家は次の四人ではなかったかと思っています。福沢諭吉、中江兆民、岡倉天心、内村鑑三。たぶん皆さんもこの名前の出し方をそう間違っているとは思わないでしょう。でも私には無条件に偉大な存在であったとは思えないのです。福沢諭吉は啓蒙家に過ぎないのではないか。中江兆民はただのフランスかぶれ。岡倉天心は美術評論を西洋並にした功績があります。内村鑑三はなぜキリスト教に向かったのかがよく解らない。あまり深く研究もしないで暴言を吐くのは止めておきますが、四人とも欧米の物指しではじめて評価できるようになった人たちですね。明治の日本人ははたして世界全体を見ていたのだろうか。単眼だったのではないか。日本の知性はあの激震の七十年に耐えられなかったのではないか。少し思い切って座標軸を動かして歴史を見直すということもこれから先の長い時代には必要なのではないでしょうか。

（1）古代以来、十八世紀まで西洋キリスト教世界はイスラム世界と争闘し続け、イスラム世界に圧倒されていた。

明治以降、日本人は西洋というものを目標にしました。西洋を追いかけるという意識を前面に出して、知ってのとおりの歴史が展開したわけですが、イスラム教というのは全然視野に入っていなかったようです。だから西洋も半分しか見えていなかったということがいえるでしょう。なぜなら古代以来、西洋世界はイスラム世界を最大の敵として戦い続け、日本の明治維新の直前までイスラム世界に圧倒されていたからです。ちょうどそれが終わりかけた頃に明治維新が始まる。ヨーロッパの歴史をそれなりに単独の歴史として勉強すれば分かるとおり、中世にモンゴルが攻めてきた時代がありますが、ヨーロッパ人はモンゴルよりイスラムが憎かった。モンゴル軍と妥協してでもイスラムを討ちたかった。中世から近世にかけて何度もそういった局面があります。ということは、イスラム教は同じ根から出ている宗教であって、モンゴルは異質ですから妥協できるのですね。真相はよく分かりませんが、ヨーロッパ人はイスラムとは近親ゆえに妥協できなかったのではないでしょうか。

その場合に興味深いのは、イスラムのほうが異教徒に対して寛大で、寛容だったことです。キリスト教徒は遥かに不寛容で、暴力的だった。そういう中世から近世までの歴史は今の皆さんはご存知ですよね。でも、そういう西洋だったということを明治から大正にかけての日本人はほとんど意識しなかったのではないでしょうか。やっとイスラムが研究者の意識にまでのぼったのは大川周明あたりからです。あの人が出てきて初めてイスラムは日本の歴史思想の中に登場するのです。こんなのはどこかおかしいのではないでしょうか。

とはいえ客観的に見ても、ヨーロッパは十八世紀の中頃に至るまで世界史の片隅の存在でした。十八世紀の中頃ですよ。十四－十五世紀ごろまでは飢餓とペストと暴力と迷信に苦しめられた、内に籠った文明でした。十六－十七世紀は宗教戦争の内乱つづきです。オスマントルコという外部勢力の台頭と侵入もありました。そういうヨーロッパにだって「大航海時代」の輝かしい時代があるじゃないか、スペイン、ポルトガルのあの船団の……。ありますが、これは十九世紀から二十世紀にかけて近代西洋が勝利した後の「後付け」の議論なのです。「地理上の発見」なんてよくいうよ、というくらいのもので、当時そんなことは全然考えられなかった。インド洋を渡って東南アジアに辿り着く船はポツンポツンと来たのであって、大船団が相ついで襲来したのではありません。ただ銃砲火器の威力だけは凄かった。

一六〇〇年代の南北アメリカ大陸の人口は僅かに数百万人。それに対して旧大陸の人口は数億でした。いわゆる地理上の発見、「大航海時代」の遠征が後になってみると巨大な事件だったということに気が付いたのは、やはりこれは「科学」というものの勝利が影響していると思います。それまではそう見えなかったし、実際そういうものではありませんでした。しかも十六世紀・十七世紀は、日本では長い戦国時代が終わって、徳川幕府が始まった時ですよね。中国では清朝が誕生した時代です。地球全体ではイスラム勢力が最高潮に達した時代でもあります。ヨーロッパが覇を唱えるのはまだ先の話です。ヨーロッパは終末思想という閉ざされた世界観の内部に逼塞していました。しかしイスラムは、東はインドネシア、西は地中海の端のイベリア半島、西アフリカにいたる広大な地域を支配下に治め、一四五三年にコンスタンチノープルを陥落させビザンツ帝国を滅ぼします。みな歴史の本に書かれてあるような有名な出来事です。そして十六世紀、一五二九年にはウィーンを包囲しました。「ウィーン包囲」も有名な事件ですよね。東地中海の制海権もこのイスラム教徒の大帝国に握られていて、ヨーロッパは外洋に出ることが出来なかった。だからスペインは大西洋をひたすら西へ進み、ポルトガルはアフリカの西海岸を南下して南端をぐるっと回ってインド洋に出たのです。イスラムを恐れた迂回行動が「大航海時代」の正体です。

こんなエピソードもあります。白人キリスト教徒の少年、身体強健、眉目秀麗な少年たちを四十戸に一戸の割合で奴隷として供出させ、イスラム教に改宗させ、軍事訓練を与えます。強力な軍隊に育て上げるとともに、音楽教育も行って、演奏に合わせながら行進させ、軍楽隊というものを初めて世界に送り出したのはオスマントルコです。その音曲を遠くに聴くだけで隣国の人々は慌てふためいて恐れた。「トルコ行進曲」の原型はこのとき生まれたのだそうです。やがて各国が真似て軍楽隊を作りました。トルコが発祥なのです。

地球上の広域を支配したイスラム教徒。やっと鎌首をもたげ始めたヨーロッパ。両者は七世紀前半から十七世紀までの約一千年間地球上で争いつづけていました。いったいヨーロッパとイスラムのどちらが自由で、開かれた、普遍的な文明だったのでしょうか。明治維新で世界に国を開いたとき、日本人には両勢力均衡の全地図は見えていませんでした。そして理想と見なされた五大一等国は、イギリス、フランス、プロイセン、オーストリア、ロシアでした。国民全体がその「一等国」という基準に自分を合わせて、万国史、つまりヨーロッパ史、万国公法、つまりヨーロッパの国際法学というものが恰も普遍の基準であるかのように思い込んで、またギリシャ、ローマの古代文明がヨーロッパの文明の発祥の地などという大嘘も信じられ、喧伝されました。ギリシャ、ローマの古代文明はアラビア人の手を経てヨーロッパにもたらされたのですから、ルネッサンスはヨーロッパ人のプロパガンダに過ぎない。どれほどの明治の日本人がこのことに気付いていたでしょうか。それがまず問題の第一点目です。

(2) 西洋キリスト教世界は十五世紀以来、文明の総力を挙げて「新世界」に意力を集中させていた。

第二点目は、西洋キリスト教世界は十五世紀以来、文明の総力を挙げて「新世界」に意力を集中させていた。これも皆さん歴史では知ってのとおりですが、心理的な実態というものを考えたことは恐らくないでしょう。

ヨーロッパは自己救済の道として南北アメリカ両大陸に吸い込まれるようにして立ち向かってゆきます。日本がやっと気が付くのは南蛮、つまりこれはスペイン、ポルトガルのこと。紅毛(こうもう、あかげ)、つまりこちらはイギリス、オランダのことです。これらが太平洋に向かってきた時代になって初めて日本の外の世界の存在を知ることになりますが、ヨーロッパはそれより遥か前に狂奔し総力を挙げて「新大陸」に向かっていた。その志も動機も日本人は気が付いていなかった。どころか、なんと、かの信長も秀吉も気がついていませんでした。日本人の誰一人それを自分もやってみようとはゆめ思わなかった。というのが文明の最大の立ち遅れの原因、少なくとも閉鎖性の表現だったのではないでしょうか。後からでは間に合いません。

中世末期においてヨーロッパ人は、大地は丸い球形であり西廻りでインドに到達するということを分かってはいましたが、自らとインドとの間に途方もない大陸が二つ存在するということを最初全く予想していませんでした。好奇心を呼ぶこの広大な未知の空間の突然の立ち現れ。これにヨーロッパ人は全文明を挙げて立ち向かったのです。というより浮足立った。それが近世ヨーロッパの歴史です。恐らくこのことによってイスラム教に打ち勝ったのでしょう。

四百年に亘って地球全体にラインを引いて、分割占拠することに熱中します。理論武装がそれには必要なのですが、アイデアの殆どすべては中世に培われていたことが分かっています。中世ヨーロッパが「新大陸」によく似ていたからと言えるのではないか。これは「暴力」ということです。中世ヨーロッパの特色とされ、かつ自覚されてきたいわばホッブスの世界ですが、ヨーロッパ人が自らの中世像をアメリカの近代史の中に持ち込んで、自画像に見立てたという一面があるのです。

日本の立ち上がりは明治維新と日露戦争では必ずしもなく、日本人がはるか以前から外の世界に関心を持っていたのはよく知られております。倭寇という海上勢力が動き出していました。一六一三年、支倉常長はヨーロッパ偵察外交をしました。その二十年前、秀吉は朝鮮に出兵しました。ですから、かなり早い時期ですね。山田長政ほか多数の日本人が東南アジアに出て行きました。倭寇が海賊にすぎないというなら、ポルトガルもスペインも海賊みたいなものですから同じようなものですが、ただ力でいえばヨーロッパの海賊が一段上で、特にイギリスの海賊がいちばん圧倒する力を誇っていました。

十六世紀から十八世紀、ヨーロッパ人も日本人も海に躍り出ていく願望に於いて共通するものがあったのに、ヨーロッパ人に強くあって日本人に欠けていたものを今までに歴史家が強調しない。見落としている。それは、突如出現した南北アメリカ大陸の暗闇の魔力というものを感じたヨーロッパ人とまったく感じなかった日本人の差に、近代史の出発点があったという事実です。アメリカ大陸は日本の隣国なのにです。ヨーロッパの歴史をあの時始動させ、今も動かしているのは「新大陸幻想」です。これだけはどうしても日本人が歴史の中で所有したことは一度もない感情でしょう。発見されたアメリカに日本人が後から何だかんだと言ったというのでは駄目で、そうではなくアメリカが無主地であった時に乗り込んでゆくという日本人はいなかったということが何と言っても大きい。そういう政治的企ても無いどころか、予想も無いし予感すら無かった。鎖国していた、というのは言い訳になりません。そういうものがある、ということを感覚することもなかったということはやはり問題ではないでしょうか。

これが、先ほど言った七十年が苦しい激動の七十年になってしまった根本の理由です。西洋がアメリカというものに総力を挙げて立ち向かったときに、日本は眠っていました。西洋人の野心も夢も、そしてまた狂気も、江戸、明治の日本はつゆ知らなかったのです。私はこれはわが国の歴史の重大なマイナスのポイントだと考え、観察の起点にして来ました。

(3) 日本人が西洋に魅せられたのは科学(=窮理の学)だが、科学と宗教は一体をなしていた。

日本人が西洋に魅せられたのは科学ですが、科学は「窮理の学」、朱子学の概念として迎えられたのです。世界万物の合理的説明を日本人も強く欲求して、そして儒教も「理」を求める力は強い。しかし西洋の科学は、キリスト教という宗教を母体としており、背後に信仰の闇を隠していました。「科学と宗教」の展開の歴史について考えるなら、だいたいメルクマールが二つあります。

それは十六世紀の早い時期からはじまった「天体」。即ちコペルニクス、ケプラー、ニュートン、ガリレイ、というあの世界。後半は十九世紀のダーウィンの「種の起源」です。この二つが「科学と宗教」のドラマを形成しています。前者「天体」を巡るドラマ、当初は宗教的問題でしたが、今では純粋な自然科学の問題として理解され、独立したかたちで動き出し、展開しているということは自明のことでしょう。ところが、「種の起源」のダーウィンだけは今でも簡単ではありません。「人間が猿から生まれた？　とんでもない！　そんなことは許せない」と。アメリカでは今でも教育上由々しいテーマになっていて、「宗教」と「科学」の二つがどれほど重なっているかということが「種の起源」を考えるだけでよく分かります。一部のアメリカ人は本気で「種の起源」、ダーウィンの進化論を否定します。ヨーロッパはとっくに醒めてしまっていますが、アメリカはそうではありません。前近代的なところがあるのです。

　例えば「千年王国論」をご存知でしょうか。キリスト教の革命的な思想です。まず神が地上に現れる。そして激しい争いと変革の嵐が起こり、戦争も起こり、その後に幸福な王国が訪れて、それが千年間続く……、そのような思想です。じつはこれを世俗化、通俗化したのがマルクス主義です。プロレタリア革命が起こり、その後、至福の無階級社会がやって来るという、キリスト教神学を世俗化したものですけれど、とにかく何れにしても、原理主義的革命理論です。

　キリストがこの地上に再臨するということが先にあって、それから千年王国が実現されるというのはとても過激な思想で、「本当にキリストが地上に現れる」ということなので、そんなバカなことは無いじゃないかと誰しも思いますが、本当に「現れる」というのが千年王国理論なのです。以上を「前千年王国論」といいます。一方そうではない、神は再臨されるけれども、千年王国が実現した後に神は訪れるのであって、「遠い未来に神が現れるということは約束されているのだ」というかなり穏健な思想を「後千年王国論」といいます。つまり前の方は明日にでも革命がおこる、後の方はいつかは必ず良くなるし、革命はいつ起こるか分らないけれどとにかく起こる、というように、前者は急進的で後者は穏健派が好むという構図になっているのはお分かりかと思いますが、イギリスのピューリタン革命を二つに分断したのはこの二つの思想で、クロムウェルのピューリタン派と、それから長老派などに分れます。

しかしカトリックはそうは考えません。神が地上に再臨することは無いといいます。それは正しい考えでは決してないと。なぜならば千年王国は現在の教会の中に既に存在しているのであって、今目の前にあなた方が享受している教会と共にしている地上のこの世界が千年王国なのですよと。教会は今でもキリストの王国でありまた天の王国なのだと。今でもキリストと共にあるのだからと。カトリックの考え方はアウグスティヌスによってきちんと理論化されています。

さて、その千年王国論が過激な思想であることは言うまでもなく、ピューリタン革命を惹き起こしたのはこの思想であり、のみならずこのピューリタン革命で引きずられて出来上がったのがアメリカという国家です。そう簡単に言えない面もあることはもとよりですが、アメリカという国家が基本的にこの千年王国論を抱えていることは見逃せません。過激な革命思想を背後に抱えている国なのです。宗教幻想、黙示録幻想みたいなものをですね。

科学と宗教ということですが、先に挙げたコペルニクス、ケプラー、ガリレイ、ニュートンらはほぼ全員、とても宗教的です。コペルニクスの地動説は教会が支持していて、のみならず教会から褒められてもいます。ガリレイは査問され、自宅に軟禁されたりして、ちょっと立場が違うのですが、でもガリレイも敬虔なる信者で、神の思召しを否定したことは一度もありません。びっくりするのはニュートンです。子供でも知っている万有引力を発見したあのニュートンですが、ピューリタン革命の嵐の源の思想ともいうべき前千年王国論の信者でもあって、しかも、そういう方向の論文を書いてさえいるのです。「ダニエル書と聖ヨハネの黙示録の預言に関する考察」、これはニュートンの論文です。

科学と宗教はどのような形で絡み合っているのか、非常に難しい問題です。キリスト教の信仰が無かったら科学は生まれなかったのか、それともそうではないのか。或いは出来上がった科学というのは普遍的で、信仰に関係なく誰でも利用できる、今現にそうなので、もともとそういうものなのか、いやそうではなく基本的にはキリスト教が決めているのだと。すぐには分からない話なので、ここまでにしておきます。

カルヴァンといえば、プロテスタントの中の最高度の急進派だということはご存知かと思います。聖書を丁寧に読むとときおり矛盾した、非科学的なことが書いてありますよね。科学の発展の障碍になるような聖書の中の記述。それについて、そういう一面にこだわるのは科学の妨げになるから止めましょう、と頻りに言ったのはカルヴァンなのです。この人が、十六世紀－十七世紀の科学研究の発展に寄与して、自然科学の囚われの無い自由な思想の推進者を代表していました。不思議ではありませんか。こういうところに謎があるということだけ申し上げまして、詳しい哲学的な議論は私には出来ないかもしれないし、出来てもとてもここで話すわけにはいきません。ここでは「謎めいている」とだけいっておきます。

(4) アメリカは非合理な千年王国論、黙示録的な宗教幻想に支えられていた前近代的性格を宿し、第二次大戦もそれによって動かされていた。

先の千年王国論、黙示録的な宗教幻想、終末意識。こういうものが革命を惹き起こし、明日いっぺんに物事は良くなるという急激な感情を高め破壊が起こり……、ということは分かりますね。けれども、産業が豊かになり富が行き渡って進歩というものが信じられるようになると、あまりそういう過激なことを人は考えなくなり、穏やかになってくる。アメリカの歴史はこの二つの繰り返しのようなものなのです。例えば十七世紀にこんなことがあり、十八世紀、十九世紀にもこんなことがあり……、などという発展の歴史を読んでいると、アメリカは科学の力が産業を引き起こして豊かになってくるにつれ、次第に穏健になって、危ういことを言わなくなる。しかしまたこの国は危機が訪れると直ぐに千年王国論が出てくるのです。第二次大戦のときもそうでした。

例えば一八四四年、歴史の重点に千年王国のチャンピオンとしてのアメリカを位置付けてきたジョージ・ジャンキン（一七九〇〜一八六八）という人ですが、「歴史上の事件は全てキリスト教会の進歩の道程と見做されている。これにアメリカの使命が加われば異教徒の征服、支配がこの過程に組み込まれる。現代の二大海洋国民イギリスとアメリカに与えられた驚くべき神の手にわれわれは感服せざるを得ない。かつては全東洋に文明を与えてきたインドのような国も、今やアングロサクソンの手中に陥らなければならないのだ」と書いています。

キリスト教徒の勝手な考え方なのですが、現実にこういう観念が彼らを動かしていたのは紛れもない事実です。

黒人蔑視などというのも同じところから生まれたのでしょう。人種感情とアメリカ国民の自負は一体となって有色劣等人種の征服が「千年王国への道」であると公言するに至りました。

サミュエル・デーヴィス・ボールドウィンの『ハルマゲドン』（一八五四年）はこう断言します。「ある政治的統治が千年王国において地上を蔽うであろう。それは民主主義であろう。そうでなければ千年王国はないであろう。合衆国こそはおそらくその発端の民主主義国家となるであろう。千年王国は政治上は主として白人種に限られる。キリスト教徒の共和主義の時期である。そして千年期における全地上を蔽う民主主義の全般的な流布は漸進的であろうし、その進行には例えばメキシコ人や太平洋の諸島民のような劣等人種の完全な絶滅を伴うであろう」

凄いことが書いてあるのです。「民主主義」という概念の説明には目を見張らせるものがあります。これが十九世紀の中頃なのです。世に言う「白人至上主義」とはこういうことを指すのかと思います。それが根っ子のところでずっと続いていますが、いまや黒人が大統領になった時代を経てすっかり自信を失っているアメリカ。見るに忍びない姿でもあり、良くなったのか悪くなったのかもよく分かりません。

(5) 江戸時代までの日本は何であったか。世界で最もイデオロギーを持たない民族である。なぜ神仏信仰なのか？

話はとびます。一連のそういう話の中で、江戸時代までの日本は何であったのか。江戸時代が終りかけたときに、あまりに自分とは違うものにぶつかってしまった驚きは大きかったと見ていい。前に申したとおり、短い時間に起こったドラマがいかに激しかったであろうか、ということは同情に値します。最近の本を読んでいると、近代日本の政治の判断の間違いを頻りに批判したり、日本人は必ずしも遅れていたからではなく閉ざされていたからこうだったのだとか弁解したり、いろいろ対応に工夫をこらしています。しかし私に言わせれば、襲ってきたものがあまりにも不可解かつ巨怪なうえに、魅力的なものでもあったので、周章狼狽したのであって、日本の国内の責任などたいしてなかったと言ってもいいくらいだと思っています。

それまでの日本は何であったのか、これこそわれわれがこれから考えなければならない問題でしょう。江戸時代までの日本は何であったか。ここで一つの仮説を提供します。日本は世界で最もイデオロギーを持たない民族である。神道はユダヤ教、キリスト教、イスラム教のような一神教の宗教とは異なり多神教であることは自明ですが、「なぜ『神仏信仰』なのか」とずっと私は考えてきました。神仏信仰というのはうまくできていました。儒教は少なくとも宗教心理的にも、政治構造的にも、日本社会の深層にほとんど影を落としていないといって良いのではないでしょうか。神道と組んだ影響が一番大きく深いのはやはり仏教だと思います。なぜ仏教は神道と一体になって我が国の精神界を支配したのでしょうか。

江戸時代は儒学が盛んになったとよく言われますが、現実は違います。現実は仏教だったのです。武士の支配する階級社会において、儒者などは鼻も引っかけられない存在でした。ただ、歴史の本の中で「思想史」などというと、江戸時代は有名な儒学者がずらっと並んでいて大思想が展開したと思われがちですが、現実に於いては必ずしもそうではなかったようです。

私の仮説は、日本は二つの神様を持つ国であります。即ち生きている「生き神」とそれから「超越神」と、この二つを持つのが日本人のバランス感覚に良く合っていた。それは私たちの現実的な欲求でもあるし、形而上的な欲求でもある。死んだあとどうなるかという問題でもあります。神道だけでは駄目なのです。政治的なことは神道で良いけれど、私たちの生き様や死後のこと、実存ということになると、仏教が大事になってくる。

なぜ日本には他の宗教はほとんど入ってこないで拒絶されてしまうのか。日本人は本当に拒絶していますよ。イスラム教もユダヤ教も韓国儒教も拒絶しているし、それからもちろんキリスト教も現実には拒絶しています。だけれど仏教は迎え入れています。なぜか。今挙げた全ての宗教は背後に政治制度を抱えているのです。キリスト教にはキリスト教の政治制度、西洋的価値観、政治観念。

イスラム教も同じです。でも仏教にはそういうものが無いのです。インドの政治イデオロギーなんて無いのですから。

不思議なことに、仏教はすべての論理的追究と神学的展開を、インドの地で果たしました。こうして最後の八世紀の密教に至り、忽然としてインドの地から消えてしまった。何もかも無くなった。経典も無くなれば、坊さんもいなくなってしまった。植民地を見にあるイギリス人がインドに来て、立派な伽藍が建っているのを見て、これはブディズムの伽藍だと聞いているが、そこに人影は無い。経典一つ置いていないではないか、何も無いがらんどうの建物があるだけだとびっくりする。それくらい、ものの見事に仏教はインドの地から消えてしまったのです。それでは、仏教は本当に消えてしまったのかというとそうではなく、ネパールで、チベットで、中国で、そして日本で、或いはまたタイで、次々と伝播し、根を生やしそこに新しい信仰と文化を生み蘇生している、という不思議な宗教なのです。ですからインド的な習俗の要請もインド政治の強制も本国文化のイデオロギーも何も無く、ただ純粋に宗教的に深められた論理展開だけが各地に伝えられた。

ではキリスト教はどうかというと正反対で、イスラエルの地では何一つ神学的展開をしなかったのに、東西ローマに分かれてから、ヨーロッパで、あるいはビザンチンで大展開を遂げるに至った。ぜんぜん逆なのです。いわゆる神学的展開を遂げたのは後の時代の出来事なのです。

それくらいタイプが違うわけで、日本人がインドの仏教に何の抵抗もなく入るのは、後ろに何もくっついていないからだろうと私は思うのですが如何でしょう。これは私の仮説なのですが、簡単に言えば仏教は非政治的な宗教で「無」を好む日本人に合っていたのです。

儒教はそうではありません。皇帝制度と結びついていました。科挙という官僚選抜機構と結びついていました。その他いろんなものと結びついていました。習俗に至ってはそれこそ葬式の仕方、財産分与の仕方、家族の血統維持の仕方等が日本とはまるきり違うわけですが、それらと深く結びついていました。

同姓婚を嫌う結婚のあり方の日本との違いはよく知られています。ほかにも例えば日本では簡単に他人が家督を継いだり婿養子をとったりしますけど、中国人はそういったことは絶対にしません。それくらい違う文化であるから中国人はとても政治的です。儒教も政治的です。ところが江戸時代の儒教には、およそ政治的な要素がなかった。政治的な部分は入れなかったのでしょう。というよりも日本の文化が儒教を非政治化したといっても良いのかもしれない。それが日本の儒教ではないかと思うのです。『論語』は一方的に道徳教本と理解されてきて不便を感じなかった民族です。

私は、日本は極めてイデオロギーを持たない文明であり民族であるとお伝えしていますが、なぜそういうことを考えるに至っているかというと、あることが切っ掛けです。呉善花さんと対談をしまして、本を出しました。帯に安倍総理と朴槿恵大統領が載っている妙な版ですが、祥伝社新書の『日韓　悲劇の深層』です。これには坦々塾という私の主宰する会に呉善花さんを招待して講演をして頂いた時の講演録を後ろに載せております。呉善花さんの言った言葉の中にすごく気になる内容があって、私が質問したりして。それが元でこの対談本を作ることになりました。

呉善花さんはこういうことを言っていました。

「韓国人からすると、日本人は全く分からない国民だ。日本人の精神の軸、そう呼べるものは一体何なのか。はっきりしない。韓国人にとっては、それは謎であるだけでなく不安の原因なのだ。韓国は朱子学の儒教社会である。これが軸といえるだろう。日本人は神道なのか武士道なのか仏教なのか一体何だ。他にもあるかもしれない。韓国人はそこで戸惑ってしまう。八百万の神々というが、太陽であったり樹木であったり。自然を敬うアフリカ人なら分かるけれども、いやしくも文明国ではあってはならないことだ。どういう精神性なのか。ここで韓国人は困ってしまう。頭が混乱するだけでなく、許せないという気持ちになってくる。韓国では先祖以外のものを拝むのは迷信の部類なのである。日本の室町時代の頃、韓国は仏教も陽明学も捨てて朱子学に絞った。文治主義の徹底化を図った。ところが日本ではこれ以降も野蛮な武士の戦いが一向に収まらない。どうにもならない国だ。と自分たちの先祖は考えた。日本人には価値とか道徳とかは無い」

こう述べたあと、呉さんは次のように語りました。これは呉さんがそう考え、信じているというのではありません。韓国人の立場に立つと、こういうことがいえるのではないかと言っているのです。

「でたらめな基準で生きている日本人は、真の価値が理解できないからいつも頭を叩いておかないと彼らはなにをするか分からない、と韓国人は考える。すぐ日本人は考えを変えてしまう。常にきちんと教え込んでおかないといけないのだ。韓国人が言うところの歴史認識とはこれであって、双方の国民がそれぞれ意見を主張しあって互いに歩み寄るというようなものでは決して無いのである。日本人がやることは韓国が主張するものを受け取るだけ。反論や異論などとんでもない。繰り返し繰り返し韓国の言うことを日本人は心して聞け、ということなんです」

非常に明快ですよね。この通りのことを朴槿恵も文在寅もやっているのですね。そしてこう言っていました。

「『韓国の現在の朴槿恵政権は戦後一番外交で成功している』という評価を国内では得ている」

すさまじい話でしょう。イデオロギーに凝り固まっているこれが典型です。これに比べて日本はいかに脱イデオロギーの国か。「日韓　悲劇の深層」はここに極まるといっていいでしょう。面白い話がいっぱい出ている本です。

(6) 江戸の儒学の秀れた部分は日本的であり、徂徠の脱朱子学がいい例だが、「日本的なるもの」を確立する媒体となった。

朱子学という言葉が出てきましたが、日本で江戸時代の朱子学というのは本場のそれとは違うものになってしまっています。朱子学を超えるというか、朱子学否定になっています。

人と人との社会関係を決めたり、人間の価値観を決めるとき中国儒教の考えはどうしても道徳主義に傾きがちです。ある皇帝が立派だったのは、道徳的に立派だった、だから国がよく治まった。しかし治まらなかったとしたら、それは道徳的に欠陥があったからだと。政治の帰趨というものをそういう価値判断で処理しようとする。例えば前期水戸学という儒教の影響を圧倒的に強く受けている時代はそういう傾向が強かった。日本もだいたい昔はこの手の歴史観です。

西洋でも同様です。ゲーテがフランス革命はなぜ起きたかについて、あれはマリー・アントワネットが贅沢しすぎて、「首飾り事件」というのがありますが、そのせいなのだと。そんなことは無いでしょう。如何にゲーテに社会科学的知識が欠けていたかという批判になり、戦後盛んにこの点を取り沙汰して、ゲーテほどの人でも近代革命の意義が分かっていなかったから駄目だと……。つまり道徳というものを基準に歴史を考えると言って非難されたのですが、西洋にもある歴史の解釈法の一つだったのです。

しかし荻生徂徠をはじめとする反朱子学はまったく違う考えを持ちました。道徳観念を否定して尊重すべきは孔子でもなければ論語でもない。そこが徂徠の面白いところです。礼楽制度を作った堯舜といった古代の名君、彼等こそ聖人で、そしてこの聖人が言行を記した古典を正確に理解することが儒教研究の大本であって、「孔子はまだまだ足りない所があるのだよ」と言いたげなところが徂徠にあるので、江戸時代に何と不遜な男か、と叩かれるわけですけれど、そこが面白いところです。

中国古代の聖人、堯舜時代の「先王の道」。この古代堯舜時代のいわば制度を理念化した徂徠は、周の時代の封建社会を理想として、秦の始皇帝が中央集権国家を作って封建社会を毀してから後の中国はもう駄目になったという見方を示したのです。そして家康の作った江戸徳川社会の封建社会こそ、寧ろ理想に近いのではないかというようなことを言い立てます。なぜならば、封建社会は人民と君主が肌触れ合って生き、何代にも亘って君主がいわゆる仁愛を施すことが出来るからです、人間同士として成熟し、そこに名君が生まれる。

ところが中国は封建社会ではなく郡県制度、地方官が一定の任期でまわってくる管理社会です。「官吏」という言葉がありますね。「官」は長官のことをいい、「吏」は地方の官僚のことをいいます。「官吏」という言葉はそこからくるのです。実際に政務を司るのは「吏」、地方役人、小役人です。「官」というのは長官。つまり科挙の試験を合格して三年に一回ずつ回ってくる偉い人、何をするのかというと、何もしないで良いのです。「官」は歌を歌い楽器を鳴らして、詩を詠んで毎日を過ごす。でもお金はどんどん入ってくる。そういうシステムです。だから「官」は必ず賄賂を貰う。賄賂は当たり前。貰わなければほかの人にかえって迷惑がかかる。「吏」は「法」によって縛られますが、「官」は、「礼」によって縛られます。「礼」と「法」を分ける考え方ですね。「礼」は外からの縛りが弱い。自己決定しなさい。だから悪いことをしても分からなければそれきりです。けれど、皇帝に呼び出されたら一生の終わりです。それこそ習近平に呼び出されて、たちまち牢屋に入れられる。しかし昨日まで滅茶苦茶なことをやっても見つからなければ何をやってもいい。習近平だって滅茶苦茶なことをやっているに決っています。そっくり昔と同じなのです。

日本の封建制度で名君と言われるのはつまり君主と民衆がよき仲になること、常に肌触れ合う親愛の情の中で生きるということで、飢饉が来れば殿様が米蔵を開けてくれるだろうというような……。徂徠はそういうことこそ正しいあり方で、周の封建時代が理想化されるのはそのせいだと言います。皇帝制度になってから中国は駄目になったとしきりに主張していたのです。そして徂徠の言う「先王の道」というのは「善悪」ではなくて「制度」である、古代の聖人は「礼楽の制度」を作った。徂徠によって「制度」という観念が始めて歴史の中に導き入れられ、「道徳」よりも「制度」を上に位置付けた。人間を動かしているのは「制度」であって「道徳」ではない。極めて社会科学的な発想がそこに生じ、近代的な感覚が勃々と生まれました。

ですから江戸時代には朝鮮通信使が日本にやって来て、初めはいい気になって日本人に教えていたけれど、ある時になったら日本人が変わってきたことに気が付きます。日本人は近代化に向けて走り出していたからです。徂徠学が始まっていたのです。朝鮮人は日本人の考えから学ぼうなどという気は全くないから何だか訳が解らなくて終った。江戸の中期頃からそういうドラマが起こり、日本では徐々に近代化が始まり、意識の変化が生じ、彼我の違いが日本側ではズレとして意識されるようになった。分かりやすく言えば、中国儒教を日本的なものに作り替えつつあったと言い換えてもよいのです。

（7）日本は江戸時代に中国と自己との違いを知り、中国をどう逃れるか、どう克服するかに腐心しすぎ、対西洋を盲目にしたのではないか。

江戸時代に中国と自分との違いをだんだんと知るようになり、ある時代にある時代の文化が影響しているのは確かだけれど、日本はいつも日本であった。戦後日本のアメリカ化についても同じことが言えるでしょう。何もアメリカ化なんかしていません。日本はずうっと日本です。西洋化についても、いろんなものは採り入れたけれど、全部日本人のものにしています。

同じように江戸時代は中国文化が圧倒していたと云われますが、殆どそんなことはなかったのではないかと私は理解しています。儒学を学ぶ者の数は予想外に少なかった。書籍も高価でした。新井白石は幼い頃「侍で本を読む人を見たことがない」と言っていました。武士は本を読むことに無関心だった。儒学を統治の材料にした有力大名が居なかったわけではありません。綱吉のような将軍もたいへんな学問好きでした。でもそれは例外中の例外でした。支配階級の侍からすると儒者というのは、身分の低い当時の医者と同じようなものという考えでした。

中国と韓国はそうではありません。知られていることですが、儒者というのは支配階級でした。社会的位階が全然違うということはまず考えておく必要があります。日本人はいろいろな形で中国の影響は受けたのですが、江戸時代を通じて違いの方をしだいに強く感じるようになる。さっき言ったように中国では血縁血脈を大事にする。同姓同士の結婚は忌避され、異姓の養子も認めない。ところが日本では、名跡相続とか、絶家再興とか、家が途絶えたのを、他人を入れて再興するとか、名前だけ相続するとか、平気でいくらでもそういう自由な対応が罷り通りました。極端な例は江戸時代、娘を持っているけど婿の居ない家は、街道に立派なお侍さんが通ると、もしもしと声をかけて、家にはこういう娘が居りますが如何でしょう、そういうことさえあったそうです。中国では全く考えられないことです。非常に厳格な血統主義であるということも含めて私たちと違う世界の存在を感じます。

儒教の葬儀は火葬を禁じていて、野中兼山という土佐藩の家老が母の葬儀に儒教式の葬儀を行ったら、これは怪しい、キリシタンの国禁を犯しているのではないかと江戸に呼び出されました。喪に対する考え方も全然違っていて、服喪三年といって三年服喪しないと仁ならずと論語にありますが、日本ではとてもできない、一年だってできない。幕府は役人に対して喪は二ヵ月で宜しいということにした。とにかく、いろいろな意味で世界が違うのです。根本的には侍が支配している国と侍がいない国とではまるきり違うということでしょう。

皇帝制度も違っていた。日本の儒学は非常に柔軟で、入ってくる硬直したイデオロギーはいちおう理解して一所懸命勉強はしますが、面倒だとやらないとか、風習に合わないとやり過ごしてしまいます。それはそうだろう、と思うのです。天皇と将軍の二つの権力がある日本に中国皇帝の絶対権力を理解させることは出来ません。はなから違う国の違う話だとやり過ごし、深く詮索しなかったのではないかと思います。

話は変わりますが、裁判員制度というのが出来て、反対もずいぶんあって、けしからん事、くだらん事をやっていると思っている人がいまだに少なくありません。私見では裁判員制度をやるのならやるで政治裁判とか、名誉毀損裁判とか、民事裁判とかに割り当てるべきで、死刑の可否を決めるような刑事裁判を民間人にやらせるのは酷ではないか。私はそういう話をある法律家の方としたことがあります。むしろ政治的な案件や民事裁判は社会常識が生きるから一般の人にやらせてもいいのではないか。

そうしたら、駄目だと言うのです。そんなことをしたら大変なことになるのだと。アメリカが日本の司法支配を狙って、民事裁判を民間にやらせることで弁護士制度がガラガラと変わってしまうのだそうです。外国人弁護士が入ってきて支配をねらう。そういう恐れがあって、抜け道として今回の中途半端な制度が仕方なく採り入れられたのだというのです。ですから全体の改革は明らかにアメリカに押し付けられているのは間違いない。拒絶できなくて押し付けられている。戦後、他にもいろんな方面で似たようなことがあります。長い時間をかけてうまい具合に日本の中に消化していってあまり傷を受けないで、結構日本的に利用して運営していく、という事柄が世の中には沢山あります。しかし、良いものは採り入れても良いのだけれど、関係ないものは迷惑な話です。それでも何となくうまくやり過ごしてきていて、日本は非常にフレキシブルな国なのだということが分かります。

呉善花さんはこう書いています。「多くの韓国人は、歴史認識に関して日本の常識や世界の常識と、韓国の常識を突き合わせてみようなどとは思いもしません。韓国人にとって日帝が韓国から収奪したということは揺るがすことのできない歴史認識の大前提なのです。韓国が『未来を向きましょう』という意味は、韓国は正しい、日本は間違っているということ、それ以外には理解もへったくれもないということなのです。とにかく謝って謝って、日本人は一生謝って過ごすべきなのだというふうに思っているのです」

どうもそうらしい、ということは日本人もやっと分かってきました。恐ろしい話です。またじつにバカバカしい話でもあります。ここまでくれば日本もきっぱり拒絶すればいいだけのことです。韓国だけでなく中国も同じですね。中国も精神構造は基本的に変わりません。

明治日本は脱中国ということで苦労して、それに時間をとられているうちに、怒濤の如く西洋が押し寄せてきて、対西洋を盲目にしたのではないか、というふうな気がしてしょうがないのです。西洋に対しては余りに甘く、楽天的だった。西洋一辺倒になった背景に、儒教の難をどう逃れるか、中国文化（あるいは韓国文化）をどう克服しどう離れるかの苦心があって、それに気を取られているうちに、西洋への警戒を忘れたという隠された理由を研究する必要があるように思います。

ゆったりしていた江戸時代と、突然襲いかかった短期間の西洋化と、それに於ける誤認は未だに解消されていないのではないかというのが本章の最初のテーマでした。日本はなんでも鷹揚に受け容れる国でもあってアイデンティティの危機というものをあまり感じない国民かもしれない。

イギリスからドーヴァー海峡を渡るのは簡単ですが、日本列島の周りの海流は非常に速くて大型船が造られる時代が来るまでは簡単には近づけなかった。だから人は渡っては来たけれど、外へ出て行かないし、争いはしなくても自我を保つことが出来たので、自己主張する自我が育たなかった。そのためなんでもかんでも包摂するがいつの間にか黙って選択するという、そういう意味での驚くべき主体性は日本人の素晴らしさの一面ではないかとも思っております。物事には表と裏があります。これも多くの人がすでに言っていることです。長い時間をかけて多様性を積み重ねてきたのが日本文明で、貯水池のような文明。世界の諸文化の集合地。あらゆる文明から延々と流れ込んできていて、外へ出て行かない。古いものを大切にするので、全ての時代の仏像が残っておりますが、中国では殆ど全て破壊されてしまっています。日本人は外から入ってくるものに対してとても謙虚で、何でも学びたいという姿勢があり、理解しようとする意思があり、努力がある。自分を小さくして外に学ぶ、個我を滅却して学ぶ、これは日本人にとってものすごく大事なことです。一方でそのために自分を失うところまで行ってしまうという、愚かな一面もあるわけです。しかしそういう

「学び」が無くなったら、日本は日本でなくなります。

なぜこういうタイプの民族になったのか分かりませんが「他者に負けなければ生きてゆけない国」だったと思うのです。これが基本にあります。朝鮮も中国も未だ近代の入口にも立っていない時代の話ですが、近代日本は単独でスタートした。そしてほとんど一国で欧米諸国と対決してやっていかなければならない時に、日本は西洋のすべての国を相手にしなければならない局面でした。だからもう最初から負けているのです。自分の不利はよく知っているのです。そこで何とか自分を主張するためにはどうしたらいいか。零戦を造ったり、特攻隊まで出して何とか戦ってきたわけです。負けるかもしれないけれど、他者というものを絶えず意識せざるを得なかった。自分の思い通りにいかない世界に直面していて、それを自覚していた。今でもそういう面がたくさんあります。第二次世界大戦に於いても、最近の金融危機（リーマン・ショック）においても同様であったと思います。

十九世紀の日本は不平等条約を強いられ騙されるような形で開国しましたが、一歩一歩それを解決するために力を注いで、日清日露の戦いを通じてやっと不平等を解消したと思ったわけですが、中国の場合はどうだったか。あの歴史を見ると、一九二〇年代から不平等条約の撤廃を要求し始めて、一九三一年にその無効を一方的に宣言。受け容れられないとなると、派手な排外運動を始めました。一歩一歩立場を高めることなしに不利な状況を一遍に突破しようとするわけです。習近平の中国が今やっていることも同じです。強引な手に出るというのは韓国も同じで、韓国はただ力が無いから今の程度に収まっているけど、力を得たら同じことをやるに決っています。私がそう言ったら、呉善花さんは「いや韓国は中国以上かもしれません」と言った。「現在の韓国の民事訴訟件数は人口当たりで日本の六十倍。何かあれば直ぐに訴える。韓国人は人の話を聞きもしないで、自分がいかに正しいかを一方的に捲し立てる人がとても多い。ですから勝負どころは、相手をいかに圧倒するかにあるのだ」と。これは欧米諸国でもそうなのですが、すくなくとも欧米人はエチケットに自我を上手く包む術を持っていますよね。中国・韓国はエチケットなんか無関係です。厄介ですね。呉さんとの対談本はそんなことが一杯書いてある本なのです。

呉善花さんは身をもって実験をしているような方なのです。韓国的なものから日本的なものに脱皮して、生活も観念も、人生そのものを入れ替えてしまう人体実験でした。その代り徹底していきす。ただ私は一方で、そのことが見ていて何か哀れでならない。本当に可哀想でならない思いがします。

彼女が語る日本擁護、韓国批判、その言葉にわれわれは簡単に甘えてはいけないのではないか、と私はずっと感じています。つまり親兄妹から切り離され、あの人の自己犠牲で切り拓いている部分があるので、哀れで仕方がないという思いが一方でいたしております。そんな気持ちもこの本にはこめられているはずです。

(8) この儘いけば日本の思想史は風化し、歴史の地下水脈を外国にふさがれたままになってしまうだろう。江戸時代に根づいた日本の思想文化は明治－大正を飛び越えてむしろ昭和に入って花開いたのではないだろうか。

次のページの表は、私が著作に触れて感じるところがあり、何となく好きな人、というくらいで並べてみたのですが、点線の上は昭和以前、という意味です。でもだいたいこういう流れでしょう。なぜこんな流れを考えたかというと、「江戸時代の継承」ということなのです。

昭和のダイナミズム

徳富蘇峰

内藤湖南

（宣長）

西田幾多郎

大川周明

林房雄　三島由紀夫

保田與重郎　蓮田善明　岡潔

平泉澄　坂本太郎

折口信夫　橋本進吉　山田孝雄

小林秀雄　福田恆存

和辻哲郎　竹山道雄　田中美知太郎

鈴木大拙　西谷啓治　久松真一

仏教の流れがあります。いちばん左の流れですね。それから儒教の流れは切れてしまいました。儒学の大家はいますが、吉川幸次郎にしても毛沢東礼賛に走ってしまう人で、中国研究家はおよそ尊敬に値しません。貝塚茂樹とか、宮崎市定とか大学者には違いありませんが、なんで毛沢東礼賛なのでしょうか。外来思想としての儒学、つまり合理主義の面。これは西洋学がそっくり引き受けたというふうに考えて、次の左側の和辻哲郎以下の五人です。

それから国学は脈々と宣長の血統がありまして、私はこの流れは折口信夫、橋本進吉、山田孝雄の三人だと思っているのですよ。最後の二人は国語学者ですけれど、本格的に宣長の国語学を継承していますね。そして山田孝雄は国語学者だけではなくて、同時に宣長と同じ日本主義あるいは国学主義、国体論者です。

その次の列は、歴史家ということです。ところで歴史家で独自の思想家となった人がいるのでしょうか。思いあたりません。私が好きなのは坂本太郎です。知っていますか。良いですね。十分に読み込んでいないけれど秘かに全集は持っています。そして問題は平泉澄ですよね。これはすごい人ですね。

それから右側は、どちらかというと日本浪曼派。大川周明はちょっと違いますが。こういう文脈で言えるかどうかはちょっと分かりませんが、何となくこんな風に並べてみました。でも徳富蘇峰の流れ、というわけでは必ずしもありません。

今申し上げましたように、昭和のダイナミズムは、江戸のダイナミズムを継承している。私はそういう風に理解しているのです。明治、大正はつまらないというのが私の独断と偏見であります。明治、大正を飛ばして江戸を継承して花を開かせたのは昭和の思想文化でした。そしてそれは、皆さんを含めて私たちが生きてきて、目の前で見てきた人たちです。今、その時代が終わろうとしているのです。終わろうどころではない、もう終わっているのです。『新潮』の元編集長と話しましたけれど、「もうあかん。文学は無くなっちゃった」と言っていました。もう無くなってしまったのです。文学者というものがいなくなっている。芥川賞があっても、あんなものは何の証拠にもならない。

つまり私たちが見てきた昭和のダイナミズムは私たちが最後の目撃証人、皆さんはこういった人たちの本を買ったり読んだりしてきたわけだから最後の生き証人で、これをもって日本は終わりとなりつつある。この後出てこないかもしれない、なにも起こらないかもしれないですね。そういう意味で江戸で根づいた文化は、昭和に花開いたのではないかというのが私の仮説で、それで仏教の流れ、合理主義、西洋の流れ、それから国学の流れ、歴史、そしてその他日本浪曼派というような区分けで考えてみたわけです。

特徴は何れの人も全部というわけではないけれど、古代復帰の願望を持っている人々ということです。価値観が古代に傾いているということです。これは江戸時代と同じです。江戸は近代と古代の架け橋の時代であって、古代に傾斜した時代です。神秘主義ですよ、徂徠だって宣長だって。でも明治大正は神秘主義が一遍に無くなっちゃう時代ではないですか。それでやっぱり昭和には古代復古、永遠というものの視座、時間を超えてゆくものへの視座。そういったものがこの人たちにはあります。そしてそれは江戸時代にもあったものです。合理化された明治、大正には無いのです。

もう一つは西洋に学び西洋を超えるという視点がどの人にもある。皆西洋に学んでいます。国語学者でもそうです。国語学者だから国語だけやって、なんて人は誰もいませんよ。皆当然ながら西洋語も出来るし、平泉澄なんか専門は国史ですけど語学が達者ですごい人ですよ。西洋を学び西洋を越える、という視点が皆ある。それが一つ。それから比較文明というものの視座を持っている。やはり他の文明と自分を比較するという感覚はどの方もお持ちです。例えば鈴木大拙も仏教をどのようにして西洋人に理解させるか、というところからスタートしていますから、英語で仏教を語るということにおいて傑出していました。現実に比較文化、外来との緊張を持たない日本人はいなかったということです。

私はここに柳田國男は入れていないのです。何かそういう大きな精神の流れに棹さすこと、そこが欠落している人に見えるから。つまり西洋との闘いや西洋との緊張、それによって自分、日本をもう一回認識して……、というような問題意識から完全に離れてしまっている人で、私を牽引する力がありません。正直言って私には、柳田國男は何を言っているのかよく解らないのです。私にも解らない人は一杯います。

ここに挙げた人のすべてのモチーフが皆解るわけではありません。この中でも好きな人もいるし、読んでもよく解らないという人もいるのです。例えば大川周明です。くりかえし名を挙げてきた人ですが、私は平泉澄のほうがずっと解るのです。大川周明という人は、朱子学、儒学から出た人です。そうしてインド哲学が専門で、イスラム研究に入るわけですから。その間に大変な碩学で、いろんな日本の歴史も含めて研究したわけで、巨大な思想家ですけれども、読んでいると何かピンとこないところがあり、私には言葉が分かりにくいのです。例えば平泉澄の言っていることはピンピン分かるのですけれど、大川周明の言っていることはよく分からない。ということは平泉澄にはドイツ哲学があるから、基本が私には解り易いということかもしれない。大川周明が解りにくい、ということは多分そういうところなので、個人差です。こうなると普遍的なことを言っているのではなくて、個人の感受能力の問題です。この中で和辻哲郎はよく解るし、坂本太郎も解る。でも保田與重郎は解りにくいのです。私には非常に解りにくい人です。それは個人の好みだからしょうがないのですね。

それからもう一つはここに挙げている人はみな広角レンズになっているということ。言い方は変ですが、視野が広くなっているということ。これは明治、大正の人には無かった問題です。例えば大川周明の視野の広さというのは凄まじいです。ほんとうに何処まで行くのか分からないような、いろんな分野に触手を伸ばしています。他の人も含めてそうです。和辻哲郎の博覧強記には唯々驚くわけですが、その他のどなたも皆視野が広くなっている。

それに対して、そんな視野なんか広げたって駄目なのだと、小林秀雄なんかが言おうとして自我を逆の方向に持っていこうとするような動きもありました。敢えて博識というものに挑戦して、純粋自我という所に自分を持ってゆこうとする。しかし小林秀雄の視野が狭いというわけでは勿論ない。

つまり、いろいろな意味でこれらの人たちは新しい時代へのフレッシュな感覚と、そして再び言いますが、比較文明の意識、西洋を学んで西洋を超える、広角レンズ、古代復帰への意思、永遠への視座をもっている。そういった意味で江戸の思想と繫がっていてそれを復活させているといえる。そういう側面がある。仏教、国学、この人たちにみんな繫がっていますから。そういう私としての感想を最初に述べておきます。私はこれらの人の個々の思想について今お話しすることはとても出来ないのですが、いくつか言わなければならないことが残っておりますので、つづけてお話ししたいと思います。

「昭和のダイナミズム」と称して、これは戦前も戦後も境を設けておりません。戦前も戦後もひとつです。何で線引きするのか私には理解できない。明治維新もそうです。維新で線引きして何も良いことはありません。維新の前後は繋がっているのですから。それは文学史だってそうです。全部繋がっています。繋いで考えるべきだし、昭和も途中で切らず全部繋いで考えるべきだと思うのです。少し例を説明しますと、昭和十年代の言論の世界というのは非常に盛んであったということを皆知らない。出版界も大変活力を帯びていた。戦争前夜です。まるで自由のない言論封圧の時代だと思われるのは大間違いで、確かに戦前に正統と思われた思想は、戦後抑圧されたかもしれない。しかし戦前には戦後とは違った戦前に特有の活発な言論活動があったということを今はなかったことにしています。時流に投じたベストセラーもありました。百何十万部などという大ベストセラーもありました。

戦前に正統と思われなかった思想が、戦後息を吹き返したのは当然ではありますが、今度は逆に戦前に正統と思われていた思想が抑圧されてしまい、ずうっと今日に至っているというのはやはり不自然ではないでしょうか。敗戦で日本の全てが変わったという錯覚を与えているのはGHQです。日本人にとって自分が生きてきた時代の思想を外国人の手で捥ぎ取られたり、捨てられたりする理由はありません。

私たちは予想外に戦前の「国体論」と同じ思想の波動の中に生きているということにも気づいて欲しいのです。例えばつい先ごろ「日本人論」というのが流行になりました。「国体論」というのはじつは「日本人論」のことなのです。「国体」という言葉は国防の思想プラス日本民族の性格や気質の研究のことだといえば分かり易くなるでしょう。それと「皇室」ということです。

「天皇制」ではなく「皇室」です。言葉遣いに注意して下さい。皇室についての様々な国民の感情の動きも戦前の国体論とそっくり同じです。戦争の時代には特有の歴史の見方があって、論争もありました。ご存知のとおり、国民は天壌無窮（てんじょうむきゅう）の皇統を仰ぎ奉り、ひたすら忠誠忠義の心を唱えなさい、そうでありさえすればよい、という考えもありました。国民に主体性も個性も要らない、ひたすら忠誠心だけあればいいという考えで、文部省の『國體の本義』はだいたいその方向です。

この本は基本的には良い部分もたくさんあるけれど、じつは変な本です。神武天皇のところがたくさん書いてあって、建武の中興、後醍醐天皇のこともたくさん書いてある。そして、明治天皇のこともたくさん書いてある。それは分かるのですが、鎌倉時代を否定している。それから江戸時代を細々と書いているだけで、あまり多く書かない。これでは国民の歴史ではありません。つまりどういうことかというと、皇室偏重の歴史なわけです。武家が威張っていた時代は駄目だというのです。そんな莫迦な話は無いし、歴史というのはそういうものではない。

大川周明の『日本二千六百年史』という有名な本がありますが、これは鎌倉時代の成立を革新の名で捉えたために、不敬の書として刑事告発され、東京刑事地方裁判所検事局思想部に摘発されました。鎌倉時代は皇室への反逆の時代であるがゆえに、これを低く見なければいけないということですね。そこに革新の意図を認めるなどということは許せないということです。告発したのは蓑田胸喜です。この人を好きな人も多いのですが、私は少し変な人だと思っています。

私は偏った国体の本義論を良いとは思いません。文部省の『國體の本義』というのは昭和十二年刊ですが、昭和八年に山田孝雄、さっき挙げた国語学者が同じ題名で『國體の本義』を書いていますが、ずっと良い本です。どういうことかというと、すぐに論争が起こったのです。文部省刊『國體の本義』に対しては反論が起こったのです。つまり、当時は活発な論争があったと申し上げたい。総力戦体制で戦おうとしている軍人たちの精神にとって、ただひたすら天壌無窮の皇統を仰ぎ奉ってさえいれば良いという消極的な事では、これでは精神涵養さえ覚束ない。そんなスタティック、静的な歴史観を基本に置いたのでは困るというような反論で、わが国体は何らかの理由なしに尊厳なのではなくて、国民個々人の主体性の関与があって初めて尊いものになるのだから、国民の主体性を無視するような静的な天皇観、国家観では困ると。武人の自立を尊重する意志的日本人観への転換を求めるという反論です。分かりますね。その頃の時代はそういうことを言ったのでありまして、これは山田孝雄も言ったし、平泉澄も言っています。

そしてこの平成の言論界に於いても、最近ちょっと下火になりましたが、しばしば皇室論がありました。同じように、臣民たる分際を守って皇室をひたすら仰ぎ見ていなさいと、余計なことに口出ししてはいけません、という声が一方にあります。それに対し私は逆のことを言いました。そんなことでは現代日本の危機には対応できないだろう。皇室への尊重の気持ちに対して能動的に関与してゆくことは必要ではないか、一歩踏み込むべきである、というのが私の考えです。平成二十年頃に起こったこの対立のことは知っておられる方もおられるでしょう。今でもこの二つの流れがあるわけです。ちょうど戦争中の考え方と、皇室に関する考え方は時代の問題として内容は違うけれど波動はよく似ているのですね。歴史は敗戦ということで切れていない証拠です。戦前の思想は言葉遣いなどに馴染みは無いのですが、予想外に私たちの実感に近いところもありまして、日本人論などは大変に興味深い。

それから朝鮮半島と台湾が併合になったということに平泉澄が疑問を呈しているのも面白い。どういうことかというと、日本という名の国土が無条件に広がる。それほど広がると「大和民族というのは何であるか」ということを考えるうえで困るのではないかと。ただ領土を広げて帝国主義万歳と言って良いのかという問題です。

実はこれは今の難民問題、移民問題と直結しているテーマですね。戦前にも同じような悩みがあったということが面白い。

さて、私が言いたいのはそこから先です。昭和のダイナミズムの一覧表の中には明治大正に生まれ、戦前に生まれ戦後に通用して来た保守思想家たちがたくさんおられます。私が先生として仰いできた人たちです。小林秀雄、福田恆存、竹山道雄。田中美知太郎もそうです。戦前に生まれて戦後に保守思想家であった人たちです。林房雄、岡潔、三島由紀夫も皆入りますが、これらの人たちは戦後的生き方を批判してきました。しかし戦前の考え方を肯定しているかといえば必ずしもそうではないでしょう。戦後的価値観で戦後を批評することは盛んでしたけれど、戦前の日本の在り方というものに果たして立ち還っているのかと疑問に思うことが最近多いのです。戦争に立ち至った日本の運命、国家の選択の止むを得ざる正当さ。自己責任をもって世界を観ていたあの時代の自己認識。こういうものを、小林秀雄、福田恆存、竹山道雄、田中美知太郎、戦後の和辻哲郎その他、ここに出てくる方々を含めて、ちゃんと直視しただろうか。この会場に居られる多くの方は、今挙げた先生方を神様のように思っている方が多いでしょうし、私にとっても最も大切にしてきた人たちであります。

戦前が正しくて戦後が間違っているというようなことでは決してありません。対立や区分けがそもそもおかしいので、ひと繋がりに連続しているということを先ず考えます。戦前のものでも間違っているものは間違っているし、戦後のものでも良いものは良い。それは言うまでもないのですが。

日本の歴史は連続して今日まで至っているのですから、戦後の保守思想の欠陥ということでありま す。

小林先生、福田先生、竹山先生、先達たちにも何かが欠けているように私には思える。間違ったことは仰有っていません。不足感があるのです。戦後の迷妄の数々は見事に指摘して否定されましたが、戦後から戦後を批判する段階に留まっているのではないかという疑問であります。小林秀雄の有名なべらんめえ口調で言った「僕は無智だから反省なぞしない。利巧な奴はたんと反省してみるがいいじゃないか」といった台詞は有名になりました。勿論良いのです。こういう言葉は素晴らしいのです。でも小林秀雄は戦争についてそれ以上のことは言わなかったのです。もう一度それを正確に言ったのは、「政治と文学」という文章の中でした。日本人は「正銘の悲劇を演じたのである。……悲劇の反省など誰にも不可能です。悲劇は心の痛手を残して行くだけだ」と。これも良い言葉です。でも小林秀雄は常にそこで終わっているのです。これでは余りにも足りない、そう思ったことはありませんか。福田先生も、私は福田先生と呼ばせて頂きますが、「『戦争責任』というものはあるかもしれぬが、『戦争責任』論などというものは、元来、成りたたぬ……」ということをはっきり仰有いました。そこは良いのです。でもアメリカにも戦争責任があったとは生涯通じて決して仰有らなかった。この件は雑誌『正論』二〇一三年三月号に佐藤松男さんが「福田恆存、知られざる『日米安保』批判」という報告を書いておられまして、最晩年の福田先生が、はたと気がついたと、福田氏は親米ばかりではないのだよ、と最晩年に気がついたという評論を書いておりますす(二四二頁の註参照)。大事な指摘だったと思います。しかし時すでに遅かったとも言えます。

戦後一世を風靡しました思想家はご両名以外たくさんおりますが、間違った内容は一言も書いておりませんけれど、あと一歩というところで口を噤んでいる。平板な敗北的平和主義は見事に彼らによって否定されてきましたけれど、何かが不足している。何だろうと考えることがあります。一つは「戦中起こった残虐事件」とされるもの。南京虐殺とかを代表とする旧日本軍による蛮行と言われるものについて、竹山道雄先生も福田恆存先生も反論しませんでした。そして寧ろ弁解しました。私はお二人のそういった文章を読んでいます。外国人に突っ込まれて、日本人に足りないところがあって、制度的にも遅れがあって、それでこういうことが起こっているというようなことを、福田先生も外国体験記があって、その中でアメリカ人に言われてそういうふうに弁解的に答えています。つまりあの時の日本人は皆、お前たち日本人は劣悪な民族だぞ、残虐なことをしたんだぞ、と言われて反論できなかったのです。公的にも私的にも。それは同情すべきかと皆さん思うかもしれないけれど、私たちと違ってあの時代を知っていた人たちではないですか。私なんかは、もう知らない世代ですから、若くてね。あの時代を生きていた、現に見聞き、知っていた人ではないですか。「そんな馬鹿なことは無い！　我が皇軍に限ってはあり得ない！」となぜ言い返してくれなかったのか。そういうことですよ。これは私が少しずつ不満に思っているところであります。林房雄は日本軍の残虐については一言も言わなかったですね。

それからもう一つあります。戦後のこれら保守思想家は戦時中軍部に積極的に協力した知識人に対しておおむね否定的なのです。戦時中軍部に積極的に協力した知識人、誰でしょう。大川周明、平泉澄、山田孝雄、徳富蘇峰、それからここに名前は挙がっていませんが、仲小路彰といった人たちは東條内閣に協力した人たちでもあるわけで、彼らを徹底的に警戒して、彼らについて言及せず、彼らを好意的に取り上げたという例を見たことがありません。福田さんが確か例外的に山田孝雄を国語学者として好意的に取り上げましたが、徳富蘇峰とか平泉澄とか大川周明のことは言わないですね。用心深く言及を避けているのです。全部実証的に調べた訳ではありませんから見落としているのかもしれませんが、これはおかしなことではないでしょうか。なぜならば、戦争中に戦争への協力者には下らない嫌な賤しい奴もいたが、立派な人もいたでしょう。違いますか。私は平泉澄なんかは立派な人だったと思いますし、仲小路彰なんかも立派な人だったと思っています。身を挺して危ない思いをしたのですから。

誰が本物であり誰が贋物であるか。誰が本物のリアリストで、誰が贋物の付和雷同者であったかの区別は今の時代にあってこそ愈々（いよいよ）なされなくてはならず、戦争に負けたから協力者は全て悪である、とレッテルを貼るのだったら、これは戦勝国の論理ではありませんか。敗戦国がそんな粗雑さで自分の国の歴史への参加者を簡単に裁いて良いのでしょうか。戦争に協力した者は、戦争が悪なのだから等し並み（ひとしなみ）に悪であると言うのだったら、これでは左翼と同じではないですか。この結果決定的にまずいことが起こるのです。戦争には負けたかもしれないが、あの時代の日本には数多くの選択の道があったはずで、そのとき開戦に追い込まれた協力者の中で誰が唱えていたことが、たとえ負けたとしても貴重な思想であり、選択であったか。負けたか勝ったかだけの根拠をここで問題にするのなら、これは戦争の論理、政治の論理であって、負けても勝っても立派だったかどうかを問わなければいけないわけですから、だったならば、あの時代の日本の運命を、道徳基準で決めるのではなくて、国家を襲った歴史の必然性の基準によって評価するということが求められるべきことではないだろうか。私は戦後七十年、保守も左翼もこの問題を避けてきていると思います。

だから私は言うのです。私も人生終わりに近づいているから言うだけのことは言っておかなければならないと思っているのですが、ここに挙げた現代の保守思想家の彼らが戦後から戦後を批判しているレベルに見え、そこから先に進もうとしなかったというふうに見えるのは私には不満だと申し上げたのはその所以です。

あの時代の日本の選択、開戦に至る必然性、戦争指導の理念的あり方、それについて思想指導者として誰が正しかったか、誰が私たちにとって理に適うか。正しいという言い方は拙い。誰が今の私たちにとって理に適うか、という評価が下される必要がある。それがされないままに終わってしまっては困る。

例えば国書刊行会が協力して「新しい」本が次々と発掘されている仲小路彰という思想家は、元海軍大将末次信正や海軍大佐富岡定俊、昭和十五年に軍令部作戦課長に就任していた人物らとタイアップしてアメリカ軍との太平洋上の戦争を避けるべきこと、インド洋から中東へ海軍を動かして、南下するドイツ軍と連携すること、アメリカからのソ連への補給路を断ち、アメリカ軍の参戦の口実を封じることを提案していました。その結果、身が危うくなって昭和十九年に東京を離れて山中湖へ隠棲します。仲間の小島威彦は戦後明星大学の教授になった文明史家ですが、投獄されます。ルーズヴェルトが国内世論に迷ってぐずぐずしていた時代ですから、この作戦は有効だったのです。すべてを台無しにしたのは山本五十六の暴走です。ああなってしまった後は、本当にもう運命みたいなものです。軍部に協力していたとかいないとかでその人の人生や思想まで葬ると言うのは、もうわれわれの時代までにして、それこそ例の戦後七十年なのです。われわれは立ち止まって考えるときが来ているのです。

小林秀雄は、「僕は無智だから反省なぞしない。利巧な奴はたんと反省してみるがいいじゃないか」と言った。日本人がもっと聡明だったら、もっと文化的だったら戦争なんか起こらなかった、と馬鹿なことを言う知識人に向かって、「そんなことはない、日本人を襲ったのは悲劇であり、悲劇の反省など誰にもできない」(『政治と文学』昭和二十六年)と明確に彼は言いました。当時は戦争責任という言葉が吹き荒れ、左翼の党派的欺瞞が横行していました。福田恆存『文学と戦争責任』(昭和二十一年)、吉本隆明『文学者の戦争責任』(昭和三十一年)もその辺りを正確に撃っているのです。知識人の欺瞞、日本人の欺瞞に対し、嘘ばかり言っていては駄目だよと。われわれを襲ったのは悲劇なのだと。それはその通りです。反省して歴史を変えられると思っている愚かさを戒めることにおいてこれらの人々はまことに峻厳でした。彼らが正直に語れたのは文学者だったからです。けれども彼らが言ったのはここまででした。そこに留まっていてそこから先がないのです。あるいはそれ以前がないといっても過言ではないかもしれません。

例外は林房雄の『大東亜戦争肯定論』でした。ただこの本が私にとって今不足感を覚えるのは、日米百年戦争を論じている点です。私にとって日米百年戦争がとても新鮮に見えたのは私が戦後っ子で、昭和六年、満洲事変から日本は血迷いだしたという戦後歴史観に結局私も踊らされておりました。そういう歴史観に閉ざされていて、そのために林房雄の百年戦争論が大変に新鮮に感じた。でも後で私がGHQ焚書を調べていたら戦争前は全部、誰もが皆そういうことを言っていた。林房雄は卓見を述べたわけでも、新発見をしたわけでもない。多くの人々が皆百年戦争、ペリー以来の戦争を言っているし、更には五百年戦争史観を述べているのは大川周明です。

平泉澄の話をしましたので、平泉澄の『我が歴史観』という論文を紹介して終わりにします。これは素晴らしい本です。古い本ですから、講談社の学術文庫などに入るといいなと思いますが、平泉澄は徹底的に否定されているので、可能性あるのかなぁ、どうでしょうか。一方で大川周明は全集まで出ているのです。大川は北一輝と並んで復活している。少し左翼っぽいからでしょう。それによって戦後受けているのかもしれない、ところが平泉澄は徹底的な日本主義ですから。それで、私が実に感服したというより共感したのは、ドイツの歴史書についてずっといろいろ述べた後で言っている次の言葉です。

主観的要素というものは、すべての歴史把捉のうちに必然的に存在して、之を根絶することは出来ないこと、これである。個々の事変は、歴史的考察によって始めて、同時代に起った事変の無際限なる集団のうちから拾い上げられて、一個の歴史上出来事となる。歴史家は自分自身から、問題を提案し、之を以て史料に当ってみる。この提案は歴史家に、出来事を整理し諸ろの歴史的要機を撰り分ける手掛りを与える。そして歴史家は、この問題を解決するために、歴史的結論を出すのである。歴史家の現在は、どんな歴史叙述からでも切り離すことの出来ない一個の要機である、そして、これは、いうまでもなく、歴史家のその人の個性及び彼の生きている時代の思想界である。あらゆる時代に於て、吾々の到達し得るのは、唯、歴史に対する吾々の認識のみであって、決して絶対的な無限に妥当する認識ではない。

歴史認識というのは相対的なものなのだということこの点を、まず私も非常に強く共感するものであります。

こういえば、破壊的に聞える。けれども吾々は、恐らく次のことが、自然科学についても、また概して人間のあらゆる認識についても、一ように変りがないと許容すべきであろう。即ち第一に肝要なるは、いつも認識する個人である。——（植村（清之助）・安藤（俊雄）両氏訳によ

る）

昔より数多くの歴史家が現れ、数多くの歴史が著されたに拘わらず、絶えず新に歴史家の活動の要求せらるるのは、一つはこの理によるものである。

分かりますね。絶えず歴史家が求められるのは、歴史は一つではないからです。多様で、相対的だと言っているのです。でも相対と言ったら恐ろしい話です。何でもかんでもということになってしまうのだから。

過ぎ去りし事実はいかにも固定して千古不変であろう。しかしその事実をいかに把捉するかは、歴史家の個性、及びその時代の思想によって相違する。中世に書かれたる歴史は、畢竟中世的把捉である。現代は現代的把捉を要求する。それ故に歴史は絶えず書き改められなければならない。

じつにまともなことを言っているのです。

昨日は無意味の事として除かれたものも、今日は重要なる意義をもてるものとして採用せられる事は、我等が実際に歴史を取扱う上に屢々——否、常に経験する所である。

もう一度いいますと、無意味なものとして除かれたものも、昨日は無意味、今日は重要というようなことは絶えず起こることだと。動くということですよね。何が重要で何が重要でないかは毎日違うという、つまり歴史は動いている。われわれも動いている。動いているものが動いているものにぶつかるのが歴史です。本書の冒頭で、私が述べていたことと同じです。

而してこの事は史家の人格、及び彼がいかに深くまた正しく現代を理解しているかが、最も重大である事を示す。実際純粋客観の歴史というものは断じてあり得ないので、もしありとすれば、それは歴史でなくて、古文書記録即ち史料に外ならない。

史料というのはあるわけです。でも史料は歴史ではありません。

歴史は畢竟我自身乃至現在の投影、

私自身の過去に対する投影、つまり主観的だと言っているのです。

道元禅師の所謂「われを排列して、われこれをみる」ものである。

道元禅師が、自分を並べて、そして自分がそれを見るのだと、自分が自分を見ているのだと。道元は歴史を言っているわけではないけれど、「『われを排列（配列）して、われこれをみる』ものである。しかも歴史を除外して我は無い」と、今度は逆のことを言っているのです。我があるだけではない、歴史を除外して我は無いのです。

我は歴史の外に立たず、歴史の中に生くるものである。歴史を有つものでなく、厳密には歴史するものである。前には歴史のオブゼクト（客観）に人格を要求した。今は歴史のサブゼクト（主観）に人格を要求する。かくの如く内省してゆく所に、現代史観の特徴がある。外へ外へと発展を急いだ時代は既に過ぎた。思うにかくの如きはひとり歴史に於てのみ見らるる所ではあるまい。すべては今や深き反省によって、自己を確立すべき秋(とき)である。

大正十四年十一月の文章です。昭和元年に近い。平泉澄の言っていることは、誠に真っ当な私の胸にピンピン来るような素晴らしい文章であると思っております。歴史のパラドクスということ、「歴史をする」ということは世の中に無いけれど、「歴史をする」というのは「歴史は行動である」ということを言っているわけです。

平泉澄が大戦中にどういうことをしたのかが非常に深く関係してくるので、皆さんご存知なければ最後にご説明しておきます。平泉澄は三十七歳にして昭和天皇に楠木正成の功績をご進講されています。その前には欧米に留学しています。満洲を視察して溥儀とも会見しています。満洲建国大学の創設にも参画しております。そして昭和二十年に東京帝国大学を辞職せざるをえなくなります。

終戦時の陸軍大臣、阿南惟幾(あなみこれちか)は自刃しました。この人は平泉澄の弟子です。続く東久邇宮稔彦王(ひがしくにのみやなるひこおう)の次の陸軍大臣、下村定(しもむらさだむ)。この人も平泉澄の弟子です。帝国陸軍の最期は終戦の直前と直後において平泉澄の愛弟子の指導の下に事後処理がなされ、陸軍は自分を解体したのです。平泉歴史神学は戦争から戦後にかけての行動の導きの星であったということであります。

あとがき

私は早くから、大学に入学したらきっと文学部に行くだろうなと予想をしていた。高校生の頃はしきりに詩を読んでいたが、不思議なことに国際政治の動きに普通以上の関心を抱いていた。しかし政治は軽蔑していた。文学部は「哲・史・文」だという原則を教えてくれたのは明治うまれの私の母だった。

大学二年の頃には哲学科に進むことにほぼ決めていた。しかし明治・大正・昭和初期の哲学書が余りの悪文なので、生涯こういう世界に閉じ込められるのかと思うと、二の足を踏んだ。鷗外や荷風のような名文が書かれている時代に何ということかと思った。世界文学全集を片端から読むのはあの時代の学生の常識だった。私はほかに大型の歴史全集、小学館・講談社・中央公論社・河出書房（遅れて集英社）などが競って出していたそれぞれ何十巻という歴史叙述の講座ものをたいてい購読していた。しかし史的唯物論に偏向したヴェールのようなものが何となく全体の叙述の上を蔽っているように思えて警戒し、執筆者の氏名に注意し、選別するようになっていた。

こうなると哲・史・文の全体を尊重しその中からどれか一つを選ぶとしても、残るは文学しかなく、結局ドイツ文学科を選んだのはほかに手段がなかったからに過ぎなかった。人生をこの世界に縛りつけるつもりは最初からなかった。

私はニーチェ研究家ということにされているが、それは正しくない。ニーチェの影響を受けた日本の一知識人に過ぎない。それで良いという考え方である。専門家でありたくない、あってはならないという私の原則が働いている。

それでもニーチェが私の中で特別な位置を占めていることは、否定できない。「神の死」はニーチェの提出した最大の問いであって、避けて通れないことは分かっていた。が、なぜか私は正面からこの問いに立ち向うことを永い間恐れていた。しかも「日本人にとって」の一行がここに挟まれなければ、あえて私が立論する根拠がないことにも早くから気がついていた。

本書の目次を見ていただきたい。日本はキリスト教国ではないのだから、「神の死」は初めから問いにならないのである。それでも「神」の歴史は持っている。さらに日本人は「文明のオリジンを持たない」という地理的条件、宗教史的現実を背負って生きてきたのであって、「神の死」は歴史の開闢（かいびゃく）にありありと刻印されている一大特色といっても過言ではない。日本人はこのことを肯定して生きてきた。神の不在、実在の欠如に不安を覚え、迷いが生じたのはキリスト教の「神」を知ってからのことである。そこからさまざまな疑念、偽装、転倒が起こった。近代の不安は、不在を直視せず、迂回して、とりどりの新解釈を施して別の価値にすり替えようとする人間知性のさかしらが引き起こしたものである。本居宣長はじつにそのことを良く、深く教えてくれたように思う。

「ニーチェの言語観にこと寄せて」の冒頭に引用した遺稿断片（フラグメント）「道徳以外の意味における真理と虚偽について」の書き出しに魅了された一時期が私にはある。後に白水社版ニーチェ全集でこの翻訳を担当した。今度ここに書き出しの句を掲示するに当り、訳出に新しい工夫（アイデア）をこらしている。「怜悧な動物たち」の寓話は、本書でくりかえした「神の視座」という発想のいわば起点であるといってよいだろう。本書第Ⅰ部は、私もこの寓話の主人公になって、古代から現代まで、神話時代から科学時代までの全体の旅を駆け足で試みたリポートにほかならない。「真理と虚偽」はあえていえば本書の表題に選んだ「真贋」の概念にも通じている。

もとより「真贋」の概念をわが国の表現世界にあらためて提出したのは、周知の通り小林秀雄である。幸田露伴を先蹤とするが、小林は「真」と「贋」の対立のユニークな関係をまことに印象的に打ち出してくれた。ヨーロッパの哲学用語にはない響きを教えてくれたのである。そして福田恆存、三島由紀夫がこれを継承し、展開したと私は考えている。他にも文学的反響はあったかもしれないが、三人ともに自己を知るという困難が真贋の岐れ目であることに気づいている点で共通していた。安定した客観的認識は存在せず、単なる知識や解釈によってではなく、「行為」により自己を表現する瀬戸際の課題がつねに「真」か「贋」かを勝負する不安な瞬間を持っていた点でも共通していた。「真」の概念は三人三様でまったく異なっていたが、それは「行為」の概念が三人三様で著しく異なっていたことに由来する。小林が「知ることは行うことだ」と言った一語が三島の最後の直接行動にどう関係するのか、私は永い間考え悩んだものである。

　哲・史・文という全体を教養の柱とするという私の理想は、日本のジャーナリズムでは文芸評論の世界に辛うじてその可能性への一端が守られているように思えた。二冊のヨーロッパ論で論壇にデビューした私は文芸誌『新潮』を主舞台にして、現代の作家の仕事に対面する文芸時評にも、積極的に参画するようになった。ほかにも教育論、政治論、人生論、旅行記等にも手を出したが、題材は何であれ、いつも同じ文体、同じ声、同じ思考のスタイルで語っていて「また今度の本も西尾節ですね」と笑われたものだった。

　七十六歳のときに自分の仕事を処女作から未来にまでコンプリートする全集（全二十二巻）の企画を、国書刊行会より求められた。つまり各巻の編集に先立って、過去の自分の仕事をじっくり読み直し、追体験することが許されたわけだ。

　追体験は今までの自分を再認識するだけでなく、これを吟味し、批判し、まったく新しい解釈を加えて変革するということも含んでいる。小林、福田、三島の三氏に関する私の評論は全集第二巻の厚い一冊に集中させても収まり切れないほどに強い関心と敬愛の表現に終始していたが、八十四歳にして提出した本書は、三氏への批判を避けていない。三氏の危うい弱点をズバリ指摘している。たとえ天才でも、長所の裏に弱点がひそんでいる、と言いたいのではない。長所がそのまま弱点となっていると言いたいだけである。

全集の刊行を機に、記念講演会が行われた。国書刊行会と私の友人たちの集う坦々塾が主宰した。十数回は行われた講演の草稿の約半分は改稿し、言論誌『正論』に連載された。「戦争史観の転換」と名づけられた世界五〇〇年史試論である（私の急病のため連載は十八回で中断のやむなきに至り、約六〇〇枚の原稿が出版を待って眠っている）。

記念講演会のもう半分は、自己形成史といっていい若い頃からの著作を再読し、各々の論を深めていくもので、本書の第Ⅱ部と第Ⅲ部の草稿となっている（三六六頁講演リスト参照）。講演のうち例えばニーチェに関する講演ほか幾つかはインターネットのYouTubeに公開されている。

二〇一六年に私は大病を患い、翌春に手術を受けた。入院中もやりかけの仕事が気懸りだった。大病院には広くて明るいラウンジがあり、好きなコーナーに自由に座席を得ることができる。私は「ニーチェの言葉『神は死せり』は日本人にとって何を意味するか」のパソコン打ちの粗い文章の推敲を始めた。時間の許すかぎりラウンジに行って、加筆修正、すなわち話し言葉の文章化の完成にいそしんだ。そして疲れると止めて、病室に戻った。それは充実した楽しい時間であった。

退院後には私の生活は急変し、仕事の時間は少なくなった。四百ページの『あなたは自由か』（ちくま新書）を二〇一八年十月に刊行、ついで新潮社から、本書の全体を俯瞰する百枚規模の大型論文の執筆を要請された。手術後の体が耐え得るのか不安だったが、私は二〇一九年四月から七月にこれを実行した（その草稿をもとに五月に一度講演を行った）。本書の第Ⅰ部がこれにあたる。

こうして本書の全体の構成は整ったことになる。

第Ⅱ部と第Ⅲ部はとくに、若い頃に力を注いだテーマの再論の一面を兼ね備えている。ことに第Ⅲ部の「『日本』という名のイデオロギー」はそうであろうかと思う。若い頃の主題に多かったのは、「外国文化をどう理解するか」あるいは「日本の近代化・西洋化とは何か」等の問題であった。

小林秀雄の次の言葉を思い出していただけるだろうか（一六九、二一九、二二〇頁参照）。

「僕の仕事は、何か一つの感動とか、ある直覚とか、そんなものがいつでも先にあるのです」「感動する時には、世界はなくなるものです。感動した時には、どんな莫迦でも、いつも自分自身になるのです」「〈イマージュ〉って、〈姿〉のことですよね。（中略）何かの姿を作り上げる時、それは必ず血肉化していますよ」

いい言葉である。書くことがイデオロギーに陥らないこと、行為の燃焼であるべきことが「感動」という一語にこめられている。最後に「姿」という文字を誘い出しているところが小林さんらしい。モーツァルトやゴッホやドストエフスキーへの感動がこれらの言葉の基本にあることはあらためて言うまでもない。

残念ながら私に同じレベルでの感動の体験はない。ただ、人文科学の方法論として「比較」という他文化理解の手段について懐疑を表明したくだりに、ある種の似たような問題把握への問い掛けがあるつもりだ。外国文化の受容において、異質な世界に「驚き」を感じている限り、われわれは相手の文化の全体にぶつかっていて、自分自身を正直に表現することができる。小さな「驚き」でもいいのだ。それがなくなって、比較文化や比較文学の学問の方法論として固定化が始まると、他文化は小さな部分に分裂して、全体が見えなくなる。観察する側の自分も平板化する。プラトンも言ったように「驚き」こそじつに認識の母である。これは小林さんの言う「感動」と同じような問題意識であり、私の若い時代の既成の学界、「比較文学会」等へのこういった点でのチャレンジの記録（二七三〜七頁参照）が、本書の主張の一つでもある。

そして、これは日本の伝統文化の基本にある「学ぶ」あるいは「理解する」が何であるか、それを問い直すという本書の中心主題であることにもつながってくる。今は外国語を学ぶことにも日本人は自信を失い、しきりに「話す」言葉に傾こうとしているが、それは「外に学ぶ」ことの本来の動機を見失っているからである。日本人がここまで西洋化＝近代化に成功したのは、そもそも「読む」言葉の学び方が間違っていなかったことの何よりも動かぬ証拠であろう。若干の手直しはいいが、根本を替えたら、われわれはすべてを失うに相違ない。

「哲・史・文」という全体によって初めて外の世界の全体が見えるという若い日以来の私の理想とその主張に、あらためて活路を拓きたいと念じ、本書を上梓する。

二〇一一年の最初の講演から始まった長い作業だった。企画に着手し久しく苦労をかけた新潮社出版部の冨澤祥郎氏、全体にかかわる重要な加筆を示唆してくださった斎藤暁子氏、それを引き継いで構想の改編と完成に取り組んでくださった疇津真砂子氏、そして緻密かつ丁寧な校閲部の方々に深く感謝申し上げたい。また、音声の文字化とくりかえされる文の修正の手作業をほとんど一人で引き受けた私の仕事の協力者、曹洞宗の僧侶で足利大学勤務の阿由葉秀峰氏にも深謝の念を申し述べたい。

令和元年師走

西尾　幹二

講演記録・初出

本書は以下の講演の草稿をもとに、大幅な改稿、加筆を重ね、新たな書下ろし稿を加えて完成された。

第Ⅰ部

神の視座と歴史／神の歴史の行方

▼「認識者の自由」坦々塾　春季研修会

令和元年五月十八日　私学会館アルカディア市ヶ谷

第Ⅱ部

ニーチェの言葉「神は死せり」は日本人にとって何を意味するか

▼「ニーチェの言葉『神は死せり』——日本人としてどう考えるか——」

第五回　西尾幹二全集刊行記念講演会　平成二十五年一月十九日　グランドヒル市ヶ谷

ニーチェの言語観にこと寄せて

▼「ニーチェと学問」第一回　西尾幹二全集刊行記念講演会

平成二十三年十一月十九日　豊島公会堂

真贋ということ
▼「真贋ということ――小林秀雄・福田恆存・三島由紀夫をめぐって――」
第三回　西尾幹二全集刊行記念講演会　平成二十四年五月二十六日　星陵会館ホール

小林秀雄と福田恆存の「自己」の扱いについて
▼「小林秀雄と福田恆存の『自己』の扱いについて」現代文化会議主催　西尾幹二講演会
平成二十四年十一月十一日　グランドヒル市ヶ谷

第Ⅲ部

「日本」という名のイデオロギー
▼「個人主義と日本人の価値観」第二回　西尾幹二全集刊行記念講演会
平成二十四年二月四日　星陵会館ホール

昭和の連続性
▼「戦前を絆(ほだ)す」【戦後70年企画】戦後思潮を考える・保守編「日本のための五冊」
『正論』平成二十七年七月号

「昭和のダイナミズム」考
▼「『昭和のダイナミズム』――歴史の地下水脈を外国にふさがれたままでいいのか――」
第八回　西尾幹二全集刊行記念講演会　平成二十七年九月二十六日　グランドヒル市ヶ谷

参考文献

文献名の掲示にあたり、選択は著者の任意であり、本文中に充分な説明のあるものや歴史的書物（例・『神皇正統記』）などは、紙数の都合上やむをえず省いたことをお断りします。

【エピグラフ】

『ニーチェ全集　第二巻（第I期）』西尾幹二他訳、白水社、一九八〇年
『本居宣長全集　第九巻　古事記傳』筑摩書房、一九六八年

【第I部】

井沢実『大航海時代夜話』岩波書店、一九七七年
石田一良編『時代区分の思想』ぺりかん社、一九八六年
S・グリーンブラット『驚異と占有』荒木正純訳、みすず書房、一九九四年
大川周明『近世欧羅巴植民史第一 - 二』（大川周明全集第五巻）大川周明全集刊行会、一九六三年
金関恕・大阪府立弥生文化博物館共編『弥生文化の成立』角川書店、一九九五年
カール・レーヴィット『世界と世界史』柴田治三郎訳、岩波書店、一九五九年
川瀬一馬『日本文化史』講談社学術文庫、一九七三年
川原栄峰『哲学入門以前』南窓社、一九六七年
クロード・レヴィ＝ストロース『神話と意味』大橋保夫訳、みすず書房、一九九六年
小牧實繁『世界新秩序建設と地政学』旺文社、一九四四年
小牧實繁・室賀信夫『大南方地政論』太平洋書館、一九四五年
下村寅太郎『近代科学史論』（『下村寅太郎著作集2』）みすず書房、一九九二年

セプールベダ『征服戦争は是か非か』染田秀藤訳、岩波書店、一九九二年
高瀬弘一郎『キリシタン時代の研究』岩波書店、一九七七年
『大航海時代　概説　年表　索引』大航海時代叢書〈別巻〉、岩波書店、一九七〇年
西尾幹二『決定版　国民の歴史』上・下、文春文庫、二〇〇九年（『西尾幹二全集18』国書刊行会）
西尾幹二「『自己本位』の世界像を描けない日本人」「危機に立つ神話」（『西尾幹二全集19』）
西尾幹二『歴史と科学』ＰＨＰ新書、二〇〇一年（『西尾幹二全集19』）
西尾幹二『歴史を裁く愚かさ』ＰＨＰ研究所、一九九七年（『西尾幹二全集17』）
西川吉光『覇権国家の興亡――ヨーロッパ文明と21世紀の世界秩序』萌書房、二〇一四年
西川如見『日本水土考・水土解弁・増補華夷通商考』飯島忠夫・西川忠幸校訂、岩波文庫、一九四四年
橋川文三編『大川周明集　近代日本思想大系21』筑摩書房、一九七五年
羽田正『東インド会社とアジアの海』講談社、二〇〇七年
フィリップ・ウェイン・パウエル『憎悪の樹――アングロvsイスパノ・アメリカ』西澤龍生・竹田篤司訳、論創社、一九九五年
フランシスコ・デ・ビトリア『人類共通の法を求めて』佐々木孝訳、岩波書店、一九九三年
増田義郎『新世界のユートピア　スペイン・ルネサンスの明暗』中公文庫、一九八九年
『水戸学集成』全六巻、国書刊行会、一九九七年
ミルチャ・エリアーデ『永遠回帰の神話』堀一郎訳、未來社、一九六三年
安田喜憲『世界史のなかの縄文文化』雄山閣出版、一九八七年
山路愛山『譯文大日本史』全五巻、春秋社、一九二九年〜三〇年
吉田敦彦『日本神話の特色』青土社、一九八五年
吉田敦彦『日本神話のなりたち』青土社、一九九八年
吉田敦彦『日本の神話』青土社、一九九〇年

吉田敦彦他編著『神話学の知と現代』河出書房新社、一九八四年
ヨハン・フォン・レールス『世界制覇の焦点——海峡・地峡・島嶼の争奪史』高橋文雄訳、電通出版部、一九四三年
ラス・カサス『インディアスの破壊についての簡潔な報告』染田秀藤訳、岩波文庫、一九七六年
ラス・カサス『インディオは人間か』染田秀藤訳、岩波書店、一九九五年
Carl Schmitt: *Der Nomos der Erde im Völkerrecht des Jus Publicum Europaeum*. Fünfte Auflage. Duncker & Humblot, Berlin. 2011
渡辺浩『近世日本社会と宋学』東京大学出版会、一九八五年

【第Ⅱ部】

岩井淳『千年王国を夢みた革命　17世紀英米のピューリタン』講談社、一九九五年
上坂昇『神の国アメリカの論理——宗教右派によるイスラエル支援、中絶・同性結婚の否認』明石書店、二〇〇八年
荻生徂徠『論語徴』小川環樹訳注、東洋文庫、平凡社、一九九四年
幸田露伴『骨董』(露伴全集第六巻)、岩波書店、一九五三年
小林秀雄「真贋」「骨董」「伝統と反逆」「無常といふ事」「歴史と文学」「小説の問題　1」「政治と文学」「戦争について」『小林秀雄全集』全十三巻別巻二、新潮社、一九七八〜七九年
小林秀雄『学生との対話』新潮社、二〇一四年
『小林秀雄講演　本居宣長〈講義・質疑応答〉』国民文化研究会編、新潮カセット文庫、一九八六年
田村秀夫編著『イギリス革命と千年王国』同文館出版、一九九〇年
田村秀夫編著『千年王国論　イギリス革命思想の源流』研究社出版、二〇〇〇年
中村光夫「小林秀雄論」『中村光夫全集6　作家論4』筑摩書房、一九七二年

福田恆存「小林秀雄の「考えるヒント」」「人間・この劇的なるもの」「俗物論」「言論の空しさ」「国運」「同時代の意義」「西欧精神について」「批評家の手帖」『福田恆存全集』全八巻、文藝春秋、一九八七～八八年
フリードリヒ・ニーチェ『偶像の黄昏/アンチクリスト』西尾幹二訳、白水社、一九九一年
フリードリヒ・ニーチェ『悲劇の誕生』西尾幹二訳、中公文庫、一九七四年
ペリー・ミラー『ウィルダネスへの使命』向井照彦訳、英宝社、二〇〇二年
マキャヴェリ「君主論」『世界の名著 21 マキアヴェリ』会田雄次編、中公バックス、一九七九年
松本佐保『熱狂する「神の国」アメリカ——大統領とキリスト教』文春新書、二〇一六年
三島由紀夫「私の遍歴時代」（『三島由紀夫全集32』）新潮社、二〇〇三年
ヤーコプ・ブルクハルト『ギリシア文化史』全五巻、新井靖一訳、筑摩書房、一九九一～九三年

【第Ⅲ部】
会田雄次『アーロン収容所』中公新書、一九六二年
岩生成一編『外国人の見た日本　南蛮渡来以後』筑摩書房、一九六二年
江沢建之助『ドイツ人の現実』慶應義塾大学出版会、二〇〇六年
遠藤周作『留学』文藝春秋新社、一九六五年
大野晋『日本語の年輪』有紀書房、一九六一年
川口マーン惠美『サービスできないドイツ人、主張できない日本人』草思社、二〇一一年
滝浦真人『山田孝雄　共同体の国学の夢』講談社、二〇〇九年
築島謙三『「日本人論」の中の日本人』下、講談社学術文庫、二〇〇〇年
中島義道『ウィーン愛憎』中公新書、一九九〇年
中村光夫「笑いの喪失」「風俗小説論」『日本の近代』文藝春秋、一九六八年

西尾幹二『ヨーロッパ像の転換』新潮社、一九六九年（『西尾幹二全集1』）
西尾幹二『ヨーロッパの個人主義』講談社、一九六九年（『個人主義とは何か』PHP新書、『西尾幹二全集1』）
西尾幹二・呉善花『日韓　悲劇の深層』祥伝社、二〇一五年

＊書籍以外
今道友信・西尾幹二対談「比較研究の陥穽」『理想』一九七八年四月号（『西尾幹二全集3』）
シンポジウム「比較文学比較文化——その過去・現在・未来」発題者：佐伯彰一・西尾幹二・川端香男里・平川祐弘・伊東俊太郎・小堀桂一郎、対談者：太田雄三、及川茂、大澤吉博、鈴木登美、青柳晃一、司会：芳賀徹（東京大学教養学部『紀要・比較文化研究』第二十一輯、一九八三年三月／『西尾幹二全集3』抄録）
シンポジウム「比較文化とはなにか、それはなにをなし得るか、またなし得ないか？」問題提起者：西尾幹二、中田光雄、討論者：小堀桂一郎、鈴木孝夫、岩田慶治、芳賀徹、飯田賢一、司会：江藤淳（東京工業大学比較文化研究会『比較文化雑誌』第一号、一九八二年／『西尾幹二全集3』抄録）

歴史の真贋

著者
西尾幹二

発行
2020年1月30日

発行者　佐藤隆信
発行所　株式会社新潮社
〒162-8711 東京都新宿区矢来町71
電話 編集部 03-3266-5411
読者係 03-3266-5111
https://www.shinchosha.co.jp

印刷所
株式会社光邦
製本所
加藤製本株式会社

乱丁・落丁本は、ご面倒ですが小社読者係宛お送り下さい。
送料小社負担にてお取替えいたします。
価格はカバーに表示してあります。

ISBN978-4-10-458303-4 C0095